| PREMIUM LABEL op. 010

더 캐슬

A.TEMPO MEDIA Inc

3

더 캐슬
THE CASTLE

진소예 장편소설

PREMIUM
LABEL

| PREMIUM LABEL. op. 010

CONTENTS

더 캐슬

Romance Fantasy
crescendo

더 캐슬

VOL. 3   The Castle

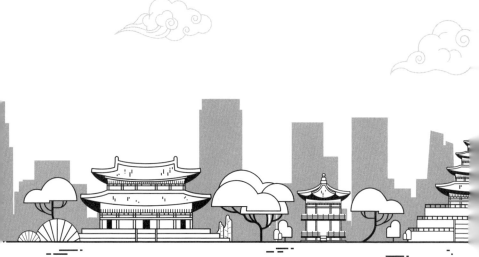

CHAPTER 16

완성된 조각

16

완성된 조각

어떻게 손을 쓴 건지 몰라도, 데이트하기 위해 들른 곳마다 손님은 두 사람뿐이었다.

커다란 통창이 있는 식당에서 해물우동을 먹고, 돌담이 인상적인 카페에서 고소한 라테를 마셨다. 다 져버린 유채밭 길을 걸을 땐, 망설임 없이 손을 꼭 잡았다. 평범하면서도 기대했던 데이트였다.

"엄마가 움직이셨어요. 제가 말했던가요?"

"아니, 그런데 보고받았어. 지금 쓰는 약이 차도가 있다며 제중원장이 좋아하더군."

"그럼…… 이번엔 정말 기대해 봐도 될까요?"

"뭐든 할 테니, 포기만 하지 마."

유연은 고개를 끄덕이며 차창 밖으로 시선을 옮겼다. 해안로를 따라 펼쳐진 근사한 바다 풍경에 그녀의 가슴이 뛰었다.

끝을 알 수 없는 수평선 끝까지 느리게 흘러갔던 시선이 푸르른 벌판 끄트머리에 닿았다. 윤기 좋은 말 몇 마리가 여유롭게 볕을 쬐거나 가볍게 뛰는 마장이었다. 키 큰 야자나무가 줄지어 심어진 입구에 진입한 차량 속도가 줄어든다.

"여기구나."

그녀의 중얼거림에 두 눈을 가늘게 떠 입구를 노려보던 그가 웃었다.

"응, 여기야."

"제주도에 계실 줄 몰랐어요."

"왕실에는 이혼이란 절차가 없어. 아니, 아주 복잡해. 그래서 어머니는 도망치듯 떠나신 거고."

"그때가 언제예요?"

"음, 아마…… 내가 10살 정도 되었을 때였나? 버림받은 기분이었어. 오랫동안 원망했는데, 어느 순간 어머니의 마음이 이해되더라."

유연은 상체를 기울여 그의 목덜미를 꼭 끌어안았다.

"저하는 참 착해요."

"내가?"

"얼굴은 나쁜 남자인데, 내가 아는 누구보다 착하고 다정해요."

"그걸 세상 사람들이 다 알아야 할 텐데."

"나만 알면 되죠. 평생 얼굴 보고 살 사람은 난데."

그녀의 뒷머릴 어루만지던 그의 손길이 우뚝 멎는다. 그는 고개를 기울여 제 어깨에 이마를 댄 그녀를 내려다보았다.

"뭐라고 했어?"

귀 끝까지 빨갛게 붉히곤 어떻게든 시선을 피하려 애쓰는 모습이 보인다.

건은 유연의 목덜미를 가볍게 움켜쥐곤 고개를 들게 했다. 입술을 질끈 깨문 그녀가 차마 시선을 맞추지 못하곤 어색하게 웃는다.

"두 번은 말 안 해요."

조금 전, 유연의 말은 지난번 제 비루했던 프러포즈에 대한 답이나 다름없었다. 살짝 목을 조르는 듯, 가슴 안쪽이 꽉 막혔다.

건은 다시 그녀를 꼭 끌어안았다. 이렇게 하지 않으면 찬란한 햇빛에 바짝 말라 바스러질 그녀 같아서, 그의 마음이 조급해졌다. 제발, 나를 평생토록 그런 눈으로 바라봐 달라고.

"기다려 줘."

깊고 고요한 눈빛과 달콤한 음성은 오로지 그녀만을 위해 존재한다.

"응. 그럴게요."

한참 동안이나 그녀를 안은 팔에 힘을 풀지 않았던 그가 차 문을 연다. 이어 조수석 문을 열고 내린 그녀와 손을 잡고 걸었다. 멀리 입구를 지키던 관리인이 황급히 일어나 건에게 예를 갖추었다.

유연은 관리인의 재킷 라펠에 매달린 내금위의 배지를 발견했다. 이곳은 자유로운 감옥이다. 왕실에서 도망친 중전을 위한, 아름다운 밀실이었다.

－유연아, 이 안에 있다.

퀼이의 목소리가 들렸다. 초원 너머 바다가 보이는 신기한 풍경을 응시하며 생각에 잠겨 있던 그녀가 고개를 들었다. 손님용으로 마련된 작은 유리온실 안, 관리인이 내어준 따뜻한 커피를 내려놓은 그녀가 돌아선다.

'어디?'

-네 근처에.

이곳엔 대형 제라늄 화분 몇 개와 대형 나무수국 한 그루, 그리고 화산석으로 만든 작은 모조 분수가 있었다. 무릎 깊이의 분수 앞으로 다가간 그녀가 궐이에게 다시 물었다.

'여기?'

-그 안.

주위를 한번 둘러본 그녀는 귀걸이를 빼 물속에 풍당 던져 넣었다. 작은 진주 귀걸이가 쪼르르 가라앉는다.

팔을 걷고 쪼그려 앉아 손을 넣자 차가운 물이 팔꿈치 위까지 휘감는다. 그녀는 차가운 물 속을 더듬으며 청동거울 조각을 찾으려 노력했다. 납작한 돌들을 집어 들어 일일이 확인하고 바닥을 살폈다. 하지만 쉬운 일은 아니었다.

결국, 바지를 걷어붙이고 물속으로 들어가 제법 넓은 분수대 안을 헤집을 때였다. 무언가 따끔한 통증이 발바닥을 스친다. 상처가 날 정도는 아니었지만, 제법 신경 쓰이는 통증이었다.

'찾은 거 같아.'

중얼거린 그녀는 투명한 물 아래를 내려다보며 손을 넣었다. 조금 전 발바닥을 찌른 건 돌과는 확실히 다른 이질적인 무언가였다. 울퉁불퉁한 조각을 집어 든 유연은 짧게 탄식했다. 청동거울의 뒷면, 만개한 연화가 새겨진 중심부가 나왔다.

-찾았구나.

이번엔 궐이 아니라 치웅의 목소리였다. 살짝 상기된 치웅의 감정을 저도 느낄 수 있다는 것이 신기했다.

'이제 어떻게 해요?'

유연은 조각을 쥔 채 물 밖으로 나와 바지를 내리고 젖은 손을 털었다.

-넌 아무것도 하지 마. 그냥, 가까이에 있는 뭐라도 잡고 있든지.

'왜요?'

-내가 제법 무겁거든. 힘들 거야, 주인아.

'그 정도는 각오했어요. 그럼…… 이제 정말 마음껏 현신할 수 있는 거예요?'

-그래. 나도 이제 언제고 인간이 될 수 있지.

'다행이다.'

-이제 나도 널 도울 수 있어, 주인아.

배시시 웃어 보인 그녀가 발을 털며 의자 등받이를 잡을 때였다. 순간, 온실의 공기가 사라지는가 싶더니 두 배 이상의 중력이 어깨를 짓누른다.

유연은 잠시나마 헛구역질이 나오는 걸 참아내며 무릎을 찧었다. 그러는 사이, 손에 힘이 풀려 움켜쥐고 있던 조각을 놓쳤다. 하지만 조각은 땅에 닿기도 전, 연기가 되어 허공에서 사라졌다.

쿵쾅거리며 뛰어 대는 심장 박동과 머릿속을 묵직하게 때리는 울림. 저도 모르게 아득해진 눈을 비비며 고개를 들자, 눈앞에 검은 형체가 선명해지더니 그녀를 끌어안아 주었다.

'퀼아.'

-괜찮을 것이다.

'치웅 언니, 너무…… 무겁긴 해.'

-곰이니까.

'픕, 그게 뭐야.'

-쉿……. 이대로 있어라.

궐이의 힘이 스며드는 것인지, 순식간에 숨통이 트인다. 그녀는
가쁜 숨을 몰아쉬며 궐이의 어깨를 잡았다.

'너 아니었으면 숨 막혀 죽었을 거야.'

-걱정하지 마라. 곧 끝날 테니.

고개를 끄덕인 그녀는 안도의 숨을 내쉬며 궐이의 팔에 이마를 댔
다. 축 늘어진 그녀를 안고 있던 궐이의 형체가 서서히 범으로 바뀐
다. 이어 완전히 쓰러져 버린 그녀를 푹신한 품에 가두었다. 거대한
몸집 때문에 테이블이 밀리고 커피잔이 쓰러졌다.

궐이는 그녀를 안은 품에 힘을 개방해 열을 방출했다. 젖은 옷감
이 말라간다. 치웅의 현신이 마무리되는지 창백했던 그녀의 혈색이
서서히 돌아오는 중이었다.

궐이는 다행이라고 생각했다. 유연이 생각보다 강해서. 처음엔 건
드리면 부서질 듯 가늘어 보였지만, 시간이 흐를수록 그녀는 뿌리내
린 나무처럼 단단해져 갔다.

궐은 그녀의 이마에 튄 물기를 핥은 뒤 고개를 틀었다. 그곳엔 문
가장자리를 짚고 선 세자가 있었다. 손에는 사인검을 소환한 채, 굳
은 얼굴로 한숨을 쉬며 다가온다.

"어떻게 된 거야."

건은 울퉁불퉁한 돌바닥에 한쪽 무릎을 댔다. 그러자 몸을 좀 더
웅크린 궐이 말했다.

-좀 더 몸을 녹여야 한다. 옷이 다 젖었다.

"그러니까 어떻게 된 거냐고."

-조각을 찾았다, 귀멸자야. 치웅이 현신하였으니, 곧 경복궁 서북

쪽 연못이 요동칠 것이다.

건은 그녀의 머리카락을 쓸어 넘겨 주며 인상을 찌푸렸다.

"서북쪽이라면, 경회루인가?"

-그렇다.

"그래서 언제까지 말릴 셈이지?"

-볼일을 마친 것이냐?

"그렇다면."

-그래도 기다려라. 주인이 기운을 차리면 돌려보내 줄 테니.

바람이 심상치 않게 불기 시작한다. 건은 죽은 듯 잠들어 버린 그녀의 뺨을 어루만지며 궐의 목덜미를 잡았다.

"흑심 품지 마라, 고양아. 봐주는 건 여기까지 하지."

-귀멸자는 투기가 심하구나.

"나의 반려니까. 나의 연인이 다른 사내의 품에 안겨 있는 모습을 보고도 눈이 돌지 않는 걸 다행으로 여겨."

-그렇구나…… 그것은 투기구나. 주인을 은애하여 그러는 것이지?

"네가 삼겹살에 미치는 것보다 100배는 더."

-흠, 믿기 힘들지만 믿겠다.

뻔뻔하리만치 태연한 대꾸에 건은 몸을 일으켰다. 다른 사람이었다면 절대 허락하지 않았겠지만 상대는 짐승. 혹은 짐승의 형태를 한 힘이자 궁궐 그 자체다.

건은 밖으로 나가 안절부절못하며 서 있는 모친 앞에 섰다.

"저녁 식사는 우리끼리 해야겠습니다. 오늘은 여기서 묵어도 될까요."

"그럼, 그럼. 당연하지……. 당연하지."

보고 싶어도 볼 수 없었다고 했다. 대비의 감시 아래 이 밖으로는 한 걸음도 나가지 못했다고. 이후로는 염치가 없어서, 또 미안해서, 거부당할까 봐 겁이 나서. 상처받은 제 얼굴을 보기 두려워서 찾지 못했다고 했다.

짧은 쇼트커트를 한 어머니는 과거보다 주름이 늘었지만, 여전히 아름다우셨다. 건은 조심스럽게 온실 문을 닫았다.

"「반갑습니다, 켄이치 이마무라입니다.」"

NV 호텔 스위트룸 내부 다이닝 룸에 세 사람이 모였다. 미란은 서연아가 소개한 켄이치 이마무라와 악수한 뒤, 음식이 놓인 자리에 앉았다.

"「이마무라 씨를 실제로 뵐 줄 몰랐습니다. 반갑습니다, 강미란입니다. 서화 아트센터 이사장이기도 하고요.」"

"「말씀 많이 들었습니다. 이렇게 뵙다니, 저도 좋습니다.」"

켄이치 이마무라는 일본 내에서 모르는 사람이 없는 예술가였다. 한 번쯤은 같이 전시 작업을 하고 싶었던 미란의 입장에선, 귀인을 만난 기분이 들었다.

"「그럼, 두 분 대화 나누세요. 저는 조용히 곁을 지킬게요. 아시다시피 예술 쪽은 문외한이라서요.」"

생글생글 웃어 보인 서연아가 와인 잔을 든다. 이마무라는 껄껄 웃으며 두 여자를 번갈아 보았다.

"「얼핏 듣기로, 청계천 광장에서 전시를 하고 싶으시다고요.」"

"「그렇습니다. 애초에 이번 작업은 서울을 배경으로 작업한 것들입니다. 제 작품 30점을 비롯해, 재단의 작품 400여 점이 들어올 수 있게 힘써 주십시오.」"

"「저도 청계천 광장에서 전시를 열면 좋을 듯싶으나, 이는 시의 소관입니다. 함부로 약속드리기 힘듭니다.」"

"「서화제약의 총수 일가이신데, 그깟 것이 힘들까요. 허허, 하지만 저는 청계천 광장이 아니면 전시를 열지 않을 생각입니다.」"

미란은 고개를 끄덕이며 고민에 빠졌다. 이마무라는 종친이다. 서화제약은 왕실에 해를 끼친 존재로 이미 이미지에 큰 타격을 입은 상황. 사람들은 왕실의 적으로 서화를 공격하고 있었다.

이런 때, 한국을 사랑하는 일본인과 손을 잡고 전시를 연다면 반대 여론을 끌어낼 수 있을지도 모른다. 서화는 왕실의 적이 아니라는 여론 말이다. 하지만 곧장 허락할 수는 없는 일. 미란은 화제를 돌렸다.

"「음식이 식겠습니다. 호텔에서 나오실 수만 있었다면, 더 좋은 식당으로 안내했을 텐데요.」"

"「아쉽게도 저는 종친입니다. 한국에 들어왔으니 왕실의 삼엄한 감시를 받게 되지요. 허허, 그리 왕실이 걱정이 많아요.」"

"「아, 그러시군요. 그럼 다음에도 이곳에서 뵙도록 하겠습니다. 제 며느리가 운영하는 곳이니 편히 지내세요. 모든 것은 제가 책임지겠습니다.」"

셋은 화기애애한 분위기에서 식사를 시작했다. 하지만 이마무라는 문밖에 서 있을 내금위들을 떠올리며 이를 갈았다. 빌어먹을 주상은, 이마무라를 호텔 밖으로는 한 걸음도 나가지 못하게 만들 심산이었다.

'그런다고 내가 여기에 묶여 있을쏘냐.'

이마무라는 끌끌 웃으며 고기를 썰었다. 멸첩을 회수하는 것은 불가능해진 상황, 이태를 밖으로 끌어내야 한다. 이태가 멸첩을 왕실에 돌려주지 못하게 하려면 놈의 약점을 쥐고 흔들어야 했다. 하지만 미국에 있는 어미는 어딘가로 꼭꼭 숨겨 두었고, 놈도 궐 밖으로는 한 걸음도 나오지 않고 있었다. 차라리 그렇게 죽은 듯 살아 준다면 좋겠지만, 이렇게 무너질 놈이 아니다.

쌉싸래한 와인을 한 모금 삼킨 이마무라의 눈초리가 가늘어진다. 제가 이곳에 틀어박힌 채로 움직일 수 있는 패를 둘 얻었으니, 희망은 있다.

이마무라는 의뭉스럽고 영악한 서연아를 빤히 보며 싱긋 웃었다. 제가 최설아를 망가트린 걸 알면서도 찾아와 사업제휴를 제안한 서연아는 보통 인물이 아니었다. 원하는 것이 있다면, 어떻게든 손에 넣고 마는 인물이다. 이런 욕망을 가진 인물이 제 마리오네트가 되어 준다면, 이번에야말로 염라의 영루를 손에 넣을 수 있을 터였다.

'무서운 계집 같으니.'

속엣말로 읊조린 이마무라가, 서연아를 보며 은근하게 말을 꺼냈다.

"「혹, 불로초를 믿으십니까?」"

유연은 꿈을 꾸었다. 소금 사막처럼 넓게 펼쳐진 얕은 물 위를 거닐다가 고개를 들자, 여인의 모습을 한 치웅이 달려와 그녀를 꼭 안아 주었다. 낯선 무복을 입고, 지금껏 본 적 없는 해맑은 얼굴로 고생이 많았다며 등을 쓰다듬어 주기도 했다.

왜 그 다정한 말에 눈물이 났는지 몰라도, 유연은 울먹이는 와중에도 '언니, 너무 예뻐요.'라며 멍청한 소릴 했다. 그러자 치웅이 환하게 웃으며 그녀에게 무언가를 속삭였다. 생과 사, 믿음과 기억 등을 하나씩 짚어 주었고 자신이 처음으로 힘을 주었던 인간에 관해 이야기해 주었다. 하지만 치웅의 이야기는 어긋난 퍼즐처럼 드문드문 기억날 뿐이었다.

유연은 잠결에 생각했다. 잠에서 깨어나면 치웅에게 직접 물어봐야겠다고.

부스럭거리는 소리에 잠에서 깬 그녀는 멍하니 앉아 전기 벽난로를 응시했다.

'꿈이 너무……'

벽난로의 붉은 빛 때문인지 묘하게 몽롱한 기분이 든다. 제게 일어난 일들을 차근차근 짚어 보던 그녀는 마지막 장면을 떠올리며 기함했다.

'나, 무슨 짓을 한 거지?'

쓰러질 곳이 없어서 하필 중전의 거처에서 정신을 잃었던 거야?

부끄러움과 당혹스러움이 합쳐져 정신이 하나도 없었다.

주위를 둘러보자 낯선 침실의 풍경과 함께 창밖으로 초원과 바다가 이어진 기묘한 광경이 보였다. 그리고 조금 전 부스럭거리는 소릴 낸 존재도.

수건을 개어 넣던 중전이 자신을 보며 놀란 표정을 짓고 있었다.

"깼어요?"

중전 윤 씨는 걱정스러운 얼굴로 다가오더니 유연의 이마를 짚었다. 물을 만지다가 온 건지, 손바닥의 차가운 감촉이 기분 좋게 느껴졌다.

"죄송합니다. 제가 실례를……."

당황한 유연은 어디에도 보이지 않는 건을 찾아 주위를 두리번거렸다.

"건이는 조금 전에 나갔어요. 아가씨 깨어날 때까지 기다리다가 전화 연락이 온 것 같더라고."

"혹시, 제가 오래 기절했었나요?"

"음, 지금 시간이 오후 9시니까. 제법 오래 누워 있었죠?"

얼굴이 확 달아올라 따끔거릴 지경이다. 하지만 중전은 기분 좋게 웃으며 걱정하지 말라고 했다.

"배는 안 고파요?"

"네, 괜찮습니다."

"하긴, 건이가 어련히 식사부터 챙길까."

활짝 웃는 중전의 얼굴에서 얼핏 건의 모습이 겹쳐졌다. 신기한 일이었다. 지금껏 주상을 닮았다고 생각했던 그가, 인제 보니 모친을 더 닮았다는 것이.

"정신 차렸으면, 같이 나갈까요?"

"그래도 될까요?"

"사실, 너무 오랜만에 아들을 봐서 나도 낯설거든. 조금 어색하기도 하고. 아까 밥 먹다가 깜짝 놀랐다니까? 애가 김치를 다 먹고.”

“음식 가리는 거 없으실 텐데.”

“나는 엄마인 주제에 내 아들에 대해 잘 몰라요. 궁걸에 가입이라도 할 걸 그랬나 봐. 그러니 아가씨가 도와줘요.”

유연은 가까이에 놓인 자신의 겉옷을 걸친 뒤 중전을 따라 일어났다. 유쾌한 상대가 어색한 건 그녀도 마찬가지였다. 사실, 중전의 얼굴을 본 건 처음이나 마찬가지였다. 이상하게 대중 매체나 지면을 통한 어디에서도 중전에 관한 내용을 자세히 찾아볼 수 없었다.

유연이 신기하게 쳐다보는 걸 느꼈는지, 돌아본 중전 윤 씨가 여상하게 말했다.

“내 이름은 윤희정이에요. 중전마마라고 부르지 말아요.”

“그럼……”

“어머니? 내가 유연 씨 어머니랑 비슷한 또래일 거 같은데. 아닌가요?”

“아뇨, 맞습니다. 그럼, 어머니라고 부를게요.”

희정이 생긋 웃으며 유연과 보폭을 맞췄다.

희정이 안내한 곳은 마사와 가까운 야외 정자였다. 멀리서 봐도 등을 보인 채 앉아 있는 사람이 누구인지 알아볼 수 있었다.

유연의 얼굴에 반가움이 번지는 걸 본 희정이 말했다.

“궐 생활은 어때요.”

“삼간택 중이라, 아직은 잘 모르겠어요.”

“힘들 거예요. 나는 여전히 전하를 사랑하지만, 마음만으로는 버티지 못하겠더라고요. 나는 지금 보는 것처럼 자유로운 사람이에요. 거추장스러운 거 싫어하고, 자연과 가까운 곳에 살고 싶어 하는. 그런데 그런 내가 변하려 했지요. 실패했지만요."

걸친 숄을 팔에 건 중전은 유연의 손을 지그시 움켜쥐었다. 궂은 일을 해서인지 메마르고 거친 느낌이 들었지만 다정한 손길이다.

"버텨 달라고 하면 너무 염치없으려나?"

"버티는 건 오래 못 해요. 적응하거나…… 궐을 바꿔야겠죠. 사실 저도 자신은 없어요, 어머니."

희정은 고개를 끄덕이며 손을 놓아주었다. 그러곤 야식을 준비할 테니 건이를 데려오라며 종종걸음으로 돌길을 내려간다. 그 뒷모습이 무겁고 안쓰럽게 느껴졌다.

유연은 정자에 앉아 생각에 잠긴 건에게 다가갔다. 치웅의 그릇이 모이며 순간 힘이 빠졌지만, 숙면을 취해서인지 이제는 아무렇지 않았다. 오히려 오래도록 못 잔 잠을 잔 것처럼 머릿속이 개운하기까지 했다.

'궐이는 어디에 있을까.'

살금살금 다가가며 궐이를 불러 보았지만, 답이 없다.

정자 끝에 다다른 그녀는 건의 어깨를 톡톡 두드렸다. 그러자 이미 그녀가 오는 걸 알고 있었는지 조금의 놀란 기색 없이 미소 지은 그가 고개를 틀었다.

"푹 잤어?"

"에이, 너무 안 놀란다."

"말소리, 발소리 다 들렸거든."

건은 그녀의 손을 끌어 자신의 옆에 앉혔다. 그러곤 얇아 보이는 그녀의 차림을 타박하며 코트를 벗어 어깨에 둘러 주었다.

"몸은 어때. 다녀간 의사 말로는 과로라던데."

"과로요? 에이, 설마요. 제가 얼마나 잘 먹고 잘 잤는데요."

"과로가 아니면, 대체 왜 쓰러진 거야?"

"잘 모르겠어요. 그냥 몸에 힘이 쭉 빠지는 바람에."

유연이 웃음으로 무마하려는 듯 배시시 웃자, 유연의 어깨를 감싼 건이 그녀를 자신의 방향으로 기대게 했다. 유연은 그에게서 좋은 향기를 느꼈다.

건이 바라보고 있던 건 어디서부터가 시작이고 끝인지 알 수 없는 어둠이었다. 바다와 육지의 경계조차 불분명한 그곳에선 파도 소리인지, 바람 소리인지 모를 것이 쉼 없이 들려왔다.

"어머니가 미역국을 끓여 주셨어. 제 손으로 미역국을 끓여 준 적이 없으셨던 게 마음에 걸리셨나 봐."

"정말요? 좋았겠어요."

"솔직히 맛은 잘 모르겠지만."

"난 부럽기만 해요. 엄마도 건강 되찾으면 미역국 끓여 주실까요? 13년 동안 미역국 구경도 못 했다고요."

어깨를 감싸고 있던 그가 미간을 좁히며 시선을 내리뜬다. 유연은 개의치 않은 표정이었지만, 건은 아니었다.

"올해 생일엔 내가 끓여 줄게."

유연은 힘주어 말하는 그를 올려다보며 웃음을 참았다.

"올해 생일은 지났으니, 내년 기대할게요."

"매년 생일마다 끓여 줄게."

"근데 음식 할 줄 알아요?"

"내가 원래 배움이 빨라."

"정말요?"

"응. 진짜야."

그녀가 달콤하게 웃으며 다시금 어둠으로 시선을 옮겼다. 건은 유연의 동그란 이마에 입술을 눌렀다. 마음 같아서는 꽉 끌어안고 품에 얼굴을 비비고 싶었지만, 안채에 어머니가 계신다고 생각하자 마치 유연 앞에 벽이 세워진 듯 선뜻 끌어안을 수 없었다.

"그럼, 이제 들어갈까?"

"맛있는 냄새가 나요."

"음, 김치 요리인 거 같은데……."

그가 의심스러운 표정으로 그녀의 손을 잡았다. 하지만 어쩐지 기분만은 개운해 보였다. 마치 묵은 감정을 털어낸 사람 같았다.

우혁은 시간을 확인한 뒤 고개를 들었다. 밤 9시를 훌쩍 넘긴 시각, 여전히 건의 숙소엔 불이 켜지지 않았다.

혹, 오늘은 외박이라도 하실 셈인가?

'근데…… 아까 그 여자는 왜 사라진 거지?'

우혁은 여전히 이해되지 않는 것 천지였다. 물론 김궐이라 불리는 사내가 인간이 아닐지도 모른다는 건 알고 있었다. 게다가 갓을 쓰고 돌아다니는 망량과 청송, 곰인지 사람인지 알 수 없는 여인은 애초에 사람이라 말할 수 없다는 것도.

우혁은 제 옆에서 재잘대던 호쾌한 성격의 여인이 순식간에 연기로 변해 사라지는 걸 눈으로 보면서도 아무것도 하지 못했다.

몸을 일으킨 우혁은 텅 빈 숙소를 둘러보며 머쓱한 마음에 밖으로 나갔다. 그러자 막 담배를 태우고 들어오던 장은호가 우혁을 발견하곤 반갑게 뛰어온다.

"술 한잔하시겠습니까?"

"좋은 술 있습니까?"

"제주 막걸리가 그렇게 깔끔하니 맛있거든요."

"음, 그럼 안주는 제가 준비하죠."

우혁은 은호의 손에 들린 검은 봉지를 받아들고 집 안으로 들어왔다. 낮까지만 해도 왁자지껄했던 집 안이 조용하다. 가뜩이나 정신 없는 자신을 바쁘게 만든다며 겉으로는 투덜댔지만, 이제는 그 왁자지껄함이 익숙해졌다.

우혁은 숙소에 있는 룸서비스 메뉴판을 꺼내 안주할 만한 몇 가지를 골랐다.

"음…… 고기는 질리니까."

한식 위주로 주문해야겠다고 생각한 우혁의 뒤로, 순간 목련 향이 부드럽게 스친다.

"나는 매운 것이 좋아."

여인의 음성과 함께 갸름한 턱 끝이 어깨에 닿았다. 흠칫 놀란 우혁이 고개를 틀자, 완벽하게 인간의 모습을 한 치웅이 생글거리며 웃고 있었다.

우혁은 어깨에 닿은 감촉에 헛웃음을 지었다. 지금까지는 손대도 닿지 않는 기분이 들었었다. 마치 허상처럼 흐리기도, 가끔은 주파수가 맞지 않는 화면처럼 일그러지기도 했다. 그런데 지금은 진짜 사람의 감촉이 느껴진다.

"매운 거 시켜드릴 테니, 이거 놓아주시죠."

한숨 쉰 우혁은 웃음을 참으며 시선을 내렸다. 뒤에서 허리춤을 꽉 끌어안은 치웅의 손이 보인다. 깍지까지 끼운 채 생글거리는 여자가 시큰둥하게 대꾸했다.

"내가 오늘은 아주 기분이 좋거든. 그러니까 이 기분, 망치지 말아 줄래?"

"망치다뇨, 말이 심하시네. 힘이 너무 세잖습니까. 이 팔을 놓아주셔야 주문을 마무리하죠."

"아! 그런데, 귀멸자의 벗아. 질문이 너무 늦은 것 같지만…… 우리 잘생긴 그대는 나이가?"

"30대 초반입니다."

"흐응, 알아. 확인해 본 것뿐이야."

이미 알고 있었다는 듯 치웅이 고개를 끄덕이며 손을 풀었다. 우혁은 소파에 털썩 드러눕는 치웅과 제 허리춤을 번갈아 보며 탄식을 삼켰다.

'인간이 아니다, 이우혁. 인간이 아니야.'

아침부터 진수성찬이 차려졌다. 희정이 차려준 음식을 배불리 먹은 두 사람은 중전의 배웅을 받으며 차에 올랐다. 외박은 예정에 없었고, 이 실장은 이른 아침부터 시간 단위로 연락을 해 왔다.

제주도 일정의 마지막 날, 오늘은 첫날에 만났던 영국 총리를 배웅하는 날이었다. 숙소에 들러 말끔하게 준비를 마친 유연은 마찬가지로 완벽하게 착장한 건과 함께 공항으로 향했다. 그러며 태블릿을 꺼내 메일함을 열었다. 메일함에는 평소 친분을 다져 놓은 기자들이 보내온 파일 몇 개가 도착해 있었다.

제주도로 떠나기 전, 그녀는 직접 켄이치 이마무라에 관한 조사를 시작했다. 하지만 자료에 한계가 있던 터라, 서화제약 재직 시절 개인적으로 친해진 기자들에게 도움을 청했다.

「사진 첨부합니다. 켄이치 이마무라가 묵는 호텔에 서화제약 사모님이랑 며느리가 드나듭니다. 물론, NV 호텔 대표라서 이상할 건 없지만요.」

「강미란 이사가 서울 시장과 면담 신청했다는 제보예요. 접견 장소 파볼까요?」

「저 ○○○입니다. 최우식 회장의 이름으로 필리핀행 항공편 예약되었습니다. 그리고 켄이치 이마무라는 유명한 작가이지만 혐한 세력에 깊게 연루된 자입니다. 왕실에 좋을 게 없을 텐데, 이상하네요.」

종친이면서 혐한 세력이라니. 유연은 보내온 사진과 자료를 하나로 모아 파일로 저장했다.

내금위에서 켄이치 이마무라를 뒤쫓는 와중에, 서화 아트센터 이사장과 서연아가 그를 만났다. 예술가와 예술 단체의 만남은 이상할 게 없었지만, 그 이후의 행보나 상황은 확실히 의심스러웠다. 건이 그에 대해 말하려 하지 않으니, 직접 알아내는 수밖에.

이내 유연은 오늘 자 기사로 내보낼 내용을 정리했다. 물론 이 기사는 제게 도움을 주는 그들의 언론사에서 제일 먼저 공개될 것이다.

"조유연."

집중해 있던 그녀는 건의 목소리에 고개를 들었다.

"네, 대표님."

공사 구분은 철저하게 하기로 했지만, 여전히 대표님이란 단어가 입에 붙지 않는다.

얼굴을 붉힌 그녀를 내려다보던 그가 입술 가까이 상체를 숙인다. 그에게서 은은한 목단 향이 풍겨 와 기분을 안온하게 만들었다.

"이대로 배웅한 뒤, 서울에 갈 거야. 서울에선 절대로 내 곁에서 떨어지지 마. 24시간, 내 옆에 있어. 알았지?"

김포공항 국내선 출구 앞, 초조한 표정의 기자들이 게이트가 열리기만을 기다렸다.

30분 전, 왕세자가 제주도에서 영국 총리와 비밀 회동을 했단 소식이 전해진 직후였다. 이후 왕실 전용기가 제주도에서 출발해 서울로 향하고 있다는 것이 알려지자마자 기자들은 공항으로 향했다.

"시간 정확한 거 맞습니까? 왜 안 나와요?"

"다른 공항으로 간 거 아니야?"

"아닐 겁니다. 분명 김포에 내릴 거예요."

그들은 왕실 일행이 나오길 기다리며 초고를 작성했다. 왕세자인 이건을 외부에서 만나는 건 너무도 오랜만이었다.

삼간택 시작 이후, 서화제약 총수였던 최우식이 연일 기자들이나 개인 방송 인플루언서들을 찾아다니며 왕실의 품위를 훼손하는 중이었다. 하지만 왕실은 이에 어떠한 답도 내리지 않았고, 그에 반발한 몇몇 단체는 왕실 존립의 근거를 제시하라며 혐오 발언을 서슴지 않았다.

왕실의 비밀을 아는 정치권 및 소수의 경영인은 그로 인해 고초를 겪는 중이었다. 다수를 설득하는 것보다 어쩌면 침묵을 택하는 편이 나을지도 모른다는 결론이 난 이유이기도 했다. 국민의 알 권리. 기자들은 더는 왕실의 비밀이랍시고 쉬쉬하는 정부를 이해할 수 없었다.

"어? 나온다!"

누군가 소리치자 금세 게이트 주변이 시끌시끌해졌다. 이어 제법 많은 무리의 사람들이 게이트를 빠져나오기 시작한다. RSA 직원들을 선두로 월등히 키가 크고 눈에 띄는 이건이 나타났다.

바쁘게 셔터 눌리는 소리에 세자가 상체를 기울여 곁에 선 여자에게 귓속말한다. 업무용 정장 차림에 서류 가방까지 들고 있었지만, 다들 그녀가 누구인지 짐작하고 있었다.

세자에게 집중되어 있던 관심이 유연에게로 옮겨 갔다. 그리고 그 관심은 자연스럽게 두 사람의 뒤를 차지한 네 명의 인물이 가져갔다.

"저…… 저 남자 갓을 쓴 건가? 저 키 큰 여자는 배우 같지 않아요?"

"저기요, 죄송한데 꼬마 애 정보 가진 거 있으면 좀 나누죠?"

"저도 처음 봅니다. 그런데 외국인같이 생긴 남자는 세자랑 너무 닮지 않았습니까?"

"저 사람들 대체 누굽니까?"

걸음을 내디딜 때마다 따라붙은 기자들의 질문이 쏟아진다. 그들 중에는 유연을 알아본 기자들도 있었다. 그래서인지 더욱 집요하게 따라와 질문을 퍼붓는 기자들의 만남이 잦아질수록, 건과 궐의 표정이 굳었다.

담담한 척하지만 긴장한 기색이 역력한 그녀를 지켜보던 건이 어깨를 감쌌다. 그러자 궐의 목소리가 들려왔다.

-그러게 주인은 내가 문을 열고 데려간다고 하지 않았냐.

'시끄러워. 유연이 힘을 쓰는 거라며. 최대한 자제해, 고양아.'

-고집이 세구나.

'먹여 주고 재워 준 은혜를 모르는군.'

-이제부터 시작이다. 버텨라, 귀멸자야. 잠신해 있던 놈들이 불안을 느끼고 환동하기 시작할 것이다.

건은 보일 듯 말듯 고개를 끄덕였다. 그 모습을 지켜보며 뒤따르는 궐의 눈빛이 어둡게 가라앉는다. 수호부들은 지금 두 사람의 힘을 피부로 느끼는 중이었다.

진정한 귀멸자인 이건이 태어났고, 그 힘을 통제할 수 있는 귀안의 여인이 곁에 있다. 그들의 힘은 수호부를 깨우는 것으로 모자라, 근본이나 다름없는 치웅까지 현신시켰다. 어쩌면, 이번에야말로 정말 모든 업을 끝낼 수 있을지도 모른다. 완벽한 휴식.

"내, 말하지 않았느냐? 이번 귀멸자는 다르다고. 그러니 정말로 끝을 낼 수 있을 것이라고."

껄껄 웃는 망량이 궐의 곁으로 다가왔다.

"나도 안다, 영감."

"그런데 표정이 왜 이리 죽상이냐. 이제 와 힘을 주기 싫은 거야?"

"그렇지 않다."

"각오 단단히 해라. 네놈이야 깨어난 지 얼마 안 돼서 아쉽고 억울하겠으나 나는 이제 쉬고 싶구나."

"영감은 쉴 때가 지났지."

"그러니 궁에 돌아가면 오랜만에 술 한잔하자."

"주사 부리지 마라, 영감."

궐은 성큼성큼 걸음을 내디뎌 모두를 앞질렀다. 더는 주인이 난처해하는 모습을 보고 싶지 않았다.

출구를 빠져나가 미리 대기 중인 왕실 호위 차량 뒷문을 벌컥 연 궐이 치웅에게 안겨 있는 청송에게 말했다.

"문 열어라."

최우식은 항공사 VIP 라운지에 앉아 시선이 느껴지는 방향을 노려보았다.

'이 빌어먹을 계집애 같으니.'

제게 필리핀행 항공권을 쥐여 준 사람은 서연아, 자신의 며느리였다. 최우식은 분노에 몸을 떨었다.

이대로 한국을 떠난다면, 재기할 기회를 완전히 잃는 것이나 마찬가지다. 게다가 도망자, 혹은 패배자로 낙인찍혀 비참한 말로를 맞이할 것이 분명했다. 하지만 필리핀에 도착할 때까지 서연아의 끄나풀이 자신을 감시할 것이다.

평소엔 하지도 않던 습관이 생겼다. 손톱을 물어뜯어 피가 배어 나오는 것도 의식하지 못한 채 최우식은 불안에 떨었다.

'일단 이곳만 빠져나가면……'

그는 필리핀행 항공기의 탑승 신호가 떨어지는 걸 확인한 뒤 손가방을 챙겨 일어났다. 그러곤 비릿하게 웃으며 순순히 탑승구를 찾아 걸었다. 동남아시아행 비행기의 탑승구는 라운지와 거리가 제법 되는 편이었다.

화려한 쇼윈도가 줄지어 늘어선 면세점을 지나 공항 철도를 타기 위해 지하로 내려가던 때였다.

"회장님, 여깁니다."

자연스럽게 붙어선 사람은 윤 실장이었다. 윤 실장은 우식의 최측근이라는 이유로 준일에게 버려진 상황이었다. 보복성 인사라며 법정 소송까지 벌였으나, 아무런 소용이 없었다. 서연아는 그 순해 보이는 가면 뒤에 송곳니를 숨긴 독사였다.

"여긴 제게 맡기시고, 저쪽으로 나가세요. 제가 사람을 준비해 놨습니다."

"윤 실장, 고맙네. 내 이 은혜 잊지 않겠어."

"이대로 가시면 정말로 끝입니다. 다시 서화 되찾으십시오."

"그래!"

희망이 보인다. 심장이 쿵쾅대며 뛰기 시작했다. 의미심장한 눈빛을 나눈 두 남자가 순간 반대로 튀어 나갔다.

최우식은 윤 실장이 알려 준 방향으로 눈썹이 휘날리게 뛰었다. 거대한 덩치 때문에 뛰는 것이 벅찼지만, 그는 이 상황을 끝낼 방법을 알고 있었다.

윤 실장이 말했던 대로 기다리고 있던 한 여자의 도움을 받은 최우식은 그대로 공항을 빠져나갔다. 가쁜 숨을 몰아쉬며 이마에 흐른 땀을 닦은 최우식이 이를 갈며 운전대를 잡은 여자에게 말했다.

"제중원으로 가! 빨리!"

결국 이 사태를 해결하고, 자신을 살려줄 이는 딱 한 명뿐이다. 헛똑똑이에 착해 빠져서, 결국 제 엄마를 빌미로 부탁하면 들어주고 말 얼굴이 선명하게 떠오른다.

❀

  수호부가 차원 이동을 통해 눈앞에서 사라지고 난 뒤, 유연은 건과 함께 차에 올랐다. 문을 닫고 차를 출발시킨 뒤에야 찾아든 안도감. 기자들은 승용차에 성인 6명이 올라타는 걸 보며 기함했지만, 이유까지는 알지 못했다.

  '치사하다, 너희.'

  그녀의 시큰둥한 말에 제일 먼저 청송이 펄쩍 뛰었다.

  -아닙니다, 누이! 퀼이 형님이 심술부린 거라니까요?

  '문 여는 건 너잖아, 청송이.'

  -퀼이 형님이 무섭게 노려보는데 어떻게 합니까. 힝, 억울해요. 누이.

  '시끄러워.'

  -쯧, 주인아. 청송이 운다.

  '언니는 빠져요. 기자들이 보는 앞에서 이동하면 저하가 난처해지시잖아요.'

  -어휴, 네가 귀멸자를 감쌀 때마다 이번엔 퀼이 놈이 울어요, 울어.

  '흠, 퀼이 은근 울보네요.'

  유연이 피식 웃자, 옆에 앉아 서류를 들춰 보던 건이 상체를 숙여 왔다.

  "조유연, 내 말 들었어?"

  "네?"

  유연은 흠칫 놀라 고개를 들었다. 그러자 얄밉지 않게 째려본 그가 손에 든 서류를 내민다.

"보도 자료인가요?"

"아니, 비밀 회동의 결과라고 할까."

"결과라면……."

받아 든 그녀는 첫 문장을 읽어낼 때부터 놀란 표정을 감추지 못했다.

"세계 각국에서 대한민국 문화재를 돌려주고 싶다는 연락을 해 왔어. 이례적인 상황이지. 우리 쪽에서 요청하기 전에 먼저 제안을 해 온다는 건."

그의 목소리엔 뿌듯함이 가득 담겨 넘실댔다. 유연은 서류를 무릎에 올린 뒤, 홍보 문구를 정정하기 시작했다.

"흐름이 유리해지기 시작했어."

그의 얼굴에 자신만만한 미소가 그려진다. 그것은 시작에 불과했다. 주상은 그날, 삼간택의 종료를 선언했다. 더는 간택을 미룰 필요가 없다며 세자빈으로 조유연을 간택했다고 발표했다. 그날, 궐 앞에 모인 사람들의 수는 시청 앞 광장에서 열린 촛불 시위의 인파에 맞먹었다.

달라진 건 그것뿐만이 아니었다. 유연은 꿈을 꾸기 시작했다. 꿈속에 등장하는 장소는 몹시 구체적이었고, 무언가가 신호를 보내는 기분도 들었다. 제가 꿈을 설명할 필요조차 없이, 눈을 뜨면 방을 지키던 궐이 순식간에 연기가 되어 사라졌다. 뒤늦게 그곳은 이매가 잠신한 곳이란 걸 알게 되었다.

신기하게도 기운을 느끼는 것이 아니라, 마치 사진을 찍은 것처럼 눈앞에 장면이 보였다. 치웅은 그것이 본인의 힘이라며 유연의 건강을 염려했다. 하지만 그녀는 멀쩡했다. 물론 이따금 속이 울렁거리긴 했지만, 신경 쓸 정도의 불편함이 아니었다.

「켄이치 이마무라, 일본」

예화의 자료실에 들러 도록을 살피던 유연은 20여 년 전 켄이치 이마무라의 작품을 예화에 전시했던 자료를 찾아냈다.

'시장과 면담한 내용 알아냈습니다. 전시를 연대요. 청계천 광장에서 어마어마한 규모로.'

후원은 서화 아트센터일 테고, 투자는 NV 호텔그룹일 터. 그녀는 알 듯 말 듯한 연결 고리를 찾아내기 위해 고민에 빠졌다.

자료를 제자리에 둔 채 밖으로 나간 그녀가 연못가에 앉아 있는 이태를 발견했다. 이태의 곁에 앉아 있던 상선이 부드럽게 웃으며 이태의 어깨를 다독인다. 이어 자리를 떠난 뒤에도 이태는 멍하니 자리에 앉아 있었다.

그녀로서는 지난번 수정전에서의 전투 이후, 감정이 좋지 않게 남은 그였다. 화매를 다루고 그것으로 궐을 망가트리려 했던 종친. 가만히 이태를 응시하던 그녀가 한숨 쉬며 돌아설 때였다.

"조유연 씨!"

뻔뻔하게 누나라 부를 때는 언제고, 긴장한 목소리로 자신을 부르는 이태의 태도에 유연은 걸음을 멈추었다.

"하아, 하아, 안녕하세요."

그러자 뛰어온 이태가 우물쭈물하며 쪽지 한 장을 내민다.

"이게 뭐예요?"

그것은 모 외국계 은행 이름과 계좌번호, 그리고 12자리의 코드였다.

"이걸 형님께 전해 드리세요."

"뭔지 말해 주세요."

"형님이 찾는 거요."

"……무얼 찾는지는 아시고요?"

"압니다. 조유연 씨, 제 어머니도 귀안을 가진 분이십니다."

그녀는 이미 알고 있는 사실에 고개를 가볍게 끄덕였다.

"그런데 이마무라가 미국에 계신 제 어머니를 찾으려 사람을 썼다고 하더라고요."

"그 사람이 왜 마마의 어머니를요?"

"조심하셔야 합니다. 이마무라는 제 어머니를 볼모 삼아 이걸 찾으려 한 거예요."

다시금 쪽지를 가리킨 이태가 입술을 깨문다. 제법 수척해진 얼굴엔 전에는 볼 수 없던 애잔함이 들어 있었다.

사람이 바뀐 것도 아닐 텐데…….

"알겠습니다. 전해 드릴게요. 그럼 저한테도 말해 주세요. 기사를 보셨는지 모르겠지만, 삼간택은 끝났습니다. 이변이 없다면, 저는 세자빈이 될 테고 마마님의 형수가 되겠죠."

"알아요."

"그러니까 두 남자 사이에 있는 그 비밀, 아니…… 비밀을 묻지는 않을게요. 무슨 일이 있었는지만 말해 주세요."

이태는 다소 당황한 표정이었다. 찬 바람이 불어와 이마를 가렸던 머리카락이 넘어갔다. 흐트러진 머리카락을 쓸어 넘긴 이태가 울 것 같은 표정으로 고개를 푹 숙였다.

"이마무라는 형님이 태어나기 전부터, 왕실에 원한을 품고 있던 사람이에요.”

유연은 제 귀를 의심했다.

“중전마마를 최설아와 같은 상태로 만들었고요. 결국…… 그 화를 형님께서 입으셨어요.”

“자세히 말해 봐요.”

손과 목소리가 떨렸지만, 담담하려 노력했다.

어깨를 편 그녀는 자신의 처소 방향으로 걸음을 옮겼다. 그러자 우물쭈물하던 이태가 걸음을 내디딘다.

“형님 몸속에 영루가 있습니다. 그게 어떤 힘을 낼지는 모르지만, 이마무라는 그걸 이용하려 하는 것 같아요. 그놈, 청계천 광장에서 전시를 열려고 안간힘을 쓸 겁니다.”

심각한 표정으로 앉아 있는 유연의 뒤로 제일 먼저 청송이 다가와 슬그머니 무릎을 꿇었다.

침소에 마련된 책상 앞에 앉은 그녀는 청송의 초조하고 애타는 눈빛을 모른 척했다. 그러자 이번엔 퀼이 나타나더니 청송이 옆에 다소곳이 앉아 은근슬쩍 말을 걸었다.

“속이려 한 것이 아니다. 귀멸자가 알리고 싶지 않아 했을 뿐이다.”

하지만 그녀는 대꾸조차 않은 채 들여다보던 서류를 넘겼다.

“누이! 퀼이 형님 말이 맞습니다. 그리고 망량 영감께서 인간들은 참으로 복잡미묘한 존재라 하여, 아는 것을 함부로 엮어 이간질하면 큰일이 난다고…….”

하, 이간질이라니. 청송의 순진무구한 변명에 유연은 그만 웃어 버렸다.

"그래, 영감님이 현명하셨어. 그런 건 본인에게 직접 들어야지. 그래도 귀띔이라도 해 주지 그랬어. 나 혼자 너무 희희낙락했잖아."

"유연아."

궐이는 책상을 짚으며 상체를 숙여 유연의 어깨에 이마를 대며 말을 이었다.

"영루를 품고 있다고 하여, 큰 문제가 생기지는 않을 것이다. 단지…… 화매를 부리는 놈이라면 억지로 영루를 취하려 할 수 있다. 그래서 우리가 귀멸자를 지킨다."

그에 펜을 내려놓은 그녀가 고개를 들었다.

"정말 너희가 저하를 지키고 있는 거였어?"

"그렇다. 지킨다."

"궐아."

"나는 거짓말 하지 않는다."

궐이의 목소리는 진지했다. 이로써 이태의 말이 거짓이 아니라는 것도 사실이 되어 버렸다. 그의 몸에 영루가 박혀 있다는 것이.

마른세수한 그녀는 이태가 건네준 쪽지를 꺼냈다. 그가 건에게 직접 전해 주지 못하고 제게 부탁한 이유는 어렵지 않게 추측할 수 있었다. 세자 앞에 나설 면이 없거나, 겁이 나거나.

유연은 여전히 제 눈치를 살피는 두 사람을 돌아보았다. 눈이 마주친 청송이 입술을 삐죽 내밀더니 슬그머니 시선을 피한다.

"전에 궁을 망가트리려 한 게, 화매라고 했지? 소헌군 마마가 부리는. 그럼, 이자도 화매를 부려?"

궐이 나서서 고개를 끄덕였다.

"그렇다."

"이 사람이 청계천 광장에서 전시회를 열려고 해. 근데, 이건 그냥 내 감인데…… 느낌이 좋지 않아."

"글쎄, 청계천은 서울의 모든 물이 모여 동쪽으로 흐르다가 한강으로 빠져나가는 혈맥이다. 하지만 말 그대로 혈맥일 뿐. 설마……."

"짚이는 게 있어?"

궐이는 지긋지긋하다는 표정으로 혀를 찼다. 유연이 어서 말해 보라고 닦달했지만, 순간 외부에서 기척이 넘어왔다.

"서 상궁입니다."

유연은 궐이와 청송에게 눈짓한 뒤 방문을 열었다. 삼간택이 끝나고, 집으로 돌아가기 위해 곳곳에 짐 가방이 쌓여 있는 상태. 방으로 들어선 서 상궁이 주위를 둘러보며 티 나지 않게 이맛살을 구겼다.

"저하께옵서 저녁 식사를 예화에서 하지 않겠냐고 여쭈어 오셨습니다."

"저야 어디서 먹어도 상관없어요. 그러잖아도 업무가 많아서 저도 다시 사무실로 돌아가려 했거든요."

"그럼, 찬합에 식사를 준비하였으니 저와 함께 가시죠."

그러잖아도 어제부터 고된 일의 연속이라 보지 못했던 그가 궁금하던 차였다.

서 상궁의 다정한 질문에 유연은 두툼한 겉옷을 꺼내 걸치며 밖으로 나갔다. 처소 밖에 도시락을 들고 서 있던 나인 두 명이 생긋 웃으며 인사한다. 하늘에 별이 보이지 않는 걸 보니, 조만간 첫눈이 내릴 것 같았다. 예년보다 이른 첫눈이.

"중전마마를 뵈었다지요."

전각과 전각이 이어지는 담장을 따라 걸으며 서 상궁이 먼저 물었다. 말을 할 때마다 하얀 입김이 새어 나와 눈앞을 뿌옇게 만든다.

"네, 제주도에서 만나 뵙고 왔어요. 저하가 말씀하시던가요?"

"아니요. 이 궁궐에는 눈과 귀가 항상 따라다니지요. 그래서 알고 있는 것뿐입니다. 어떠셨나요. 건강해 보이시던가요?"

"네. 건강해 보이셨고, 편해 보이셨어요. 서 상궁님은 뵌 적 없으세요?"

"저야 이 궁궐을 나가본 일이 까마득합니다. 이제는 상상도 할 수 없어요. 저에게는 이곳이 가장 편안한 보금자리입니다."

당연하다는 듯 태연하게 미소 짓는 서 상궁을 보는데 기분이 이상했다. 누군가에게는 감옥인 이곳이, 누군가에게는 안식처가 된다는 것이.

"주상 전하께서는 혼례 시기를 두 분의 결정에 맡기겠다고 하셨습니다만, 너무 늦어서 좋을 것이 없습니다."

서 상궁이 은근슬쩍 혼례에 대한 질문을 꺼냈다. 주상이 직접 그녀를 세자빈 자리에 올리겠다고 공표까지 했건만, 유연은 조금도 들뜬 기색을 보이지 않았다. 그런 점은 서 상궁이 생각했던 여인들과 다른 점이기도 했지만, 불안하게 만드는 이유이기도 했다.

"듣고 계시지요?"

대답 없는 유연에게 재차 묻는 서 상궁의 눈빛이 가늘어진다. 유연은 태연한 표정으로 고개를 끄덕였다.

"그럼요. 하지만 좋은 날은 저희가 정하게 해 주세요. 어쩌면 인생의 한 번뿐인 결혼식이 될 텐데, 번갯불에 콩 구워 먹듯 하고 싶지 않아요. 게다가…… 저하랑 좀 더 오래 연애하고 싶은데요?"

"연애라니요. 허, 그래요. 연애하면 좋지요. 하나, 왕실의 결정 하나하나가 정치나 다름없습니다. 꼭 염두에 두세요."

어느덧 예화 앞에 다다라 나인이 들고 있던 도시락을 받아든 유연은 걱정스러운 눈빛의 서 상궁에게 꾸벅 인사했다.

"알겠습니다. 돌아가세요. 저하와 식사 마치고, 함께 퇴근할 테니까 걱정하지 마시고요."

"조유연 씨."

"네?"

어쩐지 예화 앞은 다른 곳보다 온도가 더 낮은 것처럼 느껴졌다. 코가 시리고, 손끝이 언다.

가만히 올려다보던 서 상궁이 다가오더니 고개를 불쑥 들이밀어 그녀의 눈동자를 지그시 응시한다. 당황한 유연이 어색하게 웃자, 그제야 서 상궁이 거리를 벌렸다.

"색이 변하셨습니다. 아주 흐리고 연한 색이었는데…… 지금은 아주 또렷합니다. 힘을 더 얻으셨군요."

"제 눈동자 색이 변했나요."

"예."

"어떻게 변하죠."

"그건 쉰네도 알 수 없지요. 다 하늘의 뜻입니다."

의뭉스럽게 대답한 서 상궁은 유연이 건물로 들어갈 때까지 자리에 기다렸다.

색이 변했다니, 믿기 힘들다. 유연은 제 눈을 멋쩍게 비빈 뒤 건물 안으로 들어갔다. 아직 퇴근하지 않은 직원들이 있는지 폐관한 지

두 시간이 지난 시각이었지만 건물 안은 환했다.

얼마나 바리바리 챙겼으면 손에 든 도시락 통이 제법 무겁다. 둘이 먹을 양 치고 5단 도시락은 과하다. 분명 다 같이 나눠 먹어도 남을 양이라고 생각하며 곧장 건의 집무실이 있는 3층으로 올라갔다.

"아, 빨리 오셨네요."

"안녕하세요, 실장님."

승강기에서 내리자마자 기다리고 있던 우혁이 그녀를 맞았다. 무늬가 연한 석조 벽이 인상적인 대표이사실 입구. 구세주라도 만난 표정으로 환하게 웃은 우혁이 그녀가 들고 있는 도시락을 뺏어 들더니 냉큼 문을 노크한다.

"오늘 세자 저하께서 완전 저기압이셨어요. 혹시 오늘 못 만나신 겁니까?"

"저하가 너무 바쁘셨잖아요."

"그래도 그렇지, 이제는 꼭 하루에 한 번은 뵙는 거로 해 주세요. 그것도 최소한으로요. 이왕이면 제 옆자리에서 일하셔도 좋고요. 그게 저를 살리는 겁니다."

"음, 세자 저하 성격 나쁘다는 뜻이에요?"

"뭐, 딱히 성격이 좋진 않으시잖아요?"

우혁은 웃음기를 지운 채 '다들 그렇게 말한다.'며 일축했다. 그녀가 손으로 입가를 가리며 웃음을 참을 때였다. 닫혀 있던 문이 열리더니 피로에 찌든 건이 못마땅한 표정으로 그녀의 손을 잡아챘다.

"내 아내 될 여자에게 내 뒷담화를 하는 건 좀 그렇지 않아?"

반가움 반, 피곤이 덕지덕지 묻은 얼굴에 안쓰러움이 밀려들었다.

"저하가 모르셔서 그렇지, 원래 식구끼리는 눈 마주치면 뒷담화하는 게 낙입니다.”

“개판이군.”

“그리고 오늘은 좀 주무시죠. 걱정하는 사람들 생각도 하셔야죠. 저하가 적당히 하셔야 저 같은 평범한 사람들도 좀 쉽니다.”

지지 않고 대꾸한 우혁은 건의 손에 도시락까지 쥐여 준 뒤, 90도로 꾸벅 허릴 숙였다.

“그럼, 알아들으신 거로 믿고 저는 진짜 퇴근하겠습니다.”

목에 건 사원증을 벗어 버리는 것으로 퇴근에 대한 의지를 확고히 한 우혁이 사라지고, 건의 혀 차는 소리가 머리 위에서 들려왔다.

“나한테는 피로 회복제를 들이붓던 놈이, 겨우 이 정도로.”

하지만 말투와 달리 건의 표정은 다정했다. 작게 웃는 그녀의 어깨를 감싼 그가 도시락을 바닥에 내려놓더니 벽 쪽으로 가볍게 민다.

“유연아.”

“네?”

벽에 등이 닿은 그녀가 커다란 눈을 깜빡이며 고개를 든다. 상체를 숙여 온 그가 진지한 투로 말했다.

“내 애인은 24시간 붙어 있으라니까, 왜 나보다 바쁜 거지?”

“제 상사가 바쁘니까요.”

“흐음, 나는 직원들을 내 업무에 끌어들인 적이 없는데?”

“그거야…… 제가 그 상사를 너무 좋아하거든요. 그래서 일을 줄여 주고 싶었어요.”

뻔뻔하게 대꾸했지만, 온 신경은 언제 닿을지 모를 입술에 집중되어 있었다.

나직하게 웃은 그가 그녀의 윗입술을 가볍게 물었다.

"그럼 더 붙어 있었어야지."

이럴 줄 알았지.

다시 시작된 입맞춤. 그는 코트 안으로 손을 넣어 가느다란 허리춤을 감싸 안았다. 이곳이 업무 공간이라는 사실 때문인지 나쁜 짓을 하는 기분이 들었다.

간드러지게 파고들었다가 얄밉게 빠져나가는가 싶더니, 숨을 죄어 오는 듯한 키스를 퍼붓는다. 입맞춤이 깊어질수록 흔들다리 위에 올라선 것처럼 가슴이 울렁거렸다.

유연은 두 눈을 꼭 감고, 그의 팔을 힘껏 잡았다. 건이 자신의 생명 줄인 양, 그렇게.

─그놈이 어디 있는지 알아봐라, 청송아.

검은 범으로 현신한 궐이 어슬렁어슬렁, 낙선재 안으로 들어선다. 그러자 갓 구운 감자와 고구마를 한 바구니 까먹던 청송이 고개를 저었다.

"아시잖습니까. 저는 주인이 계신 곳이나, 힘이 있는 곳. 그리고 제가 가 본 곳만 문을 열 수 있습니다."

─그러니 알아 오라는 것이지. 누가 대뜸 문부터 열라고 했냐.

"날이 이렇게 추운데, 비행하다가 입 돌아갑니다."

─청송, 말대답이 늘었구나.

"형님, 왜 화가 난 겁니까?"

─화나지 않았다.

퉁명스럽게 대꾸한 귈이 마루 위로 올라서며 인간의 모습으로 변한다. 그에 방문을 벌컥 연 치웅이 얼굴에 붙여 둔 팩을 떼어 내며 끼어들었다.

"청계천에 화매를 풀어서 광화문을 먹어 버리려 하는 것이 눈에 훤한데, 왜 고민 같은 걸 하는 거야?"

"놈이 부리는 화매는 고작해야 뱀이다. 그런데 그리 당해 놓고, 감히 무슨 의도를 품은 것인지 궁금해서 그런다."

"그 의도가 불순하지 않을 수 있나. 나라면 이미 그 목을 쳤어, 호랑아."

"치웅, 하지만 놈은 종친의 힘이 있는 자다. 그러니 망량의 처분을 기다려라."

어깨를 으쓱 올린 치웅이 혀를 찬다.

"쯧, 불쌍한 놈이네. 하필 걸려도 영감 같은 사이코한테 걸리나?"

치웅은 다시 얼굴에 팩을 붙였다. 그러자 쪼르르 다가간 청송이 치웅의 얼굴에 붙은 팩을 꾹꾹 누른다.

"누님, 근데 이것은 무엇입니까?"

인상 쓴 치웅이 답하려 했지만, 문을 벌컥 연 망량이 대신 이죽거렸다.

"뭐긴 뭐야. 한 살이라도 어려 보이려 용 쓰는 거지."

"에이씨, 영감!"

발끈한 치웅이 벌떡 일어났다.

"내가 틀렸느냐? 네놈이 고 어린 인간한테 짧다 못해 댕그란 꼬랑지를 파닥파닥 흔드는 게 뻔히 보인다."

"왜, 문제 있어? 놈은 참으로 내 아는 얼굴과 닮았거든. 그래서 어여뻐 해 주고 싶은 것뿐이야."

두 사람의 신경전에 고구마를 입에 문 청송은 다시 쪼르르 도망쳤고, 신경질적으로 부채질한 망량이 아랫목에 털썩 앉았다.

"영감, 알아보았나."

밖에 앉아 용마루를 노려보던 궐이 물었다. 그 심각한 분위기에 치웅의 표정이 변하였다.

"무슨 일이야. 나만 모르는 일이라도 있는 거야? 뭘 알아보았는데?"

치웅은 두 남자를 번갈아 보며 인상을 찌푸렸다.

"내 화매를 시켜 서북쪽 연못 바닥을 샅샅이 뒤지게 했지. 한데, 없다. 누군가 이미 용을 파냈어."

연기를 내뱉은 망량을 보는 궐의 눈빛이 매섭게 벼려진다.

서북쪽 연못이란 경회루와 맞닿은 못이었다. 궁궐의 동서남북 연못엔 용신을 뜻하는 상징을 묻어 두곤 했다. 화재를 막기 위한 선조들의 깊은 뜻이었지만, 정확하게는 수호부를 이용해 궁궐을 지키기 위한 방도 중 하나였다.

"그럴 줄 알았지. 어쩐지 잦게 화재가 일어난다 했더니…… 그 왜 놈이 부릴 화매가 무엇인지, 이제 알 것 같군."

"그래. 청계천을 걸고넘어지는 것부터가 이상하다 했다."

가부좌를 틀고 앉은 궐의 눈에서 형형한 빛이 흘러나오기 시작한다.

"이무기가 용이 되려 발악하는구나."

"그래 봤자, 지렁이다. 밟으면 꿈틀할 수 있겠으나…… 그뿐이지."

"어찌할 것이냐. 영감이 책임져라."

"흐음…… 목을 비틀어 죽이면 하늘이 노할 테니, 숨넘어가기 직전까지 내 괴롭혀 줘야겠구나."

두 사람의 대화를 가만히 듣던 치웅의 눈동자가 순간 희게 변했다. 낮게 한숨 쉬며 이마를 짚은 치웅의 입매가 비스듬히 올라간다.

"기다려. 그놈이다. 그놈이 부를 이매가 바로……. 오호라, 염라의 영루를 품었구나."

신기하게도 서 상궁이 준비해 준 음식은 정말이지 둘이 먹기 딱 알맞았다.

혹시 궁에서 지내며 제 위가 커진 걸까? 빈 도시락 통을 보자 왠지 미약한 죄책감이 든다. 물론 제가 좋아하는 고기반찬이 유난히 다양하게 들어 있긴 했지만, 이 정도는…….

과식했다고 생각한 건 그도 마찬가지였는지 제법 심각한 표정으로 거울 앞에 한참을 서 있었다. 하지만 둘은 금세 고민을 포기하고 서류를 나눠 가졌다.

"배도 채웠으니, 제가 도울게요."

"졸리면 자도 돼."

"에이, 이 정도는 거뜬해요. 제 짬을 우습게 보지 마시라고요."

"흠, 하긴. 체력 무시하지 말라면서, 나한테 놀아 주겠다던 여자가 생각나네."

유연은 귀 끝을 빨갛게 붉히며 그를 흘겨보았다. 초간택이 있던 날, 길을 잃고 헤매다가 건을 만났고 첫 입맞춤을 했다.

대체 그게 언제 적 일인데, 뜬금없이…….

"이제 놀아 드릴 체력은 안 되지만, 서류 훑을 힘은 있어요."

"정말?"

소파 끝에 앉아 있던 그가 상체를 기울여 온다. 그녀는 반대 방향으로 최대한 몸을 붙이며 애써 서류로 시선을 피했다.

"일하자고요, 일. 그래야 오늘은 제시간에 잠들죠."

가만히 응시하던 그가 고개를 가볍게 저으며 테이블에 내려놓은 안경을 쓴다. 테가 얇은 안경 때문인지, 그의 이목구비가 유난히 더 선명하게 느껴졌다.

"차라리 네 집에 머물 때가 좋았어."

"왜요. 붙어 있을 수 있어서요?"

"그래. 무슨 짓을 해도 되는 곳이었으니까."

종이 넘어가는 소리가 부드럽게 귓가를 스친다.

"처소를 옮기고 나서부터 제대로 못 자는 거 알지?"

"그러잖아도 저 이제 곧 나가요. 삼간택 끝나서 공식적으로 저는 친정으로 잠시 돌아가는 거래요. 그래서 대충 짐은 싸 놨는데, 나갈 날짜는 정하지 못했어요."

그녀는 서류 속 내용의 요점을 정리해 메모한 뒤 그에게 건넸다. 그러나 시큰둥한 표정으로 받아 든 건이 미간을 꾹 누른다.

"어머니 깨어나실 때까지는 이곳에 있으면 안 되나?"

"매일 출퇴근할 텐데요?"

"그래도 아침에 10분이라도 더 잘 수 있잖아."

"대신, 한 방에서 10분도 같이 있을 수가 없잖아요. 이렇게 사무실에서 같이 있는 거 빼면요."

미간을 누른 채 서류를 노려보던 그가 천천히 고개를 튼다. 조금 전까지만 해도 불만으로 가득했던 눈빛이 언뜻 부드럽게 변했다.

"흠, 그게 불만이었어? 나랑 오래 못 있는 거?"

"아니라고 할 수는 없죠. 얘기도 하고 싶고, 얼굴도 보고 싶은데 방문 여는 소리만 들려도, 어디서 서 상궁님이 나타나시잖아요."

"그럼, 도망칠까?"

두 눈을 보기 좋게 휜 그가 불쑥 고개를 들이민다.

"응? 경복궁 가까이에 집을 얻어서, 우리 둘만 지내는 건 어때."

어디까지가 농담이고 어디까지가 진담인지. 오늘따라 그의 진심을 가늠하기 힘들다. 유연은 능청스럽게 웃는 그의 가슴팍에 손을 얹으며 고개를 저었다.

"그러면 궁은 누가 지켜요. 주인 없는 집이 얼마나 볼품없어지는지 알면서."

"아버지도 계시고, 서 상궁도 있고, 차 내관도 있어."

"그래도 동궁전의 주인은 저하밖에 없어요."

"꼭, 서 상궁처럼 말하는 거 알아?"

"음, 요즘 자주 뵈었더니 닮아가나 봐요. 어쨌든 편법은 싫어요."

턱 끝을 든 그가 그녀를 내려다보며 피식 웃는다. 그러더니 제법 자라난 그녀의 머리카락을 양손으로 쓸어 넘겨 주었다.

"하여튼 순해 빠져선."

"제가 이렇게 꽉 막혔어요. 아, 맞다. 드릴 게 있어요."

그녀는 주머니에 넣어 둔 쪽지를 꺼냈다.

"소헌군 마마가 저하께 전해 달라고 한 거예요. 찾으시는 거라고 하던데요?"

"이태가?"

"네."

눈살을 찌푸린 그가 구겨진 쪽지를 받아 담담히 폈다.

유연은 가라앉으려는 기분을 애써 끌어올리며 다른 생각을 하려고 노력했다. 이태는 건의 몸속에 영루가 박혀 있다고 했지만, 궐이는 그것이 아무런 해악도 끼치지 않을 거라며 일축했다.

물론, 궐이를 믿는다. 수호부들은 절대 제게 거짓말하지 않을 거란 믿음이 있었다. 그럼에도 불구하고 마음이 좋지 않은 이유는 무엇 때문일까.

"이태는 대체 언제 만난 거야."

그가 쪽지를 접으며 진지한 투로 물었다.

"오늘이요. 퇴근하는 길에 저를 불러 세우더라고요. 그런데 중요한 거예요?"

"중요하다고 해야 할지, 쓸모없다고 해야 할지."

"그게 뭔데요?"

"누군가의 역사라고 해야 할까……."

가만히 대답을 기다리는 그녀를 내려다보는 눈빛이 조금 굳어 있었다.

"중요한 거네요."

혼잣말 같은 그녀의 말에 고개를 끄덕인 그가 몸을 일으킨다. 살짝 긴장한 얼굴로 마른세수를 하며, 말했다.

"오늘 업무는 여기까지만 하지. 가자, 객채까지 바래다줄 테니까."

갑작스러운 말에 유연은 당황한 표정으로 서류를 둘러보았다.

"아직 할 일이 많아요. 볼일 있으시면 다녀오세요. 제가 마무리 지어놓을게요."

"아니, 싫어."

단호하게 거절한 그는 이어 느른한 숨을 내쉬며 그녀의 손을 잡아 일으켰다.

"밤늦은 시간까지 건물에 남아 있는 건 위험해. 그러니까 돌아가라는 거야. 일은 내일 나하고 같이 해."

그녀는 마지못한 듯 코트를 챙겼다. 그 역시 짙은 차콜색의 캐시미어 코트를 걸치곤 우혁에게 연락했다. 차를 대기시키라고 지시하는 것으로 보아, 쪽지에 적힌 은행을 찾아가는 것일 터. 유연은 더 이상 묻지 않기로 했다.

당당히 손을 잡고 건물을 나선 뒤 그녀가 묵는 객체까지 천천히 걸었다. 추워진 날씨에 벌레 한 마리 울지 않는 밤이다. 어디선가 궁인들이 무리 지어 따라붙는다. 하지만 저와 달리 그는 그들의 존재를 무시해 넘길 수 있는 사람이었다.

담장을 밝힌 조명에 의지해 객채에 다다른 그녀의 손가락이 가볍게 경련한다. 따뜻한 이 손을 놓고 싶지 않아서, 되레 꽉 붙들었다.

"어디 좀 다녀올 테니까, 자고 있어."

"돌아오시면 깨울 거예요?"

흠, 하며 숨을 내쉰 그가 추위에 빨개진 그녀의 귓가에 속삭였다.

"문 잠그지 마. 월담이라도 할 테니까."

상위 1%의 재력가 혹은, 유명인. 또는 그만한 영향력을 가진 고객들을 상대해 온 〈URST 뱅크〉의 점장 장동휘는 아주 오랜만에 전율을 느꼈다.

20분 전, 왕실에서 연락을 받은 장동휘는 장난 전화가 아닌지를 제일 먼저 의심했다. 하지만 몇 번을 확인해 보아도 걸려온 전화번호는 왕실 대표번호였으며, 전화를 건 사람의 이름은 이우혁이다.

대한민국 왕실 소속, 총괄실장이라고 했던가? 어쨌거나 적어도 왕실과 비즈니스를 하기 위해선 이우혁을 통해야 한다는 설이 있을 만큼, 몰라서는 안 될 이름이었다. 그리고 지금, 이우혁은 은행 개인실의 도청 장치 및 녹화 장치를 확인하고 있었다.

"깨끗하군요."

우혁이 안경을 추어올리며 생긋 웃자, 장동휘는 가슴을 쓸어내리며 더욱 환한 미소로 받아쳤다.

"물론입니다. 저희는 불법 감청을 하거나, VIP 고객님의 영상 정보를 수집하지 않습니다."

고개를 주억인 우혁이 재킷 라펠에 달린 이어 마이크에 대고 무언가 지시를 내린다. 얼마 지나지 않아 개인실의 문이 열리더니, 장동휘가 그토록 기다려 온 얼굴이 익위들과 함께 모습을 나타냈다.

"세자 저하!"

장동휘가 과장된 어조로 건을 부르며 한껏 허릴 숙인다. 건은 부드러운 표정으로 장동휘에게 손을 내밀었다.

장동휘는 그가 내민 손을 잡으며 20분 내내 머릿속으로 정리해 온 말을 쏟아냈다. 대략 은행의 역사와 왕실에서 연락 왔을 때의 심경, 개인 금고의 보안 등급 같은 광고에서 나올 법한 말들이었다.

한참을 떠들던 장동휘는 불현듯 제가 떠든 시간이 지나치게 길다는 것을 깨달았다. 계속 구부리고 있던 허리를 들자, 여전히 변함없는 세자의 표정이 보였다.

"흠흠, 죄송합니다. 바로 개인 금고를 열겠습니다."

"부탁드립니다. 장동휘 지점장님."

건은 그제야 놓아준 손을 주머니에 꽂은 뒤, 우혁이 기다리는 자리에 앉았다. 주위는 온통 금고로 가득했다. 마치 금고로 만든 감옥에 들어온 기분이 들 정도였다.

장동휘는 이건이 알려 준 코드를 입력했다. 그러자 레일이 움직여 A4 사이즈만 한 금고 하나가 앞으로 밀려 나온다.

장동휘는 비밀번호 입력창을 열어둔 채, 바로 자리를 피했다.

"저하, 코드 입력을 제가 할까요?"

우혁의 말에 건은 유연이 준 쪽지를 건넸다. 이어 우혁이 금고를 열고 바스러질 듯 낡은 서책 한 권을 꺼내 온다. 방부 처리를 한 것인지 화학 약품 냄새가 났다.

"하, 멸첩이군."

소실된 멸첩의 나머지가 분명했다. 건은 우혁이 내려놓은 것을 노려보며 귈을 불렀다.

'고양아, 네 일기 찾았다.'

그러자 건의 눈앞에 검은 연기가 밀집되는가 싶더니, 개인실이 꽉 찰 만큼 거대한 호랑이가 나타났다. 머리를 천장에 찧은 귈이 순간 체격을 줄인다.

-흥분해서 크기를 통제하지 못했다. 정말로 나의 일기냐.

'그래.'

주둥이를 부풀리고 수염을 앞으로 모은 귈이 테이블에 놓인 멸첩을 내려다보며 안도하듯 미소 짓는다. 호랑이가 입술을 올려 웃는 모습은 여전히 어색하고 이상하다.

‘내가 봐도 되겠나?’

-남의 일기를 들여다보는 변태인가.

‘네놈이 문화유산처럼 만들어 놓은 탓이지!’

-무엇이 궁금한가.

‘희빈 장 씨의 아들. 네가 영루를 심었다는 경종의 끝이 궁금하군. 그리고 네 주인이 요절한 이유 또한 석연치 않아.’

궐이 순간 사람으로 변했다. 갑작스럽게 눈앞에 나타난 궐의 모습에 우혁이 기절할 듯 놀랐으나, 노련하게 당황하지 않은 척 눈만 크게 뜨는 것으로 대처했다.

지난번 사 준 옷이 마음에 드는지 캐러멜색 코트를 걸친 궐이 진지한 표정으로 멸첩을 집어 든다.

“치기 어릴 때의 끄적거림을 누가 엿보는 것과 다르지 않다. 내게 물어라. 내가 답해 줄 터이니.”

“네가 거짓말을 할지 누가 알아.”

“언약의 힘을 잊었나 보다. 다시 할까?”

두 남자의 서늘한 눈빛이 서로를 꿰뚫듯 향했다. 언약이란 서로를 알은체하지 않겠다는 약속이었고, 그것은 꽤 고통스러웠다.

그때의 기억에 건의 표정이 구겨질 때였다. RSA에서 연락을 받은 우혁이 창백해진 얼굴로 다가와 보고한다.

“수원 화성에서 돌발적인 환동이 일어났다고 합니다. 현신이 불가피하다며, 당장 헬기를 띄우겠답니다.”

“점점 놈들이 발악하는군.”

몸을 일으킨 건의 옆으로 붙어선 궐이 고개를 뻣뻣이 들고는 말했다.

“새로운 이매가 탄생하지 않으니, 남은 놈들이 힘을 불리는 것이다.”

"그럼, 놈들을 모두 봉인하면?"

"더 이상 이매는 탄생하지 않을 것이다. 하지만 지금껏 그 어떤 귀멸자도 성공하지 못하였다."

건은 헛웃음을 흘리며 쏟아진 머리카락을 쓸어 넘겼다.

끝이라니. 어쩌면, 이 지긋지긋한 일들을 끝낼 수도 있다니.

건은 누구보다 평범한 삶을 바라는 소중한 이들의 얼굴을 떠올렸다. 그리고 오늘따라 이상했던 한 명.

"유연이 아나? 내 몸에 영루가 있다는 것을."

"안다."

"어쩐지……"

재킷 단추를 푼 건은 성큼성큼 걸음을 내디뎠다. 헬기 도착까지 5분, 탑승하는 시간을 포함하여 수원에 도착할 때 즈음엔 제법 피해가 클 터. 대비해야 한다.

"귀멸자야. 괴상한 것을 기다리는 거라면, 굳이 그럴 필요 없지 않은가."

막 문을 열려던 우혁의 손이 궐에게 잡혔다. 궐의 말에 두 눈을 가늘게 뜬 그가 고개를 끄덕인다.

"문 열어."

"문 열어라, 청송."

궐의 눈동자가 밝게 빛나는가 싶더니, 굳게 닫힌 문 너머 강한 힘이 팽창한다. 공기를 찢어발길 듯 요란한 기운이 문 너머에서 요동치고 있었다.

문 앞에 선 건이 장갑을 꺼내며 물었다.

"그럼, 네놈들은 어찌 되는 것이지."

"우리는 수호부다. 그리고 나는 궐이다."

"네놈이 궐인 걸 누가 모르나? 내 말은……."

"눈에 보이는 것만이 전부는 아니다, 귀멸자야."

누군가에게는 전부일 수도 있지.

건은 말없이 고개를 끄덕였다. 그러자 서서히 문이 열리기 시작한다. 푸른 연기에 휩싸인 장막 너머 보이는 것은, 수원의 행궁. 봉수당 앞마당이었다.

붉은 기운이 용마루 위로 미친 듯이 날뛰며 땅을 뒤흔든다. 피부를 베는 듯한 강한 기운에 건의 입꼬리가 비스듬히 치솟았다.

"무슨 일이 있어도 사라질 생각은 하지 마. 그 꼴은 못 본다. 알았나, 호랑이?"

정면을 노려보던 궐이 서서히 범으로 변하더니 검은 기운을 내뿜으며 거대한 앞발을 내디뎠다.

-긴장해라.

"겁도 없이 행궁에서 날뛰는군."

-좋은 영루를 얻을 수 있을 것 같다.

"넘보지 마."

하찮다는 듯 혀를 찬 둘은 동시에 장막 너머로 저벅저벅 걸어 들어갔다. 귀멸자의 기운을 느낀 이매가 겁에 질려 몸부림친다. 이어, 무자비한 두 귀멸자의 공격이 이어졌다. 마치 분풀이 같은 붉고 노란 힘이 요동친다. 우혁은 그 모습을 멍하니 바라보다가 이어 마이크에 지시를 내렸다.

"……헬기, 곧장 수원으로 갑니다. 저하께서는 이미, 현장으로 향하셨습니다. 하, 젠장. 뭐가 뭔지."

더 캐슬

VOL. 3   The Castle

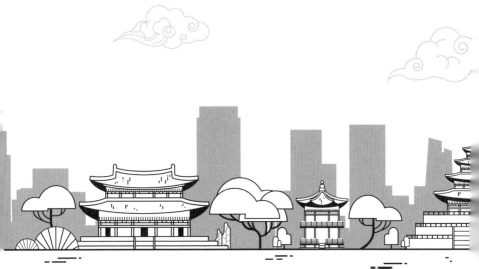

CHAPTER **17**

청계천 블루스

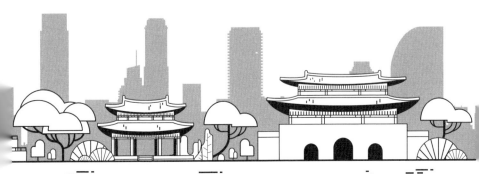

17

청계천 블루스

다음 날 아침, 유연은 동트기 전에 눈을 떴다.

멍하니 문살 사이로 들이치는 빛을 응시하다가 뒤에서 끌어안고 잠든 팔을 내려다보았다. 당연히 제 곁에서 잠든 남자는 건이었다. 유연은 그제야 이것이 꿈이 아닌 현실이란 것을 실감했다.

밤새 흘린 식은땀에 축축하게 젖은 옷이 불편하다. 그래서 조심스럽게 건의 품에서 빠져나왔다. 대체 어떻게 들어온 것인지, 정말 월담이라도 한 것인지. 그는 외출복 차림으로 제 곁에서 잠들어 있었다.

'어떻게 된 거지……? 그 꿈은 또 뭐고.'

유연은 혼란스러운 마음에 침대에서 내려와 냉장고 안에 든 생수를 꺼냈다.

간밤에 꾼 꿈은 너무나 선명했고, 복잡하며 당혹스러웠다. 넓고 거대한 수원 행궁. 산과 전각 전체를 에워싼 붉은 기운 앞에 건이 서 있었다. 붉은 기운은 이매였고, 푸른 기운은 수호부다. 그들이 내뿜는 힘은 잠결에도 온몸에 소름이 돋을 만큼 강하고, 날카로웠다.

'귈이도 곁에 있었던 것 같은데⋯⋯. 꿈인 거 맞겠지?'

이매가 소멸하는 것까지는 확인하지 못했다. 눈앞의 장면이 확확 넘어가는 통에, 막막한 표정으로 그것을 지켜보다가 잠에서 깼다.

물로 목을 축인 그녀는 세상모르고 잠든 그의 곁으로 다가갔다.

'서 상궁님한테 들키면 혼날 텐데⋯⋯.'

해가 뜨기 전에 깨워야 한다는 생각과 조금이라도 더 함께 있고 싶다는 욕심이 치열하게 부딪친다.

유연은 그의 이마를 가리며 흘러내린 머리카락을 쓸어 넘겨 주었다. 아직 밖이 어두워서인지, 제 손길이 기분 좋은 것인지 그의 눈매가 부드럽다.

건은 되레 더 만져 달라는 것처럼 그녀의 방향으로 몸을 웅크렸다. 새벽의 찬 공기가 유리창을 넘어와 얇게 발리듯 유연의 피부를 감싼다. 결국, 그를 깨우는 걸 포기하고 다시 이불속으로 파고들었다.

삼간택 이후, 같이 방을 쓸 수 없었고 어디든 감시의 눈이 따라붙었다. 제주도에서 돌아온 뒤로 처음인 건가? 막상, 그 사실을 의식하자 이상하게 마음이 요동쳤다.

그녀는 웅크린 그의 겨드랑이 사이로 손을 끼워 넣으며 파고들어 가만히 끌어안았다. 이상하게 오랜만이라는 느낌이다. 그의 셔츠에 제가 쓰는 보디로션 냄새가 은은하게 배어 있었다.

어쩌면 스스로가 참 이기적인 사람이 아닐까 하는 생각이 들었다. 이따금 수정전에서 이매에 파묻혀 고통스러워하던 그의 모습이 그녀의 머릿속을 스친다. 유연은 그럴 때면 어김없이 가슴이 유난히 빠르게 뛰어 겁이 나고 두려웠다. 꿈속에서조차 행궁이 망가지는 것엔 아랑곳없이, 불길 속으로 달려들어 가는 그를 붙들고 싶었다.

저도 모르게 힘을 주어 안았는지 그의 눈꺼풀이 서서히 들린다. 그는 품에 안겨 있는 그녀를 잠이 묻은 눈으로 내려다보다가, 안도하듯 다시금 눈을 감았다.

"안녕하세요, 아주머니. 어젯밤에 연락 주시지 그러셨어요."

유연은 이른 아침 급히 제중원을 찾았다. 원래는 강미란이 운영하는 서화 아트센터에 방문해 예화로 보내온 협조요청서에 대해 질의를 하기로 되어 있는 날이었다. 하지만 아침 식사를 마치기 전 걸려온 전화에 그녀는 뒤도 돌아보지 않고 궁을 나섰다.

병실 문을 열자마자 엄마에게 다가선 유연은 설명이 필요하다는 눈빛으로 간병인 아주머니를 보았다. 지친 기색이 역력한 아주머니가 말도 말라며 손사래를 친다.

"말도 마요. 믿기기나 해요? 혜란 씨가 갑자기 일어나서 병실을 걸어 나가는데, 어휴…… 심장이 내려앉는 줄 알았어. 당직 의사들도 놀라서 일단 뛰어 올라왔는데, 5분 정도 그렇게 서 있다가 쓰러졌지 뭐야."

유연은 듣고도 믿지 못했다. 그 오랜 시간을 누워 있었는데, 갑자기 일어나서 걸었다고? 그것도 이른 아침 온 연락에 의하면, 몽유병 환자들의 특징처럼 보이는 행동을 했다고 의사는 말했다.

"일단, 아주머니는 돌아가세요. 어제 퇴근도 못 하셨다면서요. 말씀하셨으면 제가 왔을 텐데……."

"괜찮아, 괜찮아. 그러잖아도 요즘 집에 가는 길이 좀 껄끄러워서 병실에서 자려고 했었거든요.”

“왜요? 무슨 일 있으세요?”

밤새 잠을 설친 아주머니가 마른세수하며 하품을 크게 했다.

“이상하게 누가 자꾸 쳐다보는 느낌이 들더라고. 집까지 따라오
는 느낌도 들고.”

“네? 그래서요? 경찰에 신고하셨어요?”

“나 참, 경찰에 신고? 바로 앞이 파출소라 찾아갔지. 그랬더니 뭐
라는 줄 알아요? 그래서 피해당한 것도 없는데 왜 찾아오냐는 투야.
아주 사람을 피해망상중 환자처럼 보더라니까? 나이 많은 아줌마라
고 무시하는 것인지, 원.”

“그래서 어떻게 하셨는데요?”

“뭘 어떻게 해. 집 앞까지만 데려다 달라고 사정사정했지. 일단 그
날은 그렇게 넘겼는데, 이게 영…… 께름칙해서. 요즘 워낙 세상이
흉흉하잖아.”

유연은 걱정스러운 마음이 들었다. 이미 서연아의 사람이 간병인
아주머니께 접근했고, 잠잠한 최준일과 최우식이 마음에 걸렸다. 게
다가 이따금 최설아의 기사를 볼 때마다 제게 아버지의 죽음을 알려
주겠다던 미란의 말이 잔상처럼 맴돌았다. 만일, 아주머니를 괴롭히
는 사람이 그들 중 하나라면…….

‘청송아.’

그냥 넘어갈 일이 아니다.

-네, 누이!

‘아주머니 좀 부탁해도 될까? 아주머니 따라다니는 사람이 누군
지만 알아내 줘.’

-저 인간을요?

'응. 부탁 들어주면 편의점 가서 네가 사 달라는 거 다 사 줄게.'

-오늘부터 당장 따라다닐게요, 누이!

청송의 목소리에 힘이 실린다. 오히려 신이 나 아주머니의 머리 위에 푸릇한 잔상까지 만들어내는 중이었다.

"오늘은 걱정 마시고 들어가 보세요. 제가 아주머니 따라다니는 사람 누군지 꼭 알아내 드릴게요."

"어휴, 말이라도 고맙네요. 그럼 오늘은 유연 씨 왔으니까 나 들어가 봐도 될까?"

"그럼요. 저하도 곧 올라오실 거라, 불편하실 거예요."

건이 온다는 말에 아주머니의 얼굴엔 금세 화색이 돌았다. 립스틱까지 곱게 바른 아주머니가 매무새를 정돈하곤 손가방을 꺼내 든다.

유연은 엄마가 덮은 이불을 정리해 준 뒤 아주머니와 함께 병실을 나섰다. 그녀의 눈에만 보이는 푸른 매 한 마리가 아주머니의 머리 위를 선회한다. 그러더니 자연스럽게 어깨 위에 앉았다.

"우리 유연 씨는 걱정이 없어. 전에는 그렇게 물가에 내놓은 아이 같더니, 이제는 내 마음이 놓여요."

"제가 그랬나요."

"응, 그럼. 그랬지. 너무 위태로웠지."

어느덧 승강기가 도착해 문이 열렸다. 아주머니를 청송에게 부탁한 유연은 한가한 병원 복도를 둘러본 뒤 서둘러 병실로 향했다. 엄마가 잠깐이나마 몽유병처럼 걸어 다녔다는 것에 대한 의사의 소견이 궁금했다.

유연은 병실 앞에 서 있는 장은호를 발견하곤 환한 미소로 인사했다. 장은호가 이곳에 있다는 건, 병실 안에 건이 도착했다는 뜻이다.

반가운 얼굴로 문을 열고 들어갔을 땐 이미 의사도 함께였다. 엄마의 병상 앞에 서 있던 그가 고개를 튼다. 정중하게 인사한 의사가 지금껏 본 적 없는 희망찬 표정으로 그녀를 맞았다.

"곧, 깨어나실 것 같습니다."

그토록 듣고 싶었던 이야기를 듣는 순간, 다리에 힘이 탁 풀렸다. 놀란 얼굴로 다가온 건이 그녀를 부축한다. 유연은 안도하며 자신을 안은 팔을 단단히 붙들었다.

"고맙습니다. 고맙습니다, 선생님. 정말 감사해요."

"아닙니다. 박혜란 씨가 잘 버텨 주신 거예요."

의사는 다시 오겠다는 말을 남기고 서둘러 병실을 나갔다. 그녀는 힘을 내 다가가 병상 가장자리를 움켜쥐었다. 마치 당장에라도 엄마가 눈을 떠, 제 손을 잡아 줄 것만 같았다.

"마음 단단히 먹어. 이제, 진짜 시작이야. 어머니가 깨어나신다고 해도 치료는 계속해야 해. 잠시나마 걸었던 건 거의 무의식이었고, 현실적으로는 움직이기 힘드실 테니까."

그의 다정한 손길에 참고 참았던 눈물이 터져 나올 것만 같았다. 엄마의 손등을 꼭 움켜쥔 그녀의 손 위로 그의 손이 겹쳐진다. 지금껏 알지 못했던 희망이란 감정이 어떤 것인지, 깨달았다.

"청계천 전시를 위한 자료가 부족합니다. 일단 광화문과의 거리가 너무 가깝습니다. 또한, 시민들의 안전을 위한 인력도 부족하므로 예화에선 협조할 수 없습니다."

유연의 냉랭한 표정과 말투에 미란은 기가 막혔다. 예화에서 사람을 보낸다고 했을 때, 설마설마했지만 조유연이 직접 올 줄 몰랐다.

그것도 홀로.

당당히 예화의 배지를 달고 일면식도 없다는 사람처럼 구는 것에 미란의 속이 타들어 갔다.

"유연아, 너 좀 변했다?"

커다란 통창 너머로 맑은 빛이 쏟아져 들어온다. 조유연 특유의 냉소적인 얼굴에 무심함이 더해졌다.

"예의 지켜 주십시오. 편하게 부르시길 원하시면, 저도 아줌마라고 불러드릴게요."

"하, 이봐. 조 과장."

"조유연입니다."

"그래, 조유연 씨. 나는 그쪽 도와주려 애썼는데, 이럴 거예요?"

"제가 사적인 이유를 들어 서화 아트센터를 도와야 합니까? 오히려 그럴 이유는 없다고 생각합니다. 만일 켄이치 이마무라의 전시를 진행하고자 하신다면, 모든 작품의 검수를 제게 받으세요."

고작 전시를 일주일 앞둔 상황인데, 검수를 받으라고?

미란이 황당한 표정으로 앞에 놓인 커피를 벌컥벌컥 들이켰다. 이번 전시는 서울 시장과도 협의를 마친 건이었다. 그런데 고작 광화문 귀퉁이에 전시장이 닿는다는 이유로 훼방을 놓는 건 월권이다. 유연에게 이런 치욕을 당할 줄 예상치 못한 미란은 침착하게 고개를 끄덕이며 말을 이었다.

"아주 네가 서화를 망치려 작정했구나. 네가 이런 애인 줄도 모르고 도우려 한 내가 바보지."

유연은 앞에 놓인 커피를 내려다볼 뿐, 손대지 않았다.

"제가 망친다고 망쳐지는 곳이었으면, 벌써 서화는 끝났죠."

"그래, 네 말이 맞아. 자꾸 왕실 뒷배 믿고 이러는데, 이러면 곤란해. 난 너한테 치부까지 보여 가며 설아 도와 달라고 했어. 그런데 넌? 들은 체라도 했니?"

여전히 표정 변화 없이 초연한 그녀를 보는 미란의 입술이 떨렸다. 그러곤 느릿하게 눈동자를 움직여 입구에 서 있는 한 여자를 노려보았다. 머리를 하나로 묶은 여자는 사내 같은 정장을 입고 있었는데, 조유연과 함께 다니는 경호원인 듯싶었다. 재밌다는 표정으로 주위를 둘러보는 못 배워먹은 계집애.

"적당히 하세요. 설아를 제가 어떻게 살립니까? 제가 그렇게 중요한 사람이었으면, 좀 더 잘하지 그러셨어요."

"뭘 더 해. 고아 된 너 먹여 주고 키워 주고, 교육까지 했는데!"

"그래서 그에 상응한 대가 치렀습니다. 개인적인 대화는 여기까지 하겠습니다. 엄마가 이제 곧 일어나실 거예요. 그럼 저는 서화의 료원에서 일어난 살인 행위와 환자 기만, 의료법 위반을 들어 절대로…… 그냥 넘어가지 않을 겁니다."

서화 아트센터에서 보내온 협조문에 불가 표시를 한 그녀가 그것을 내려놓고 몸을 일으켰다. 화를 참는 미란이 눈을 감은 채 몸을 떤다. 그때였다. 문이 벌컥 열리더니, 산뜻한 표정의 서연아가 들어선다. 서연아는 유연을 발견하곤 지나치게 환한 표정으로 양팔을 벌렸다.

"어머, 유연 씨!"

마치 이산가족이라도 되는 양 뛰어와 유연을 끌어안으려 했지만,

어느새 따라붙은 경호원에 의해 밀려났다. 서연아는 여자와 유연을 번갈아 보며 생긋 웃었다.

"너무 보고 싶었는데, 여기서 보네요. 세자빈 된다면서요? 어머, 너무 잘됐다. 건이가 딱 좋아하는 스타일이긴 해요. 하얗고, 존재감 흐릿하고, 안개 같은. 건이가 좀 고압적이죠? 걔한테는 말 잘 듣는 여자가 필요한 것 같았는데, 어쩜."

유연은 자신만만한 서연아와 눈을 맞췄다. 속내를 숨기는 것이라면, 그녀도 지지 않을 만큼 능숙했다. 이맛살을 찌푸린 유연은 한걸음 물러나 서연아에게 꾸벅 인사했다.

"혹시, 뱀 키우시나요?"

뜬금없는 질문이었지만, 서연아의 낯빛이 순간 굳는다. 그 틈을 놓치지 않고 유연이 두 눈을 부드럽게 휘었다.

"뱀 비린내가 너무 지독해서, 저는 이만 가 보겠습니다. 고압적인 애인이 기다리고 있어서요. 그럼, 이만 수고하세요."

서화 아트센터 건너편의 커피숍에 들어선 유연은 카드를 내밀며 아이스아메리카노 두 잔을 주문했다. 원두 갈리는 소리와 함께 그윽한 냄새가 번지더니 이내 얼음이 잔뜩 든 커피 두 잔이 나왔다. 손님이 없던 탓도 있었지만, 커피가 나오기도 전에 얼음물을 찾아 마시는 그녀를 위해서 직원은 속도를 냈다.

"수고하세요."

유연은 커피 속 얼음을 와작 씹으며 커피숍을 나섰다.

아무리 생각해도 어처구니없고 황당했다. 강미란의 반응이야 그렇다 쳐도, 서연아는 의외였다. 지금껏 서연아는 항상 중립적인 태도로 자신을 대했고, 공사 구분에 능한 멋진 사람이라고 생각하기도 했다.

그런데 뭐?

"말 잘 듣는 여자가 필요한 것 같았다고?"

차마 입에 올리기 민망한 욕지거리가 목구멍을 비집고 새어 나오려 했다. 얼음을 몇 개 더 입에 넣고 굴리는데, 커피가 마음에 들지 않는지 인상을 찌푸린 치웅이 멈춰 섰다.

"주인아, 이 언니 볼일이 생겼는데."

"볼일이요? 같이 갈까요?"

"아이들 교육에 좋지 않으니, 언니 혼자 다녀올게."

치웅은 본인의 커피를 그녀에게 쥐여 준 뒤 생긋 웃으며 아트센터 방향으로 걸어가기 시작했다.

유연은 커피 두 잔을 들고 황당한 얼굴로 치웅의 뒷모습을 바라보았다. 평범한 비즈니스 정장 차림의 치웅이 당당한 걸음으로 정문 앞에 서더니, 순식간에 연기가 되어 사라졌다.

커피를 한 모금 삼킨 유연은 어쩌면 치웅의 볼일이 제가 생각하는 그런 것이 아닐지도 모른다는 예감이 들었다. 하지만 지금은 속에서 오른 열을 식히는 게 우선이었다.

'서연아도 왕립 출신이다, 이거야?'

그럼, 그는 알고 있을까?

서연아의 말투만 보아서는 그와 제법 가까운 사이였다는 것을 어필하고 싶어 하는 것 같았다.

'아니지, 그래 봤자 친구 사이잖아. 그저, 아는 사이일 가능성이 더

크고.'

그래, 제게도 남녀 친구들이 있고 친한 적도 없던 것들이 제 이야기를 열심히 하고 다닌다며 민주는 혀를 내두르기도 했다. 어디에나 그런 사람들은 있다. 어떻게든 유명인들과 한자리 함께하고 싶어 하는 거짓말쟁이들이.

고개를 주억이며 나름의 합리화에 성공한 유연은 그제야 아까부터 울려 대는 휴대 전화를 꺼냈다. 메시지로 도배한 사람은 다름 아닌 건이었다. 어디냐고 업무를 마쳤냐고 보고 싶다며 보내온 다정한 메시지 때문인지, 오늘은 술이 당겼다. 그리고 술 하면 떠오르는 또 한 명의 이름. 유연의 얼굴이 밝아진다.

'궐아!'

[아버지는 아직도야?]

최준일의 짜증스러운 말투에 화를 누른 서연아가 승강기에 올랐다.

"아버님도 참, 성격 이상하셔. 여행 가기 싫으시다고 말했으면 됐잖아. 아니 왜 공항에서 도망을 치셔?"

[그러게 내가 무리수라고 했지. 아버지 만만히 보지 말라고. 하, 어디야.]

서연아는 비스듬히 웃으며 로비 층을 눌렀다.

"나, 한남동. 어머니 뵈러 왔다가 들어가려고. 전시 때문에 왕실이랑 충돌이 좀 있어서, 해결했어."

[이제 더는 문제 일으키지 말고 조용히 넘어가.]

"자기는 설아 걱정도 안 되나 봐⋯⋯."

[여기서 설아가 왜 나와?]

"그런 게 있어. 어쨌든 이만 끊을게. 이따가 집에서 봐. 수고해."

실은 해결하지 못했지만, 자존심이 실패를 용납하지 못했다. 어차피 시의 권한으로 전시는 강행될 것이다. 단지 왕실의 협조가 없기에 모든 홍보물에 왕실을 떠오르게 할 문구가 들어가선 안 될 뿐.

가장 중요한 마케팅을 포기해야 하는 상황. 서연아는 이마무라에게 해야 할 변명들을 머릿속으로 정리하며 전화를 끊었다.

대각선 아래를 지그시 노려보며 조유연을 향해 이를 갈 때였다.

덜컹-.

"꺅!"

문제없이 움직이던 승강기가 순간, 무엇에라도 걸린 것처럼 멈추었다. 놀란 서연아가 고개를 들자 비상등이 깜빡인다. 이어 환했던 승강기의 불이 꺼지더니 모든 층에 불이 들어온다. 붉은빛이 아지랑이처럼 피어오르는 착각이 들 정도로 기이한 광경이었다.

서연아는 놀란 가슴을 부여잡고 신중하게 호출 버튼을 눌렀다.

"뭐야."

하지만 몇 번을 눌러도 반응 없는 스피커. 상황실을 비운 것인지, 아직 승강기 고장을 인지하지 못한 것인지 상대는 반응하지 않았다.

"이봐요! 아무도 없어요? 관리실 뭐 하는 거야!"

다급해진 그녀가 미친 듯이 버튼을 두드리며 신경질적으로 소리칠 때였다. 발등 위로 축축하고 미끄러운 덩어리가 스윽 기어오르는 느낌이 들었다. 소스라치게 놀란 서연아는 비명을 내지르며 발을 구른다.

"꺅! 이게 뭐야!"

발밑에 득실득실한 것은 시퍼런 구렁이였다.

서연아는 제 눈을 의심하며 경악했다. 갑자기 뱀이 어디에서 기어 나왔는지, 이것이 꿈인지 현실인지도 구분하기 힘들 정도였다.

"꺅!"

소름 끼치는 감촉이 발목을 휘감고 허벅지까지 순식간에 이어졌다. 숨도 쉬지 못한 채 경악한 서연아가 파랗게 질려 벽까지 밀려났다.

가쁜 숨만 몰아쉬며 눈물 콧물을 쏟아내던 그녀의 귓가에 성별을 알 수 없는 음성이 흘러든다.

"입만 열면 거짓부렁."

"누, 누구야!"

"착하게 살아야지, 얘야. 못된 생각만 하니, 구렁이를 싸지르잖니. 아무리 좋은 향으로 치장해도 숨겨지지 않는 냄새도 있는 법. 다음에 또 만나면, 그땐 구렁이를 입으로 토하게 될 것이야."

선뜩한 기분에 소리라도 지르려 했지만, 커다란 덩어리에 목이 막힌 듯 아무런 소리도 나오지 않았다. 맹렬하게 고개를 끄덕인 뒤에야 목을 막았던 덩어리가 쑥 내려간다. 이어, 언제 그랬냐는 듯 승강기의 불이 켜졌다. 뱀도, 목소리도 없다. 모든 것이 착각이고 환상이었다.

식은땀으로 온몸을 흠뻑 적신 서연아가 열린 문밖으로 힘겹게 기어나갔다. 놀라 달려오는 자신의 비서에게 손을 뻗는데, 멀리 조유연과 함께 있었던 여자가 보였다. 정확하게 자신을 응시하며 입꼬릴 말아 올리는 얼굴을 보는 순간 찾아온 공포.

"어머, 서 대표님!"

까무룩 의식을 잃고 쓰러진 서연아를 둘러업은 비서가 복도를 가로지른다. 그 모습을 지그시 바라보던 치웅이 같잖다는 듯 조소했다.

"나약해 빠진 인간 같으니. 고작해야 뱀 몇 마리에. 쯧."

어설프게 머리를 쓰니 화를 입지.

혀를 내두른 치웅은 유연이 기다리는 곳으로 다시금 돌아갔다. 여전히 차에 기대어 서 있던 유연이 치웅을 발견하곤 반갑게 손을 흔든다. 조금 전까지만 해도 답답한 표정을 하고 있던 때와는 사뭇 다른 표정에, 치웅은 안도했다.

"기억나십니까, 저하?"

우혁의 맥락 없는 질문에 전시실을 둘러보던 건이 멈춰 섰다.

"무슨 소리야."

비어 있던 유리관을 채운 건, 세계 각국에서 보내온 한국의 문화재들이었다.

문화재를 환수하는 일은 보통의 노력으로 이뤄낼 수 있는 것이 아니다. 양국의 외교 문제부터 문화, 사상, 하물며 값까지. 역사에 값어치를 매긴다는 것 자체가 어긋난 일이다 보니, 환수 절차에는 항상 위험한 전제가 깔리고는 했다. 하지만 이번엔 달랐다. 아무런 대가나 조건도 없이, 이들이 집으로 돌아왔다.

"서연아 씨가 왕립고등학교 출신이랍니다. 게다가 2년 동안 저희와 같은 반이었다고 하는데요."

"서연아가 누구지?"

"NV 호텔의 대표입니다. 서구형 회장의 딸이기도 하고, 서화제약 최우식의 며느리이자 대표이사의 아내입니다.”

“아.”

제법 화려하고 긴 설명에도 건의 반응은 깔끔했다. 그러더니 휴대 전화를 꺼내, 여전히 답 없는 메시지 창을 톡톡 두드린다.

“그런 거 말고, 조유연이 왜 아직도 연락이 없는 거지?”

그에 우혁이 황당한 표정으로 다가와 건의 휴대 전화 화면을 흘긋 보며 말했다.

“제가 들은 바로는, 업무 마치시고 곧장 댁으로 가셨다고 합니다. 집을 오래 비우셨다며, 청소해야 한다고요. 그리고 청소를 끝낸 뒤 삼겹살과 치킨을 드시기로 했답니다.”

“누구랑.”

이번엔 또 반응이 다르다. 우혁은 기가 막힌다는 표정으로 어깨를 으쓱 올렸다.

“정체를 알면 설명이 편했겠죠.”

“설마, 김궐?”

“제게 알려 준 사람…… 아니, 곰. 아니 존재는 치웅입니다.”

그때였다. 건의 휴대 전화에 유연의 메시지가 도착했다.

「짐 빼기 전에 청소하러 왔어요. 저녁까지 먹고 오늘은 여기서 잘 게요. 올래요?」

‘잘게요.’에서 끝났다면 아마 감당할 수 없는 일이 벌어졌을 테지만, 다행히 ‘올래요(?)’로 끝이 났다. 그제야 안도한 표정을 지은 건이 재킷 안쪽에 휴대 전화를 넣은 뒤 돌아선다.

“오늘 외박.”

“저는 빼 주십시오.”

"요즘 연애해?"

"하고 싶습니다. 소개팅시켜 주시겠습니까?"

"내가 여자가 어디 있어."

"제 기억에 학창 시절부터 저하의 곁엔 정말 많은 여성분이 있으셨죠. 저하께서 기억하지 못하시는 것뿐이고요."

건은 이해되지 않는다는 표정이었다. 학창 시절이라고 해 봤자 진종일 머릿속에 수학과 영어 단어, 역사학을 밀어 넣었던 기억이 대부분이었다. 친구들은 당연히 만들 수 없었고, 모두가 자신을 어려워했다. 그런데 여자라니. 무슨 헛소린지.

"헛소리 그만해. 내 첫 키스는 조유연이야."

"누가 저하의 첫 키스가 궁금하답니까? 그저, 주위에 전혀 관심이 없으셨다는 걸 말씀드리려는 겁니다."

"어쨌든 오늘 일정은?"

"오후 6시에 주상 전하와 함께 국회 간담회에 참석하셔야 합니다."

"오늘 저녁도 소화제 당첨이군."

한숨을 내쉬며 예화를 빠져나온 그는 유연에게 답장을 보낸 뒤 동궁전을 향해 걸었다. 서연아의 이름을 곱씹고 또 되새김해 보았지만, 딱히 떠오르는 기억이 없었다. 게다가 학기 중간에 학교를 자퇴한 것이나 다름없으니, 졸업 앨범 또한 갖고 있을 리 만무했다. 그러나 서화 쪽과 관련이 있는 사람이라면, 유연에게도 좋을 리 없겠지.

그는 오전에 나눈 대화를 떠올렸다.

'혼자 가게 해 주세요.'

'무슨 일이 생길 줄 알고.'

'강미란이 아빠의 죽음에 대해 알고 있어요. 그래서 일부러 긁을

생각이에요. 그런데 동행인이 있으면, 그러기가 곤란하잖아요.'

'그럼, 장은호 데려가.'

'아, 경호라면 이 실장님이 붙여 주셨어요. 여성분으로요.'

표정 하나 안 바뀌고 치웅을 소개하는 그녀를 보며 터져 나오는 웃음을 참느라 하루 일을 망칠 뻔했다. 그런데 정말 강미란이 13년 전의 자료를 갖고 있는 것이라면. 알고도 입 다물고 범죄를 눈감아 준 거라면, 그 또한 죄가 된다.

건은 최우식의 가족들이 유연의 부모를 빌미로 습관처럼 자행해 온 협박과 회유, 그것에 반박하지 못하고 따랐어야 했을 그녀의 모습을 그려 보았다. 그것은 정말이지, 옛 같은 기분이었다.

"오늘 내로 최우식 동향 파악 끝내고, 특별전 꾸려서 멸첩을 공개하도록 하지. 고양이 놈이 날뛰어도 진행해."

"김궐 씨가 정말 싫어하실 텐데요?"

"그래도 확인할 게 있어. 김궐은 내가 알아서 할 테니."

말을 이어 나가던 건은 동궁전 입구를 서성이는 이태를 발견하곤 얼굴에서 미소를 지웠다.

놈이 왕실에 접근한 이유는 두 가지였다. 아버지 이송의 죽음에 대한 복수, 그리고 제 몸에 박혀 있는 영루를 취하기 위해. 자신을 해하기 위해 찾아온 이를 지금껏 연민하고 불쌍히 여겼다.

"네가 여긴 무슨 일이야."

건을 발견한 이태가 흠칫 놀라며 고개를 숙인다.

"형님."

목소리가 떨리고 있었다. 어떤 목적으로 유연에게 멸첩의 위치를 알려 주었는지 몰라도, 건은 이태를 믿지 않았다.

"무슨 일이냐 물었어."

"그, 그것이…… 조만간 미국으로 돌아가 볼까 합니다."

"네놈 마음대로 궐에 들더니, 마음대로 도망치시겠다?"

"그게 아니라…… 이마무라가 어머니를 찾고 있습니다. 제가 아직 멸첩을 갖고 있다고 생각하는 모양입니다."

"이마무라는 한국에 있는 거로 알고 있는데."

"놈이야, 뭐……. 야쿠자들과도 연관이 있으니, 얼마든지 사람을 쓸 수 있죠. 그리고 더는 이곳에 머물 염치가 없습니다."

건은 이태를 스쳐 지나가다 말고 걸음을 멈추었다.

"염치라……. 그럼, 하나 묻지. 네가 찾으려 한 것이 무엇인지는 정말로 알고 있었나?"

"수정전 지하에 숨겨진…… 저하의 피를 보아야 얻을 수 있는 영루라고 했습니다. 불치병을 낫게 하는……."

"네가 정말로 날 죽이려 했군."

이태의 몸이 부들부들 떨린다. 건은 그 꼴이 보기 싫었다. 차라리 오만하고 뻣뻣하게 제 앞에 나설 때가 더 나았다.

"이번에 나가면 영영 추방이야. 불만 있나?"

"아뇨. 단지…… 한국에는 들어올 수 있게 해 주십시오. 어머니 돌아가시기 전에 한 번쯤은 한국 땅을 밟게 해 드리고 싶습니다."

"어머니를 고치고 싶었어?"

"예."

"그럼 틀렸다. 이마무라가 알려 준 영루는 그곳에 없어."

이태가 화들짝 놀라 고개를 든다. 건은 이태를 지나쳐 동궁전 안으로 들어갔다.

누군가 자신을 해하려 한다는 걸 알면서도 모른 척해야 한다는 것. 정치의 목적으로 휘둘리는 기분이 좋을 리 없다. 아주 불쾌하며, 몹시 치욕스러운 일이기도 했다.

마당 중앙에 멈춰선 그는 양손으로 흐트러진 머리카락을 쓸어 올렸다. 딱, 1분 만이라도. 아니…… 단 10초 만이라도 조유연을 꽉 끌어안고 향기를 흠뻑 들이켜고 싶다. 그럼 이 답답한 기분이 제법 나아질 것 같았다.

그 순간, 낭랑한 목소리가 머릿속으로 흘러들었다.

-귀멸자야, 어려워 마라. 내 항상 너를 도와준다고 하지 않았느냐??

해 질 무렵, 서쪽으로 기울어진 볕이 집안 깊숙하게 밀려든다. 유연은 먼지를 뒤집어쓴 그릇들을 깨끗하게 설거지한 뒤, 손에 묻은 물을 탁탁 털었다.

한 달 가까이 집을 비웠다고 빈집 티가 났다. 그래서 집안 곳곳을 쓸고 닦으며 은근하게 쌓인 스트레스를 풀었다. 역시 답답할 땐 몸을 움직이는 게 답이었나 보다.

싱크대 가장자리에 묻은 물기까지 말끔하게 정리한 그녀가 휴대 전화를 꺼낼 때였다. 차가운 수증기가 머리 위로 쏟아지는 느낌과 함께, 누군가 뒤에서부터 끌어안았다.

놀란 마음에 헛바람을 들이켠 그녀는 싱크대 아래로 휴대 전화를 떨어트렸다. 덩달아 시선이 아래로 떨어지는 순간, 목덜미로 익숙한 숨결이 내려앉는다. 깊게 고민하지 않아도 누구인지 알 수 있을 만큼 익숙한 품. 그녀를 꼭 끌어안은 사람은 건이었다.

"저하? 언제 왔어요?"

놀라움보다 반가움이 큰마음에 목소리 톤이 높아졌다. 분명 오후 회의가 있어서 합류가 늦을 거라고 하지 않았던가?

"지금, 막."

"물소리 때문에 못 들었나 봐요. 저 오늘 서화 아트센터 갔다가……."

기다렸다는 듯 재잘거리는 그녀의 턱이 커다란 손에 잡혔다. 그의 방향으로 기울어지는가 싶더니 입술이 포개진다. 유연은 기다렸다는 듯 젖은 손으로 그의 팔을 잡고 까치발을 들었다.

가늘게 뜬 시선이 맞닿아 서로에게 섞여 든다. 그녀는 그가 신발을 벗지 않았다는 것을 깨닫고는 웃음을 꾹 참았다. 소리에 예민한 제가 문소리를 듣지 못했던 이유를 알 것 같아서.

그녀가 내뱉은 달콤한 웃음이 그의 입술 위에 흩어진다. 이어, 다시금 삼켜졌다.

"으음, 그만요."

점점 집요해지는 입맞춤에 당황한 그녀가 먼저 고개를 뒤로 젖혔다. 붉어진 입술을 손등으로 누르며 빤히 올려다보자, 짧게 탄식한 그가 그녀의 어깨에 이마를 댄다.

"유연아, 나 충전 좀."

무게를 얹어 온 그로 인해 그녀가 휘청이며 싱크대에 기대섰다. 무방비하게 제게 기대 오는 모습에 그녀의 가슴이 빠르게 뛰어 댔다. 아무래도 그의 애타는 음성엔 면역이 생기지 않을 것 같다.

티 나지 않게 한숨 쉰 그녀가 건의 뒷머릴 천천히 쓰다듬어 주었다.

"회의 있다고 하지 않으셨어요?"

"응, 잠깐 온 거야."

그 말에 아쉬워 죽겠다는 표정을 하곤 고개를 든다. 유연은 그의 양 뺨을 감싸 쪽쪽 입을 맞췄다.

"빨리 가요."

"가기 싫은데⋯⋯."

"다시 오시면 되죠. 옥상에 천막 같은 텐트 치고 술 마시기로 했거든요."

"그걸 누가 쳐."

"궐이가요. 손재주가 은근 좋아요. 제가 재료만 공수해 주기로 했어요."

"흐음, 그럼 음식은 내가 준비해 줄까."

"오늘은 배달 음식 시켜서 적당히 먹기로 약속했는데, 음⋯⋯. 안 되겠죠?"

유연의 말에 건이 코웃음 치며 피식 웃었다. 제주도 흑돼지들의 씨를 말릴 뻔했다는 걸 알면 그게 얼마나 위험한 약속인지 알 텐데.

"내가 사 주고 싶어서 그래. 그런데 갑자기 웬 술이야?"

"아, 오늘 졸렬하게 질투하는 저 자신과 처절히 싸워 이겼거든요. 오랜만에 민주도 보고요."

"음? 질투?"

"네, 질투요."

그는 잠시 멍해졌다. 조유연과 질투란 단어가 어울리지 않아서이기도 했고, 질투할 만한 일이 무엇인지 곧장 떠오르지 않아서이기도 했다. 세세히 묻고 싶었지만, 정말로 시간이 별로 없었다.

"대체 무슨 소린지는 이따가 와서 들을게."

"말 안 해 줄 건데요?"

"어디, 보자고."

은근하게 말을 흘리자 그녀의 눈매가 새치름해진다.

건은 그녀의 손목 안쪽에 입 맞춘 뒤, 이로 긁었다. 여유로웠던 얼굴이 빨갛게 달아오르는 걸 본 뒤에야 그는 그녀를 놓아주었다.

"이제 가 볼게. 말 그대로, 잠깐 온 거라."

자국이 남은 손목을 문지른 그녀가 입술을 삐죽 내민다. 그 모습이 어여뻐 쉬이 발이 떨어지지 않았다.

"조심해서 다녀오세요."

"응. 너무 많이 마시지는 말고."

"취하면, 바로 내려와서 자면 되죠."

"그래서. 정신 놓고 마시겠다?"

"가끔 그러고 싶을 때도 있잖아요."

그는 어쩔 수 없다는 듯 고개를 끄덕였다. 그러자 시간을 확인한 그녀가 다급히 그의 어깨를 민다.

"빨리 가요. 늦으면 큰일이에요."

"늦지 않아."

"알아요. 그래도 어서 가요."

건은 그녀에게 밀려나듯 현관 앞에 섰다. 부엌과 연결된 옥상 계단에서 누군가 내려오는 기척이 난다. 상대가 누구인지는 안 봐도 알 수 있었다. 건은 현관 밖에서 새어 들어오는 힘을 느끼며 마지막으로 그녀의 콧등에 가볍게 입 맞췄다.

"다녀올게."

고개를 끄덕인 그녀는 기척의 방향으로 돌아섰다. 건은 그녀가 완전히 주방으로 돌아간 뒤에야 현관문을 열었다.

푸른 안개 너머 비현각의 책상이 보인다. 혀를 찬 그가 혼잣말을 중얼거리며 걸음을 내디뎠다.

'아주, 고맙구나. 청송.'

─알면 되었다. 귀멸자야, 주인이 그리 좋으냐?

'오냐. 좋다마다.'

─하긴, 나도 이리 좋은데 너는 오죽 좋겠냐?

'시끄러워. 그리고 이런 일에 유연이 힘 함부로 쓰지 마.'

─걱정 마라. 누이의 힘은 전 주인들과는 질적으로…….

'다르지 않아. 그래 봐야 사람이다. 그러니, 다시는 내 허락 없이는 문을 열지 마. 알았나?'

단호한 경고에 기가 죽은 것인지, 청송은 대답이 없었다.

안개를 빠져나와 비현각으로 들어선 건 기다리고 있던 우혁을 보며 어깨를 으쓱 올렸다. 우혁이 여전히 믿기 어렵다는 표정으로 안개 너머와 서 있는 곳을 번갈아 보며 한숨을 내쉰다.

"혈색이 좋아지셨네요. 그럼, 곧장 이동하겠습니다. 저하."

평상 주위로 커다란 천막을 둘렀다. 하나둘 도착한 배달 음식을 펴자, 불쑥 나타난 망량 영감이 커다란 탁주 항아리를 내려놓는다.

"세상 좋아졌다. 내 집에 앉아서 이리 편하게 진수성찬을 즐길 수 있다니."

망량이 껄껄 웃으며 입맛을 다시자 능숙하게 나무젓가락을 반으로 가른 귈이 고개를 든다.

"너무 요란하게 굴면 이웃의 항의가 들어온다. 게다가 유연이 오늘 청소하느라 힘들었으니 적당히 어질러."

특히 청송을 보며 귈이 눈을 흘기자 입술을 삐죽 내민 청송이 울먹이듯 말했다.

"어찌 제게만 이러십니까? 다들 밉습니다!"

그러며 치킨 닭 다리 하나를 집어 들고는 다짜고짜 텐트 밖으로 뛰어나갔다. 다들 황당한 표정으로 청송이 나간 방향을 쳐다보았다. 무슨 일인지 몰라도, 단단히 토라진 게 분명했다.

"내가 다녀오마. 쯧, 어린놈이 까져선."

"청송이 왜 저래요?"

"괜찮아. 딱 저럴 때야."

걱정하는 유연을 다독인 치웅이 탁주를 한 모금 삼킨 뒤 일어났다. 이어 민주와 남편 동현까지 합세한 뒤에야 제대로 된 술판이 벌어졌다.

"와, 진짜. 내가 친구 하나는 진짜 잘 둔 거 같다. 조유연! 축하해!"

오랜만에 만난 민주는 여전히 유쾌했고, 동현은 수호부들이 신기한지 눈을 떼지 못했다. 망량 영감이 만든 얇은 장막 때문인지, 텐트 안은 온풍기 하나 없이도 따뜻했다.

"아주머니가 곧 깨어나실 것 같다고?"

귈이가 따라준 탁주를 벌써 다섯 잔째 받아 마신 유연이 고개를 끄덕였다. 그러며, 귈이가 반 이상 비운 술독을 흘끔 보았다.

"응. 의사 선생님이 그러셨어."

"와, 유연아. 너 이렇게 행복한 일만 생겨도 되는 거야? 하, 내가 다 행복하다 정말.”

“나도 무서울 지경이야. 이렇게 좋은 일만 연이어 생겨도 될까 싶어. 현실감도 없고.”

“그럼, 언제 식 올려? 뉴스에서도 맨날 난리야, 난리.”

“엄마가 깨어나시면. 이미 저하께는 말씀드렸어. 나 졸업하는 거, 대학 입학하는 거…… 취직하는 것도 못 봤는데, 결혼까지 했다고 하면 너무 허탈해하실 것 같아서. 적어도 결혼할 남자는 엄마한테 보여 드리고, 인사시키고, 같이 식장에 들어가고 싶어.”

실없는 웃음과 함께 눈물이 찔끔 나왔다.

투명한 우레탄 창 너머 도시의 밤빛이 펼쳐진다. 유연은 그 풍경이 신기하고도 낯설었다. 13년간 마주해 왔던 어둠이 지금은 마치 오랜 과거 같았다.

고작 몇 개의 계절을 지내 보냈다고 벌써 이렇게 마음이 달라지다니. 자신은 간사하지 않다고 생각했건만, 그렇지도 않았나 보다. 벌써부터 세자빈이 된 것 같고, 왕실이 자신의 뒷배가 된 것 같은 기분마저 들었다. 권력에 취한다는 것이 얼마나 무서운 일인지 새삼 피부로 느껴졌다.

“잘 생각했어, 지지배. 끝까지 아니라고, 아무 사이 아니라고 잡아뗄까 봐 걱정했는데……. 이 언니는 네 마음이 무사하다면 얼마든지 이해할 수 있어. 그리고 우리 김궐 씨같이 좋은 남사친도 있고, 세자 저하가 애인인데 뭐가 무섭겠어! 야, 허리 펴!”

다짜고짜 등을 때리는 민주 때문에 유연은 마시던 술을 뱉을 뻔했다.

“친구야! 때리지 마라. 유연이는 약하고 여리다.”

궐이 민주의 손을 막자, 눈을 흘긴 민주가 혀를 찬다.

"아이고, 이걸 우리 저하가 보셔야 했는데. 응? 남사친아, 유연이 안 약하거든? 얘 체력장 1등급이었던 애야."

"내게는 아이처럼 여리다. 친구야, 네 손은 너무 거칠다. 네 지아 비가 걱정되는구나."

"와, 김귈! 내 남편이 뭐?"

길길이 날뛰는 민주의 반응에도 귈이는 태연했다. 그에 망량이 새 술독을 열며 둘 사이를 갈라놓는다.

"쯧쯧, 이놈아. 신경 쓰지 말고 술이나 받아라."

"영감은 천천히 마셔라. 입 돌아간다."

"노인 공경은 사양하마."

고작해야 30대로 보이는 두 남자의 대화는 민주와 동현을 어처구 니없게 만들었다.

유연은 황당하고도 편안한 분위기 속에서 홀짝거리며 마음껏 술 잔을 비웠다. 한 잔, 두 잔. 빈 잔이 늘어날 때마다 신기하리만치 마 음이 편해졌다. 하지만 조각이 맞지 않는 퍼즐을 보는 것처럼 마음 이 헛헛하다.

술잔을 홀짝이며 고개를 돌렸다. 투명한 우레탄 창 너머 당장에라 도 눈이 쏟아질 것 같은 하늘이 두 눈에 콕 박힌다.

'진짜 쏟아졌으면 좋겠다…….'

티격태격하는 소리를 들으며 천막 문을 열자, 훌쩍이는 청송을 데 리고 돌아오는 치웅이 보였다. 유연은 청송의 머릴 쓰다듬어 준 뒤 옥상 난간에 기대섰다. 숨을 쉴 때마다 얼음장처럼 차가운 공기가 기도를 식히고 하얀 입김이 쉼 없이 터져 나온다.

얼굴에 들러붙는 찬 기운이 좋았다. 그러다가 방향을 틀어 건물 아래를 내려다볼 때였다.

"위험하다, 유연아."

퀼이 커다란 손으로 유연의 어깨를 잡았다.

"걱정 마. 이 아래 누가 온 거 같아서."

"나만큼 감이 좋아졌구나."

"정말로 누가 왔어? 설마 저하가 오신 거야?"

퀼이 고개를 끄덕인다. 고개를 조금 더 빼자, 막 차에서 내리는 건의 모습이 보인다. 유연은 술 때문인지 자꾸만 웃음이 났다. 반가운 마음에 마구 손을 흔들었다. 그러다가 위를 올려다본 그와 눈이 마주쳤다. 퀼이에게 반쯤 붙들린 채 손 흔드는 그녀를 발견한 건의 표정이 싸하게 굳는다. 건물 안으로 뛰어 들어오는 그를 보려고 고개를 좀 더 빼자, 기함한 퀼이 그녀를 번쩍 들쳐 안았다.

"엄마야!"

"위험하다고 했잖느냐, 주인아!"

"놔아! 보고 싶단 말이야."

"위험하다고!"

"안 떨어져, 놔아! 김퀼!"

바동거리며 퀼이의 빨간 귀를 당길 때였다. 옥상 문이 벌컥 열리더니, 가쁜 숨을 내뱉는 건이 보였다. 유연은 환하게 웃으며 양손을 뻗었다.

"저하다!"

그녀의 몸이 앞으로 훅 기울어진다. 그에 헛바람을 삼킨 그가 성큼성큼 걸어와 퀼에게서 그녀를 받아 안더니 소리쳤다.

"누가 이렇게 술 먹였어!"

"저, 술 많이 안 마셨는데요?"

유연은 그의 허리춤을 꽉 끌어안은 채 생글생글 웃었다. 그러자 이마를 짚은 그가 모른 척하는 궐의 팔을 잡아채곤 인상을 구겼다.

"적당히 먹이랬지."

"고작 독 하나도 비우지 않았다, 귀멸자야."

"뭐? 유연이가 너희 같은 짐승인 줄 알아?"

"소란 떨지 마라. 저 안에 친구가 있다."

태연자약하게 돌아선 궐이 도망치듯 천막 안으로 걸어 들어간다. 이어, 민주와 동현이 멋쩍게 웃으며 나와 건에게 꾸벅 인사했다.

민주는 유연이 기분이 좋아서 좀 취했다며, 건의 품에 폭 안겨 있는 그녀의 등을 찰싹찰싹 때렸다. 그러자 흠칫 놀란 건이 유연의 등을 감싸 품에 안는다.

"알겠습니다. 제가 챙기죠."

민주와 동현이 눈치를 보며 후다닥 돌아선 뒤 건은 축 늘어진 그녀를 번쩍 안아 들었다. 그러자 깜빡 졸고 있던 유연이 배시시 웃으며 눈을 뜬다.

"보고 싶었어요, 저하."

술이 올라 발그레한 얼굴로 달콤하게도 속삭였다. 건은 여전히 술판이 벌어진 천막 안을 노려보다가 반대 방향으로 걸음을 옮겼다.

"그래서 일찍 왔잖아."

질투를 이겨냈다는 말도, 기분이 좋았다는 말도 신경 쓰였다. 마치 그 반대의 마음을 견뎌냈다는 뜻 같아서.

"같이 마시고 싶었는데."

"같이 마시면 되지."

"그럴까요?"

"오늘 말고. 다음에."

"치."

입술을 삐죽 내민 그녀가 단숨을 흘리곤 그의 어깨에 이마를 댔다. 건은 난간 가장자리에 걸터앉은 채로 그녀를 마주 안았다.

"평소에도 이렇게 혀 짧은 소리도 좀 내주고, 일하지 말고 옆에 있어 달라고 하고. 그럼 안 되나?"

얼굴에 붙은 잔머리를 쓸어 넘겨 주고, 따끈한 뺨을 어루만지다가 입 맞추었다.

"내가 그러면 저하는 더 힘들어지잖아요. 내 부탁이라면 다 들어주고 싶어 하시니까. 힘들고 위험한 일 하지 말고, 나랑만 있어 달라고 하면……. 저하는 그렇게 보이려 노력할 테니까."

잠시였지만, 그녀는 술이 깬 사람처럼 보였다.

"그래서 술 마실 때만 어리광을 부리시겠다?"

"응."

"종종 한잔해야겠어."

"저야 좋죠. 저 은근 주당이에요."

"예뻐."

그 한마디에 재잘거리던 입술이 꾹 다물어졌다. 그녀의 갈색 눈동자가 그의 얼굴로 가득 찬다.

"눈이 올 거 같아요."

"첫눈인 거 알아?"

"왔으면 좋겠어."

"올 거야, 분명."

단호하게 읊조린 그가 고개를 기울여 그녀의 입술을 깨물었다.

"네가 원하니까."

숨이 겹쳐지는 순간, 바람이 멎었다. 때아닌 눈발이 흐드러지게 쏟아지기 시작한다. 첫눈이었다.

빌라 앞에 멈춰 선 세단에서 내린 준일이 물고 있던 담배를 바닥에 비벼 끈다. 그러자 운전석에서 내린 비서가 두꺼운 코트를 그의 어깨 위에 덮어 주었다.

띄엄띄엄 세워진 가로등 불빛 아래, 익숙한 차 한 대가 보였다. 개인적으로 알아본 세자 소유의 차량이었다.

'그럼, 지금 여기 둘 다 있다는 건가.'

그날 본 남자가 누군지 몰라도, 조유연은 결국 세자빈의 자리에 올랐다. 아니, 오를 예정이었다. 유연의 이름이 자꾸 언론에 오르내리고, 그 배경에 서화의료원이 언급되며 좋지 않은 여론이 형성되고 있었다. 세자빈 내정자인 조유연의 모친이 서화의료원의 의료 범죄에 휘말렸다는 음모론이 그 시작이었다.

그것이 사실이든, 사실이 아니든 대표이사 취임식을 앞둔 지금 더는 일을 크게 만들어선 안 된다. 그래서 준일은 직접 유연을 설득하고자 찾아왔다. 조금이나마 자신을 연민해 주기를 바랐다. 서화의료원을 분리하지 않아야, 온전히 서화제약 총수가 될 수 있었기에, 그는 오금이 저렸다.

"지금 옥상에 지인들과 함께 계신 것 같습니다."

비서는 세자의 차를 흘긋대며 그를 언급하는 일은 없게 했다. 지인이란 말에 이제는 다 나은 손가락이 다시금 쿡쿡 쑤시는 기분이다.

준일이 저릿저릿한 손가락 마디를 주무르며 고개를 주억였다.

"오늘은 날이 안 좋군요. 그럼 다음에 다시 오죠. 아버지는 찾으셨습니까?"

"윤 실장이 손을 쓴 것 같습니다. 조직 폭력배들과 아버님의 동선이 겹치십니다. 그래서 저희도 함부로 나서지 않는 중입니다."

"조폭? 하다 하다 집안 망신까지 시키려고 작정하셨나 보네요."

"우연일지도 모릅니다. 더욱 신중하게 알아보겠습니다."

유연이 세자와 함께 있는 상황이 확실하다면 당연히 돌아서야 했지만, 이상하게 내키지 않았다. 미련이 남는다. 이따금 제 선택이 서연아가 아닌 조유연이었다면 어떻게 되었을지 궁금했다. 그럼 설아는 세자빈이 되었을 테고 서화제약은 무사했을까? 그럼 지금의 상황은 최악인 걸까.

준일은 하얗게 쏟아지는 함박눈을 물끄러미 응시했다. 고요한 세상에 발 들인 것처럼, 아주 오랜만에 잡음 없는 적막을 마주했다.

'신기한 일이네……'

아무리 눈이 내린다 해도, 이렇게까지 조용할 수 있나?

준일은 묘하게 으스스한 기분을 느끼며 차에 탔다. 준일이 탄 검정 세단이 눈길 위에 바퀴 자국을 남기며 골목을 빠져나간다. 옥상 난간에 앉아 곰방대를 물고 있던 망량이 껄껄 웃으며 고개를 끄덕였다.

"청송이 네놈 결계가 아주 제법이구나. 이 정도면 거사에 써먹을 수도 있겠어."

"정말입니까? 헤헤, 제가 신경 좀 썼습니다."

"잘했다. 인간이 눈치채지 못하게 잘해라."

"걱정하지 마십시오. 저, 청송이란 말입니다."

뻐끔뻐끔 흘리는 연기가 눈발 켜켜이 스며든다. 눈이 내린 뒤에야 진정한 동장군이 찾아온 기분이었다. 찬바람에 기분이 좋은지 망량의 입술 끝이 호선을 그리며 휘어 올라갔다.

"드디어 우리의 계절이다. 녀석들아."

이틀 내내 쏟아진 눈에 한반도 전역이 몸살을 앓았다. 첫눈치고 제법 많은 양이었다. 제설 작업은 끝도 없이 행해졌고, 빙판 사고가 잇따랐다. 확실히 눈은 볼 때는 로맨틱하지만, 막상 현실이 되면 재앙이나 다름없다는 말이 맞았다.

평소보다 1시간 늦게 열린 팀장급 회의에 유연도 함께였다.

"청계천 전시 강행한다고 합니다. 이미 시장님 허락이 떨어진 상황이라, 사실 우리 쪽에서 제재할 근거가 부족합니다."

"광화문 방향을 통제하면 어떨까요? 홍보물에 왕실 관련 문구 모두 제거하게 하고요."

"아니면, 저희도 지난번 소헌군 마마님의 전시를 재오픈해서 관람객을 분산하면 됩니다."

"문제 있는 작품이 있을 수도 있어요. 그래서 RSA의 박 부장님이 직접 나가 보실 겁니다."

회의록을 정리하던 유연은 전시용 도록에서 묘한 위화감을 느꼈다. 제가 알아본 켄이치 이마무라는 극우주의에 빠진 계략가였지,

행동파가 아니었다.

전시도 마찬가지. 그는 일본을 거점으로 제법 이름을 알린 예술가였지만, 항상 조용히 전시를 진행했다. 에틸 같은 단체에 속해 합동 전시를 열거나, 신인 작가들의 후원 전에 재능 기부를 하는 정도였다. 하물며 자신은 그의 얼굴조차 모른다. 대한민국의 몇 갤러리에서도 켄이치 이마무라의 전시를 진행하려 했지만 실패를 거듭했다. 그런데 지금껏 조용히 살아오던 그가, 사람들의 이목을 끄는 전시를 열어 무엇을 하려는 걸까. 정말, 그 전시는 온전히 켄이치 이마무라의 전시일까?

"죄송합니다만, 이번 청계천 전시 건은 제가 담당할 수 있을까요?"

모든 건 다시금 원점. NV 호텔이 후원하고 서화 아트센터가 주최한다는 타이틀 때문에 무언가를 놓치고 있다는 기분이 강하게 들었다.

유연의 제안에 김 팀장의 낯빛이 대번에 밝아졌다. 내심 유연이 나서서 맡아 주길 바라던 차였기에 그 제안이 달가웠다.

"조유연 씨는 다른 의견인가요?"

"확인하고 싶은 게 있어서요. 일단 작품 검수도 할 겸, 제가 직접 나가 보겠습니다."

"청계천 광장은 다들 알다시피 시민들의 복합휴게공간이에요. 그러니 피해 없게 잘해야 합니다."

드물게 진지해진 김 팀장의 눈매가 부드럽게 휜다.

"백업 붙여 줄게요. 보고만 제대로 해 줘요."

"네."

예전이었다면 직감이란 것을 믿지 않았겠지만, 지금은 상황이 달라졌다.

회의를 마치고 밖으로 나가자 막 대표이사실에서 나오는 건이 보였다. 외출이라도 하는 것인지 두툼한 코트를 걸치고 장갑까지 낀 그가 직원들을 발견하곤 다가왔다.

"회의 끝나셨나 봅니다."

건의 말에 공손하게 예를 갖춘 직원들이 긴장한 표정을 했다. 그러자 김 팀장이 나서서 건에게 말한다.

"청계천 전시 건으로 보고 드릴 게 있습니다."

"지금은 가 볼 곳이 있어서, 돌아와서 듣죠."

"예, 다녀오십시오."

고개를 끄덕인 건이 김 팀장을 지나치며 가죽 장갑을 벗었다.

"조유연 씨도, 수고해요."

스치듯 맞닿은 손등의 감촉이 부드럽고 따뜻하다. 유연이 입술을 꾹 다문 채 고개를 숙이자, 머리 위로 흩어진 작은 웃음소리에 가슴이 뛰어 댔다.

-누이, 아주머니를 따라다니던 사람은 젊은 남성입니다. 그래서 제가 슬그머니 혼쭐을 내주었어요! 걱정 마세요.

듬직한 청송의 말에 고개를 끄덕이며 코트와 가방을 챙겼다. 곧 청계천에 서화 아트센터 컨테이너가 도착한다. 수변을 따라 450점의 작품이 전시되는데, RSA 인천세관팀을 통해선 단 한 점도 문제되는 부분이 없었다고 했다. 그러나 망량의 말에 따르면, 이마무라는 화매를 다룬다. 그것도 아주 능란하게 다룰 줄 안다고.

'놈은 화매를 다루지. 주인아, 그 뱀들의 숙주가 바로 종친이다. 나 같은 존재들이야.'

술이 들어가 나른해진 말투로 망량은 옛날이야기를 해 주었다. 지금껏 살아오면서 겪어 온 수많은 전쟁과 짧았던 평화. 인간들이 겪어온 약탈과 존치의 역사를 담담히 읊조렸다. 망량은 마치 흘러가는 시간 같았다.

'수고했어, 청송아. 그래도 틈날 때마다 아주머니 좀 부탁해.'

유연은 예화를 나와 직접 운전대를 잡았다. 제설 작업은 모두 끝났지만 곳곳이 얼어붙은 상황. 서울 지리에 도가 튼 제가 직접 운전하는 편이 빨랐다.

주차장을 빠져나온 그녀는 추운 날씨에도 불구하고 많은 사람으로 북적거리는 거리를 훑었다. 세계적인 관광지나 다름없어서인지, 새로운 문화재가 공개되었다는 소식 때문인지 유난히 궁을 찾는 사람들이 많았다.

막 광화문 앞 광장을 지나던 그녀는 붉은 신호등 앞에 서서히 멈추었다. 이순신 장군과 세종대왕, 그 양옆으로 끝도 없이 올라선 거대한 빌딩 숲 사이에서 기이한 파동이 느껴지기 시작했다.

쿵, 쿵, 쿵.

미세하지만, 분명 무언가의 심장 소리다. 그것도 갓 태어난 아이의 가슴팍에 청진기를 가져다 댄 것처럼 힘차고 거센 박동이었다. 핸들을 움켜쥔 손등 위로 아스스한 소름이 돋아난다.

"치웅 언니."

광화문 광장을 응시하는 그녀의 눈이 떨렸다.

"여기 뭐가 있는 거죠."

그러자 하얀 연기와 함께 치웅이 조수석에 불쑥 나타나더니, 곧장 차 문을 열고 내렸다.

"여기구나. 이곳에 영루를 심어 놓은 것이었어…… 청계천 광장에 이무기를 풀어놓으려는 줄 알았건만."

즐거워 보이는 듯한 말투에 놀란 유연이 핸들을 꺾어 비상정차구역에 차를 댔다. 그러곤 치웅을 따라 내리며 보도블록 위에 섰다.

"무슨 소리예요? 영루라뇨?"

말을 할 때마다 입술이 어는 기분이다. 다른 곳보다 유난히 스산한 한기가 피어오르는 것이 피부로 느껴졌다.

"화매는 종친의 피와 살, 그리고 영루로 만드는 것이야. 놈은 광화문 광장 전체를 이매로 만들 심산이다."

"그게 가능해요?"

"이 정도 힘이라면 가능해. 제법 귀한 영루를 손에 넣었구나."

광장을 바라보는 치웅의 눈동자가 희게 빛나기 시작했다. 소름 끼치도록 아름다우면서도 서늘한 모습에 유연은 주먹을 꽉 말아 쥐었다.

"우린 이 힘이 청계천 물 자락에서 새어 나오는 기운인 줄 알았건만…… 아니었구나."

유연은 여전히 쿵쾅대며 뛰어 대는 박동 소리에 귀가 아플 지경이었다. 마치 자신과 치웅을 알아본 것처럼 무언가의 심장이 요동치고 있었다.

덩달아 속이 메스꺼워진 유연은 세종대왕 동상 아래 앉아 있는 걸인 한 명을 발견했다. 동전 그릇 하나를 앞에 둔 채 동상에 기대앉은 걸인이 그녀와 빤히 눈을 맞춘다. 그러더니 이내 몸을 웅크리며, 바닥에 엎드렸다. 분명, 낯선 사람이었다. 하지만 왜인지 모르게 시선이 머물렀다.

그녀는 애써 눈길을 거두었다. 청계천 광장 입구, 전시를 홍보하는 현수막이 곳곳에 매달려 흔들린다.

"그럼, 뭘 어떻게 해야 해요?"

치웅은 걸인을 발견하지 못했는지, 두 눈을 가늘게 뜨며 고개를 끄덕였다.

"놈이 숨긴 영루를 회수해야지. 그것도 아니면, 영루가 화매가 되길 기다리는 수밖에."

"화매가 돼요?"

"그래, 우리가 기다리던 놈이 될 것 같은데? 염라의 영루를 품은 놈이, 드디어 현신하는 거지."

염라의 영루. 궐이가 말했던, 엄마를 살릴 수 있는 그것. 하지만 이매가 현신한다는 것은 그만큼 위험한 일이 생긴다는 뜻이었다.

유연이 놀란 눈을 크게 뜨자 돌아선 치웅이 하늘을 올려다본다.

"청송아, 일을 하나 더 해 주어야겠는데?"

치웅의 말에 드높은 구름 위에서 푸른 매 한 마리가 빙글빙글 선회하며 모습을 드러냈다.

-무슨 일을 더 해 드려야 합니까?

청송에게서 달콤한 초콜릿 쿠키 냄새가 난다.

"결계를 확장해라. 놈의 수를 간파한 것 같으니."

-예에? 청계천을 다 덮었는데요?

"함정이다, 이놈아. 하지만 신기하구나. 대체 어떤 방법으로 영루를 품은 것인지……. 하루 이틀 내에 되는 일이 아닐 터인데."

-하, 거참. 인간들은 왜 이리 간사한지 모르겠습니다. 아, 누이만

빼고요. 누이, 힘을 좀 더 써야 합니다. 괜찮으시겠습니까?

"어지러울까?"

–음, 많이요.

"필요한 거지?"

–아무래도 그렇습니다.

"그럼 좋아."

매의 모습을 한 청송이 울상을 짓는다. 그 모습이 신기하면서도 결계란 단어가 마음에 걸렸다.

다시 운전석에 오른 유연은 조금 전 보았던 걸인의 모습을 계속해 떠올렸다. 분명, 자신을 보고 있었다.

그 사람이 만일 켄이치 이마무라라면······.

그에 대해 아는 것이라곤 기자들을 통해 정보를 얻어낸 것이 다였지만 이상한 확신이 들었다.

유연은 급히 김 팀장에게 전화를 걸었다.

"팀장님, 오늘 청계천 일정을 미루고, NV 호텔에 다녀오겠습니다. 확인할 게 있어서요."

[어, 그래요. 혹시 시간 안 되면 청계천으로 노 대리 보낼까요?]

"아니에요, 제가 할 수 있습니다. 걱정하지 마세요."

[그럼 알겠어요. 잘 부탁해요. 너무 무리하지 말고요. 도움 필요하면 언제든 말해요. 여기, 유연 씨 도와줄 사람 많아요. 혼자 일하려 하지 말고, 알았죠?]

너무 무리하지 말란 말은, 제가 습관처럼 직원들에게 했던 말이었다. 그런데 반대로 상사에게 걱정하는 말을 들으니 기분이 묘했다.

"네, 그렇게 할게요."

통화를 마친 그녀는 연기가 되어 사라진 치웅을 뒤로하고 남산 방향으로 경로를 틀었다. 만일 그 걸인이 켄이치 이마무라라면 지금 NV 호텔에는 아무도 없어야 한다. 쉽게 가까이하지 않는 존재이자, 길거리에 널브러져 있어도 이상하지 않을 존재.

유연은 자신의 감만큼, 자신의 눈과 귀를 믿기로 했다.

차에서 내린 유연은 호텔 로비 안으로 걸어 들어가며 궐이를 불렀다.

'궐아. 나랑 같이 있어.'

–지금 간다.

그러자 몇 초 뒤 제법 자연스럽게 남자 화장실 방향에서 걸어 나온 궐이 그녀와 합류했다.

신기한 일이었다. 궐이의 존재만으로 로비 안에 흐르는 기류가 바뀐다는 것은. 마치, 저하와 함께 걸을 때와도 비슷한 기분이 드는 건, 둘 다 같은 힘을 계승한 존재여서일까?

–어찌할 셈이냐.

'접견 신청을 해야지. 나, 이마무라의 얼굴을 모르거든. 그런데 광화문 광장에 있던 그 걸인⋯⋯ 그 사람이 자꾸 마음에 걸려.'

–나를 부르지 그랬냐.

'그렇게 수염이랑 땟국물로 뒤덮인 얼굴을 알아볼 수 있었겠어?'

궐이 못마땅한 듯 미간을 좁히더니 주위를 둘러본다. 그러며 유연을 따라 순순히 라운지 안으로 들어섰다.

유연은 자신에게 쏠려 있는 시선을 십분 활용하기로 했다. 세자빈으로 간택되어 조금씩 얼굴이 알려졌고, 이곳에서도 알아보는 이들이 존재했다. 그렇다면 시간의 흐름상 지금쯤이면 윗선에 보고가 닿았을 것이다.

"주문하시겠습니까, 고객님."

나직한 목소리에 고개를 드니 역시나 라운지의 직원이 아닌 총괄 매니저 배지를 단 중년 남자가 서 있었다.

"따뜻한 커피 두 잔과 켄이치 이마무라 씨를 만나 뵙고 싶은데요."

뜻밖의 말에 당황했는지 매니저의 얼굴에 혼란이 스쳐 지나갔다. 하지만 매니저는 노련한 미소로 대답했다.

"죄송합니다, 고객님. 투숙객의 정보는 제가 확인할 수 없는 부분입니다. 혹, 무슨 일이신지 여쭤봐도 될까요?"

정보를 확인할 수 없다는 사람치고, 매니저는 단번에 그가 누구인지 알아들었다.

"청계천 전시 건에 대한 추가 논의가 필요하다고 전해 주세요. 그리고 제가 주문을 잘못한 것 같네요. 뜨거운 커피 한 잔이랑, 여긴 유자차. 그리고 치즈케이크 다섯 개로 주문하겠습니다."

매니저는 조금 전보다 더 놀란 표정이었으나, 퀼의 얼굴엔 그제야 만족감이 묻어났다.

확인해 보겠다며 매니저가 물러난 뒤, 유연은 요즘 들어 조용한 퀼이의 얼굴을 빤히 쳐다보았다. 조용한 것도 모자라, 옷 갈아입는 것에 재미라도 들린 것인지 하루가 다르게 센스가 좋아지고 있다. 마치 누가 제대로 입는 법을 가르쳐준 것처럼.

"퀼아, 너 저하랑 옷장 공유하는 거지."

"귀멸자는 같은 옷이 많다. 게다가 한 번 입은 옷은 어지간하면 손대는 법이 없다. 쯧, 사치다. 하여 내가 그것들을 입어 주는 것이다."

"저하가 허락했구나?"

"나의 옷에 불만이 많더군."

"한복도 잘 어울리는데, 가뜩이나 눈에 띄는 거 더 눈에 띄어서 그래."

퀼이 머쓱한 얼굴로 그녀를 멀뚱멀뚱 쳐다볼 때였다. 주문한 커피와 케이크가 두 사람의 앞에 차례차례 놓이더니 짙은 향수 냄새가 훅 끼친다.

"라운지에서 대화하는 건 예의가 아니지만, 상대가 조유연 씨라니까 왔어요."

향수 냄새의 주인은 서연아였다. 지난번보다 몇 배는 짙어진 향기에 저도 모르게 미간을 찌푸리자, 서연아의 얼굴이 굳었다.

"왜요, 오늘도 비린내 나요? 차라리 수산물 시장에라도 들렀다 올 걸 그랬나?"

"신경 쓰이셨나 봐요. 향수 냄새로 가려질 게 아니란 거, 말씀드렸으면 이렇게 무리하지 않으셨을 텐데……."

"이런 사람인지 몰랐는데……. 조유연 씨, 정말 무례하네요."

"예의 차릴 때는 아닌 것 같아서요. 그리고 저는 켄이치 이마무라 씨를 만나 뵙고 싶은데요, 대표님이 아니라."

"나랑 얘기해요. 내가 대변인이니까."

희미하게 남아 있던 미소를 모조리 지워 버린 서연아는 비서들을 물린 뒤, 두 사람 사이에 앉았다. 그러며 유연의 곁에 앉아 케이크를 뚝뚝 잘라 먹는 퀼이를 빤히 보며 고개를 갸우뚱 기울인다.

"건이한테 이런 사촌이 있었나? 소현군은 다른 얼굴이던데……."

"제 일행에겐 관심 끄시고, 이왕 오신 거 지난번에 했던 이야기 마무리하죠. 켄이치 이마무라 씨가 여기 묵고 계신 건 확실한가요?"

유연은 부러 가방 속에 넣어둔 태블릿을 꺼냈다. 그러자 다리를 꼬며 비릿하게 미소 지은 서연아가 고개를 끄덕인다.

"알고 온 줄 알았는데. 낡였네? 그래요, 제 VIP 고객이시거든요. 저희 호텔에서 잘 모시고 있습니다. 무슨 일인데요?"

"제가 직접 만나 뵐 수 있을까요."

"미안한데, 아무나 함부로 만나지 않는 분이세요. 얼굴 알려지는 걸 싫어하셔서요. 왜 그러는데요?"

"켄이치 이마무라 씨가 야쿠자와 연관해 종친을 위협하고 있다는 제보가 들어왔습니다. 그래서 간단히 여쭤볼 게 있어서요."

유연은 일부러 서연아를 자극했다. 이마무라와 거래하는 서연아라면 그가 어떤 단체와 연결되어 있는지도 알 것이다. 게다가 서연아에게서 지독한 화매의 냄새가 나는 걸 보니, 둘 사이는 보통의 업무 관계가 아닐 가능성이 컸다.

여전히 무심한 궐이와 유연을 번갈아 보던 서연아가 한숨을 내쉬더니 어처구니없다는 듯 웃었다.

"요즘 음모론이 참 많이 도네요. 야쿠자요? 최근에 들었던 헛소문 중에 제일 그럴싸해요."

"헛소문이 아니라 제보라고 했을 텐데요."

"제보도 헛소문을 기저로 했겠죠. 그럼 나도 제보받은 거 말해 볼까요? 왕실 수장고에 불로초 같은 게 있다면서요? 투명한 보석처럼 생겼고, 그걸 먹게 되면 영생을 얻는대요. 불치병에 걸린 사람이 먹으면 건강해지고요. 현대판 불로초란 소린데, 조유연 씨 어머님이

매우 아프시다고 들었는데…… 맞나?"

서연아는 대답하지 않는 유연의 이름을 한 번 더 불렀다.

"조유연 씨?"

"그런 게 있으면, 제가 꼭…… 손에 넣어야겠네요. 저희 엄마를 살리기 위해서라도요."

"조유연 씨, 생각보다 멍청하네."

유연은 두 눈을 치켜떠 서연아를 노려보았다. 그러자 서연아가 싱긋 미소 지으며 말을 이어 나간다.

"박혜란 씨보다 더 안타까운 사연을 가진 사람들이 많아요. 그런데 왕실에서 그런 신기한 걸 독식한다면 국민의 공분을 일으키지 않을까요?"

그 좋아하는 치즈케이크까지 내려놓은 궐이의 눈빛이 험악하게 벼려진다. 유연은 주먹을 불끈 말아 쥔 궐이의 손등을 지그시 움켜쥐며 생글생글 웃었다.

"그런 헛소문을 믿는 사람들이 있다면, 그렇겠죠. 그런데 사실 제 엄마는 이미 정신을 차리셔서 필요 없습니다. 기억해 주셔서 감사합니다."

"아."

"본론으로 다시 들어가죠. 자꾸 본질 흐리지 마시고……. 예화에서는 분명 청계천 전시를 불허한다고 했습니다. 하지만 NV 측에서 무시하고 진행하시는 만큼, 책임지셔야 할 일이 몇 건 있습니다."

"뭐죠."

말이 짧아지기 시작했다는 건, 동요하기 시작했다는 뜻. 서연아는 직원을 불러 차가운 커피를 주문했다.

"이행각서입니다. 전시 도중 일어나는 모든 불미 사안은 서화 아트센터와 NV가 공동으로 책임진다는 내용입니다. 비서분을 통해 보내드릴 테니, 3시간 내로 사인해 보내 주세요. 만약, 이번에도 왕실의 배려를 무시하신다면 그땐 제가 아니라 이우혁 실장님이 직접 나오실 겁니다."

유연은 할 말이 끝났다는 듯 허리를 폈다. 그러곤 미지근하게 식은 커피를 한 모금 삼키며 시선을 움직였다. 로비를 드나드는 수많은 사람 중, 켄이치 이마무라는 없다. 더 정확하게 말하자면, 이 호텔 내에 그 남자는 없었다.

"서류를 받아 보고 다시 연락드리죠. 아, 그리고…… 켄이치 이마무라 씨는 호텔 방에서 한 걸음도 못 나오십니다. 룸서비스만 간신히 들어가요. 왜냐면, 그쪽 왕실에서 보낸 사람들이 호텔 입구를 지키고 서 있거든요. 아무 죄 없는 사람을 감금하다시피 감시하는 거, 권력 남용이고 범죄예요."

"몰랐는데……. 서연아 대표님, 거짓말을 너무 잘하시네요. 얼굴도 예쁘시니 연기자가 되셨어야 했는데. 길을 잘못 선택하신 것 같아요. 물론, 칭찬입니다."

"조유연 씨."

유연은 퀼이의 어깨를 짚으며 몸을 일으켰다. 서연아는 자신을 깔아 보는 유연의 눈빛에서 짙은 짜증을 읽었다.

"그리고 저도 왕립 출신인데, 서연아 씨 본 적 없습니다. 지금과는 다르게, 그때는 참 존재감 없는 분이셨나 봐요. 저야 뭐, 언제나 존재감이 없었고요."

"뭐야, 그때 한 말 마음에 담고 있는 거예요?"

"네."

"똑똑한 줄 알았는데…… 공사 구분도 못 하는 멍청이였나. 조유연 씨는 몰랐을지 몰라도, 건이는 나 알아요. 모를 리가 없어."

더 해 보라는 듯 어깨를 으쓱 올린 유연은 순순히 고개를 끄덕이곤 퀼이에게 눈짓했다. 그러자 무섭게 서연아를 노려보던 퀼이 유연의 손목을 움켜쥐더니 고개를 젓는다.

"보면 볼수록, 불쾌한 여인이군. 그 입에서 거짓말을 할 때마다 똥내가 나는구나. 네 조상이 나라를 팔아먹고, 백성을 갈취해온 흑역사가 시퍼렇게 살아 있다. 너 같은 것이 천지삐까리라 무지를 논하고 싶지 않았으나, 그 입으로 감히 왕실을 능멸하려 하는 것은 퍽 우스운 일 아니더냐?"

서연아의 낯빛이 파랗게 죽어 가기 시작한다. 하지만 퀼이는 멈추지 않았다. 포크로 테이블을 지그시 누르자, 두꺼운 대리석 상판에 쩍쩍 금이 가기 시작한다.

"부끄러운 줄 알아야 할 것이다. 너희를 살리고 피 흘리며 죽어 간이들은, 그 어떤 대가도 바라지 않았다."

"뭐, 뭐라는 거야. 당신 뭔데! 하, 내가 지금 여기에 있다고 만만한가요?"

"사람 위에 사람 없고, 사람 아래 사람 없다. 내 너를 어려워할 이유가 있더냐? 멍청한 건 자랑이 아니거늘."

"뭐 이런 새끼가……! 새파랗게 어린 게 어딜 감히!"

이토록 예민하게 구는 퀼이는 처음인지라, 당황했던 유연은 벌떡 일어난 서연아의 앞을 막아섰다. 하지만 서연아가 순식간에 집어 든 아이스커피 세례만큼은 막아내지 못했다. 차갑고 씁쓸한 액체가 슬로 모션처럼 뿌려지는 순간, 희미한 막이 그녀를 감싼다.

찰나 간, 상황을 지켜보던 이들의 눈이 화등잔만 하게 커졌다. 분명 아이스커피를 뿌렸건만, 유리 벽이라도 세워진 것처럼 그녀에게 닿지 못한 액체가 바닥을 향해 흐른다.

되레 벽에 맞아 튄 액체가 서연아의 얼굴을 흠뻑 적셨다. 말로는 설명할 수 없는 침묵이 흐른다. 모르는 사람이 보았을 땐, 서연아가 직접 본인의 얼굴에 커피를 들이부은 모양새였다.

"하…….."

젖은 속눈썹을 깜빡이는 서연아에게로 비서들이 뛰어와 너도나도 손수건을 내민다.

유연은 형형하게 빛나는 궐이의 눈을 손바닥으로 지그시 눌렀다.

'그만, 궐아.'

-매국노의 핏줄이다. 그리고 주인을 모욕하였다.

'일부러 긁은 거야. 물밑 싸움 나도 싫거든. 자존심 박박 긁어 놨으니 뭐라도 하겠지.'

-3대를 멸하리.

'야, 무섭게.'

눈을 가렸던 손을 내리자, 멀쩡해진 궐이가 몸을 일으켰다. 서연아는 충격받은 사람처럼 얼굴이 새빨개진 채 굳은 듯이 서 있었다.

"아무리 열 받으셔도, 본인 얼굴에 커피를 들이부으시면 쓰나요. 그럼, 3시간 안으로 답변 기다리겠습니다."

유연이 돌아서자마자 서연아는 비명 같은 악을 쓰기 시작했다. 수습을 위해 모여든 직원들의 낯빛이 파랗게 질려 있다.

소란의 중심에서 당당히 걸어 나온 유연은 순간 눈앞이 핑 도는 걸 느꼈다. 고개가 훅 꺾이고, 천장의 샹들리에 불빛이 하얗게 번진다. 하지만 다행히 부축하는 강한 힘에 바닥으로 쓰러지는 불상사는 없었다.

–누이, 결계를 쳤습니다. 미안합니다. 미안해요. 히잉, 누이 어지러우시죠?

이마를 짚은 그녀는 자신을 부축한 팔을 잡으며 고개를 저었다.

"괜찮아. 고마워, 궐아."

"궐이 아니고, 건인데. 내가 오는 것도 모르고……. 대체 뭘 한 거야."

흠칫 놀라 눈을 크게 뜨자 제가 잡은 팔의 주인이 보인다. 정말로 궐이 아니라 건이었다. 왼편에 서 있던 궐이 한숨을 쉬며 화장실 방향으로 성큼성큼 걸어갔다.

"저하, 왜 여기 계세요?"

건은 혼자가 아니었다. 건의 뒤로 이우혁과 장은호, RSA의 직원들이 유연에게 꾸벅 인사하며 예를 갖추었다.

"죄인 켄이치 이마무라를 추포하기 위해 왔지. 그런데…… 이곳에 없군."

건은 차분하게 이야기하면서 그녀의 전신을 서서히 훑어 내렸다. 그러다가 그녀의 베이지색 플랫 슈즈 위에 튄 얼룩을 발견했다. 발목 방향으로 몇 방울 타고 올라온 흔적을 따라 시선을 내린 그가, 불쑥 한쪽 무릎을 꿇는다. 그녀는 헛바람을 들이켜며 물러서려 했지만, 발목을 잡는 손이 더 빨랐다. 건은 가느다란 발목에 튄 커피 얼룩을 지그시 문질러 닦은 뒤, 신에 묻은 자국도 소매로 닦아 냈다.

"저하, 왜 이러세요. 네? 어서 일어나세요."

"우리 유연이가 이렇게 지저분한 걸 흘리고 다닐 리가 없는데."

"커피가 튄 거예요. 어서요."

부끄러움과 애타는 마음은 저 혼자만의 몫인지, 건은 태연했다. 숨을 참은 사람들 사이에서 평소와 다름없는 표정으로 미소 띤 그의 눈동자가 라운지에서 나오는 서연아를 향한다. 그의 눈썹이 삐딱하게 치솟았다.

"저거군."

저, 저거라니!

아무리 화가 났기로서니, 사람을 물건처럼 지칭하며 다가가려 하는 건의 앞을 유연이 불쑥 막아섰다.

"설마 저거란 거, 서연아 대표는 아닌 거죠?"

"맞는데."

"그래서 가려고요?"

"왜, 내가 다른 여자랑 대화하는 게 싫어? 질투 같은 거 해?"

어쩐지 묘하게 즐거워 보이는 그였다. 유연은 황당한 얼굴로 양쪽으로 벌렸던 팔을 툭 내렸다.

"네, 싫어요. 서연아 씨 말 들어 보니, 학교 다닐 때 저하랑 꽤 가까웠던 사이 같던데…… 그런 이상한 재회의 순간 같은 거 별로 안 보고 싶어요."

"아…… 그런데 나랑 가까운 사이라고? 저 여자가 나를 알아?"

"저하를 모르는 사람도 있어요?"

"그건 그렇다 치고……. 내가 학교 다닐 때 기억하는 여자애는 눈앞에 있는 애 한 명인데."

어느 정도 건의 애정 표현에 익숙해졌다고 생각한 건 오산이었다. 부끄러움에 얼굴을 붉힌 그녀의 어깨를 가볍게 움켜쥔 그가 도망치듯 사라져버린 서연아가 있던 자릴 노려본다.

"이 실장, 올라가서 서연아 대표와 면담 시작해."

"예."

그럴 줄 알았다는 듯 고개 숙인 우혁은 직원 세 명과 함께 당당히 로비를 가로질렀다. 그 모습을 멍하니 바라보던 그녀의 손가락 사이로, 그의 손가락이 겹쳐지고 교차된다.

"켄이치 이마무라가 왕실에서 보물 하나를 훔쳤는데, 그걸 서연아 대표에게 주었다더군. 그래서 이마무라와 서연아 대표를 조사하러 온 거야, 넌?"

건은 대수롭지 않게 말하며 그녀의 손을 잡고 출구 방향으로 걸음을 내디뎠다. 소란의 여운이 가시지 않은 탓에 호텔 전반의 분위기는 어수선하고 시끄러웠다.

"저도 전시 때문에 켄이치 이마무라를 만나러 온 거예요. 그런데…… 방에서 나올 수 없다고 거짓말한 게 맞았네요."

"뭐야, 나한테 말도 없이 외간 남자를 만나러 온 거였어?"

"저기요, 업무의 연장이거든요?"

"나도 질투해."

두 사람이 밖으로 나가자, 대기 중이던 장은호가 차 문을 열고 둘을 맞았다. 유연은 질투란 말에 웃음을 터트렸다.

"뜬금없어요."

"진짜야. 나도 네가 다른 남자들과 있는 거. 많이 질투해."

이마무라가 이곳에 없다는 걸 확인한 이상 속히 청계천으로 돌아가야 했지만, 이상하게 불안한 예감이 들었다. 무언가 강하게 요구하는 것만 같다. 이 남자의 곁에 있으라고. 지키라며 멱살을 쥐고 흔드는 기분이었다.

그녀는 잡았던 손을 풀고, 그의 귓가로 까치발을 들었다.

"켄이치 이마무라는 광화문 광장에 있어요. 세종대왕 동상 아래, 걸인의 모습을 한 남자가 이마무라예요."

"네가 어떻게 알아. 그자의 얼굴을…… 봤어?"

"아뇨. 그냥, 감이요. 저하도 아시잖아요. 저, 감 좋은 사람이라는 거."

유연은 애써 웃으며 그의 얼굴을 마주 보았다. 한층 더 차분해진 그의 눈길이 그녀를 향한다. 건은 유연의 손등을 느릿하게 어루만지며 고개를 끄덕였다.

"내가 무슨 일을 하려는지도 알아?"

"아뇨. 잘 모르지만, 믿어요."

"내가 나쁜 짓을 하면 어쩌려고. 혹여, 누군가를 다치게 한다든가, 누군가를 없애 버린다던가."

"그건 좀 무서운데."

웃음이 묻어나는 입가를 가린 그가 차 안으로 그녀를 밀어 넣었다. 얼결에 뒷좌석에 오른 유연은 헤드레스트를 움켜쥔 채 상체를 숙여 온 그의 얼굴을 가만히 직시했다.

"혼자 다니지 말고, 개라도 한 마리 끌고 다녀. 개가 없으면 곰도 좋고, 호랑이도 좋고……. 정 목줄 채울 놈이 없으면, 내가 해 줘도 좋고."

"무슨 그런 소릴 하세요."

"어머니, 꼭 깨어나실 거야."

"네."

"먼저 가 있어. 이따가 봐, 집에서."

그녀의 이마에 입 맞춘 그가 뒷좌석에서 물러나고, 뒷문이 닫혔다. 그는 가볍게 손을 흔든 뒤 다시 호텔 안으로 들어갔다. 계속해 이상한 기분이 든다. 속이 울렁거려 미칠 것만 같다. 하지만 말로는 설명할 수 없는 기분이었다.

그녀는 그의 입술이 닿았던 자릴 문지르며 생각에 잠겼다. 북적이는 곳에서 살았다. 항상 주위에 사람이 넘쳤고, 이 또한 당연하다 받아들이며 살았다. 하지만 조금 전, 집에서 보자는 그의 말에 비어 있던 가슴 한구석이 따뜻하게 채워지는 느낌을 받았다. 누군가가 기다리는 내 집. 그 당연한 말에 묻고 싶었던 질문들이 물에 쏟아진 설탕처럼 녹아내렸다.

"청계천으로 갈까요."

운전석에 오른 장은호의 질문에 유연은 고개를 끄덕였다.

"네."

[미친년이야! 걔가 나를 모함했다고! 하, 준일 씨…… 지금 내가 무슨 짓을 당했는지 알아? 호텔에 찾아와 나한테 커피를 쏟아붓질 않나, 내가 왕실 물건을 훔쳤다고 거짓 누명까지 씌웠어!]

서연아는 가만두지 않겠다고 이를 갈며 바락바락 소리쳤다. 수화기 너머 터져 나온 고함에 준일은 피곤한 표정으로 미간을 눌렀다.

"진정하고, 사람 보낼 테니까 변호사에게 맡겨. 집으로 가."

[나, 이렇게는 못 참아. 절대 가만 안 돼. 절대 안 참아.]

"연아야, 집에서 얘기해."

[내일부터 전시 시작이야. 집에 못 들어가니까 조유연을 직접 만

나든, 왕실을 찾아가서 빌든! 아니면, 아버님 넘겨. 끊어 내는 거 어려운 일 아니잖아. 필리핀에서 절도죄만 저질러도 한국으로 송환 못해. 그렇게 공소 시효까지 버텨야 할 거 아냐!]

더는 듣지 못하고 준일은 전화를 끊었다. 다시금 서연아에게 전화가 걸려왔지만, 무음으로 돌린 그는 맞은편에 앉은 최우식을 노려보며 말했다.

"이게 다 아버지 때문입니다. 웃음이 나오십니까?"

그러자 수염을 덥수룩하게 기른 최우식이 비릿하게 웃으며 담뱃불을 붙인다.

"네놈이 멍청한 탓이지. 그러게 여자를 왜 믿어! 네놈이 마누라 치마폭에 숨어서 나한테 대들 때부터 알아봤다. 결국 이리될걸, 왜 반항을 해!"

"그래서. 아버지는 잘하셨습니까? 유연이 아버지, 안락사 지시하셨다면서요. 그 증거, 연아가 갖고 있습니다. 어머니가 공개한다는 거 연아가 막은 거라고요!"

준일은 주먹으로 테이블을 내리쳤다. 아직 통증이 남은 손가락 마디마디가 저릿했지만, 지금 서화제약은 벼랑 끝에 선 상태나 다름없었다.

유연이 세자빈으로 확정된 기사가 나간 이후, 기자들은 그녀의 과거를 캐기 시작했다. 그러며 드러난 서화제약과의 관계에 사람들은 의구심을 드러냈다. 석연치 않은 조경훈의 죽음과 박혜란의 오랜 수면 상태, 그럼에도 불구하고 조유연이 서화제약을 떠나지 못했던 이유까지, 갖은 근거들을 들어가며 악의적인 추론을 이어 나갔다. 국민을 살려야 할 제약사에서, 국민의 목숨을 담보 삼아 장사하고 있었다는 소문에 서화의 주식은 날이 갈수록 바닥을 쳤다.

"그러니까 네놈은 공개하기 전에, 내가 자진해서 뒤집어써라?"

우식이 한심하다는 듯 혀를 차며 준일을 노려본다.

"뒤집어쓴다니, 말은 바로 하시죠. 아버지가 저지른 일입니다. 해결하셔야죠. 서화 이렇게 무너지게 두실 겁니까?"

"내가 다 뒤집어쓰면, 네놈은. 나 손절하고 계집애 말대로 필리핀 보내서 감방에 가두려고?"

"어떻게든 보석으로 풀려나게 하겠습니다. 차라리 제 발로 들어가세요. 3년 정도 형 살고 나오시면, 페이퍼 컴퍼니 세워서 아버지 앞으로 자금 돌려 드릴 테니."

하지만 최우식은 안중에도 없다는 듯 담배를 뻑뻑 피워 댔다. 최우식도 이대로 도망만 다닐 생각은 아니었다. 문제는 조유연이 호락호락하지 않다는 것이다. 간병인 아주머니를 데려다가 회유해 보려던 계획은 어느 꼬맹이에 의해 실패했으니, 이제는 강수를 두는 수밖에.

쿰쿰한 모텔방 밖으로 24시간 꺼지지 않는 후미진 골목의 간판등이 반짝거린다. 하늘은 여전히 어둑했고, 당장에라도 무언가 쏟아질 듯 울렁거렸다.

먹구름과 흰 구름이 묵직하게 부딪쳐 서서히 어그러진다. 생각에 잠긴 채 창틀에 기대어 뻐끔뻐끔 담배를 태우던 최우식이 어딘가로 전화를 걸었다.

"난데, 오늘 실행해. 내 그년 때문에 여기서 죽을 수는 없잖아? 내가 책임져. 여론? 요란할수록 좋지. 이참에 물타기 하는 거야. 그래, 물타기."

막 청계천에 도착한 컨테이너 문이 열린다. RSA의 직원들이 바리케이드를 두르듯 컨테이너를 막아섰다. 서화 아트센터에서 나온 미란과 직원들은 앞을 막은 그들을 보며 이를 갈았다.

"시에서 허락한 전시를 왕실에서 제멋대로 뭐 하는 짓이죠?"

"시장님께서도 RSA의 기본절차를 따르길 바라고 계십니다. 정보가 늦으시군요. 컨테이너 물건 내리지 마십시오. 저희가 먼저 검수합니다."

"대체 뭘 검수한다는 겁니까? 이유나 좀 압시다!"

"범죄 단체와 결탁해 불법으로 들여온 작품들이 있는지만 확인합니다. 별거 아닌 검수인데, 너무 예민하게 구시네."

박 팀장은 귀찮음이 가득 묻은 표정으로 미란의 앞에 나섰다. 하지만 박 팀장도 속이 쓰리고 조급한 건 마찬가지였다. 본인들은 잠신한 이매를 알아낼 수 없다. 윗선의 지시로 컨테이너를 막아서긴 했지만, 아무런 힘도 느껴지지 않는 작품들을 막아서는 건 한계가 있었다.

그때, 박 팀장의 인 이어 안으로 누군가의 보고가 들어왔다.

[30초 뒤, 조유연 씨 도착하십니다. 직접 컨테이너 내부 검수 하신다고 하니, 백업하세요.]

보고를 받은 박 팀장의 얼굴이 대번에 환하게 밝아진다.

"마마님 오십니다. 비키세요."

박 팀장의 지시에 곳곳에서 들릴 듯 말 듯한 안도의 숨소리가 새어 나왔다.

정확히 30초 뒤, 왕실의 차량이 도착했다. 뒷좌석에서 허겁지겁 뛰어내린 유연이 생긋 웃으며 직원들에게 꾸벅 인사한다.

"늦어서 죄송합니다. 저 때문에 늦어지신 건 아니죠?"

"어휴, 아닙니다! 그럼, 부탁드리겠습니다. 마마님."

유연의 등장만으로 분위기가 바뀌어 버림에, 미란은 당황했다. 왕실에서의 조유연의 위치가 생각보다 상당하다는 뜻이었기 때문이었다. 마마님이란 호칭이 아직 낯선지 어색하게 웃어 보인 그녀가 선뜻 미란에게 다가가 까딱 고개를 숙였다.

"또 뵙네요. 서화 쪽에도 폐 끼치고 싶지 않으니, 곧장 시작하죠."

"뭘 시작한다는 거니?"

습관처럼 튀어나온 반말에 곁을 지키던 장은호의 눈썹이 꿈틀댄다. 미란은 자존심이 상했지만, 곧장 언사를 정정했다.

"미안해요. 뭘 시작한다는 겁니까? 조유연 씨."

"말씀드린 대로, 문제 되는 작품들을 제거할 겁니다."

"문제? 그럴 능력이나 있고?"

"오늘 밤, 귀갓길에 10t 트럭에 깔려 사망하고 싶지 않으시면 제 말 들으시죠."

"뭐?"

미란을 무시하고 컨테이너 안으로 들어간 유연은 겹겹이 쌓인 그림들을 천천히 둘러보았다.

망량은 말하였다. 화매나 이매나 인간의 욕망이 만들어 낸 불순물이라고. 그들이 두려워하는 것은 본질을 알아보는 눈과 숨통을 움켜쥐는 손이라고 하였다. 그러니 귀안의 주인이 가까이 다가서면, 숨을 죽이고 힘을 숨길 것이라고. 겁먹고 벌벌 떠는 중생이라 생각하고, 야박하게 굴지 말아 달라며 망량은 씁쓸하게 웃었다.

소곤대는 소리가 들린다. 화매인지 이매인지는 몰라도, 마치 아이들이 겁에 질려 소곤대는 소리였다.

잠신중인 이매는 갓 태어난 아이와도 같다. 그녀는 지금껏 제가 보아 온 이매들을 떠올리며 그 사이로 걸어 들어갔다. 그녀의 걸음이 가까워질수록 흠칫거리며 힘을 죽이는 느낌이 적나라하게 느껴진다.

유연은 가장 가까이에 있는 액자 표면을 천천히 쓰다듬었다.

'자, 여기까지. 해치지 않아. 다들, 그림 밖으로 나와.'

어두운 컨테이너 내부를 훑는 그녀의 눈빛이 흑요석처럼 검다. 시선이 닿은 자리마다 검은 연기가 스르륵 흐르더니, 그녀의 발밑에 고인다.

유연은 겁먹지 않고 그것들을 둘러보았다. 이어 검었던 연기가 각양의 모양으로 변하더니, 다소곳이 앉아 그녀의 말에 귀를 쫑긋 세우는 그림 도깨비들로 바뀌었다.

주먹만 한 털 뭉치들을 향해 쪼그려 앉은 그녀의 얼굴에 애틋한 미소가 번진다.

'나랑 같이 갈까?'

더 캐슬

VOL. 3   The Castle

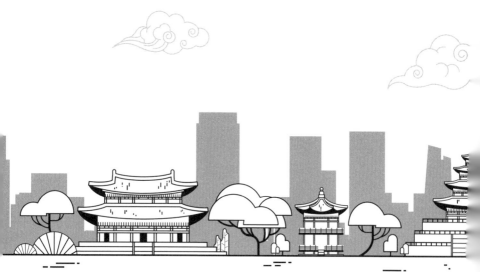

CHAPTER 18

탐식의 제물

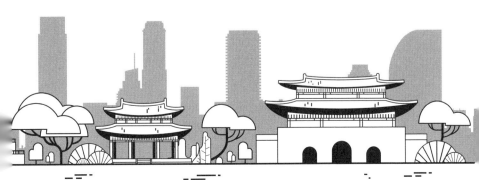

18

탐식의 제물

언 바닥에 댄 무릎이 시리고 손끝 발끝은 피가 통하지 않아 파랗게 죽어 갔다. 하지만 이마무라는 세종대왕 동상 앞에 웅크린 채 몸을 펴지 않았다.

'조금만 더.'

몇 번이나 혼절할 뻔하였지만, 이제 곧 끝이 보였다. 조금만 더 힘을 쏟아 넣으면 진정한 화매를 일으킬 수 있다. 아무리 귀멸자의 힘이 대단하다고 한들, 반쪽짜리 힘으론 이번 화매의 상대조차 되지 않을 터. 염라의 영루를 얻는다면, 지금 제 몸이 썩어 문드러지는 것쯤은 문제조차 되지 않을 것이다.

이마무라는 혼미한 정신 속에서 끌끌거리며 웃음을 흘렸다. 청계천에 풀어 두기로 하였던 화매들은 이미 제 손을 떠났다. 누가 현장에 나타났는지는 안 봐도 알 수 있었다. 이렇듯 말끔하게 제 화매들을 강탈해 갈 수 있는 존재는 세상에 단 한 명뿐이었으니까. 하지만 모두 계산된 순서일 뿐이다. 모두의 시선을 청계천으로 몰아, 시간을 벌기 위한 수였다.

'그래도 이번 귀안인은 다르구나.'

조유연의 힘은 감탄해 마지않을 만치 강하고 곧았지만, 지금은 방해만 될 뿐이었다.

등을 덮은 누더기 같은 점퍼 안으로 찬바람이 새어 든다. 그런 이마무라의 머리 위로 짙은 그림자가 드리웠다.

"켄이치 이마무라."

이마무라는 순간, 제 귀를 의심했다. 지금쯤 청계천에 있을 거라 예상했던 세자의 목소리였다.

뼈마디가 굳어 잘 움직여지지 않는 고개를 간신히 들자, 주머니에 손을 꽂아 넣은 건이 눈앞에 서 있었다. 그의 뒤로 RSA의 나자들이 서슬 퍼런 기운을 흘려보내며 이마무라를 압박했다.

이마무라는 거칠게 갈라진 목소리로 답을 했다.

"사람, 잘못 보셨습니다."

"한국어를 하면서도 모르는 척했군."

해가 뜨지 않은 듯 어둑한 하늘, 바람결에 이지러지는 구름 사이로 푸르스름한 빛이 간간이 번뜩인다.

"경회루 연못 아래 묻혀 있던 신주를 훔쳐 간 죄로, 너를 추포하려 하는데…… 어찌 생각하나."

신주란 화재를 막기 위해 못 아래 묻어 놓은 청룡 조각상이었다. 물을 다루는 용의 힘을 가두어 화재를 막고자 했던 조상들의 염원이 담긴.

이마무라는 실소하며 힘없이 고개를 저었다.

"증거도 없이 사람을 모함하시다니요. 국본이 될 세자 저하답지 않으십니다."

"증거라……. 물리적인 증거가 필요한가? 아니면, 내 눈에만 보이는 것을 증거로 삼을까."

바닥을 짚은 이마무라가 천천히 상체를 세웠다. 몸을 움직일 때마다 날붙이로 베어 내는 듯한 통증이 느껴졌다.

"저하는 참으로 어리석으십니다."

반듯하게 앉은 이마무라의 입술이 검다. 건은 정상이 아닌 남자를 내려다보며 서서히 힘을 개방했다.

"저하의 몸속엔 염라의 영루가 있지요. 제가 심었고, 제가 키웠습니다. 그러니 제가 주인이지요. 저하는 그저 양분을 제공한 토양에 불과합니다."

"또 헛소릴 시작하는군."

"세상이 아무리 변했다 한들, 영생을 포기하지 못하는 인간들이 있는 한…… 저하는 저를 이길 수 없습니다."

기분 나쁘게 흘러나오는 광기가 건의 심기를 건드렸다.

"인간의 욕심을 이용한 권력은 욕심에 의해 무너질 수밖에 없어. 너야말로 어리석군. 네가 염라의 영루를 손에 넣는다면……. 과연, 네 머리 위의 포식자들이 순순히 네게 고개 숙일 거라고 생각하나?"

건의 눈에 이마무라의 뒤로 스르륵 기어오르는 거대한 구렁이들이 보였다. 수십, 수백 마리의 뱀이 광화문 광장 아래에서 연기처럼 새어 나와 형태를 갖추기 시작했다.

그것을 보는 건의 입매가 비틀리고 검었던 눈동자에 안광이 차오른다. 이마무라는 경이로울 만치 아름다운 사내를 올려다보며 주먹을 힘주어 말아 쥐었다.

"그것은 두고 봐야 알겠지요."

이마무라의 말이 끝나기 무섭게 건의 손아귀 안에서 사인검이 형태를 갖추었다. 바닥에서 분수처럼 솟아오른 검은 기둥이 휘어지더니, 한 마리의 흑사가 되어 검은 혀를 날름댄다. 건물 20층 높이의 거대한 구렁이였다.

건의 뒤를 지키던 나자들의 잇새로 욕설이 새어 나온다. 지난번 궁을 망가트린 화매들과는 비교도 되지 않는 크기와 힘을 가진 구렁이였다.

순간, 건은 이마무라가 무언가를 삼키는 걸 보았다.

–영루를 삼켰다.

목을 움켜쥔 이마무라는 가쁜 숨을 몰아쉬면서도 히죽거림을 멈추지 않았다.

'*희빈 장 씨의 아들. 네가 영루를 심었다는 경종의 끝이 궁금하군. 그리고 네 주인이 요절한 이유 또한 석연치 않아.*'

건의 질문에 궐의 눈빛은 그 어느 때보다도 슬프게 가라앉았다.

'*경종을 이매로 만들려 하였다. 염라의 영루는, 인간이 만드는 것이다. 인간이 네 번째 영루를 삼키면 이매가 되어 염라의 영루를 품게 된다. 나는 그렇게 왕실을 해하려 하였다. 귀멸자야, 그 벌을 나의 주인이 받은 것이다. 주인을 살리기 위한 욕심이, 나의 주인을 죽게 하였다.*'

욕심이 부른 화. 그것이 궐의 업보였고, 오래도록 잠들어 버렸던 이유였다.

–이매가 되려고 발악하는구나.

–귀멸자야, 저놈이다. 저놈이 염라의 영루를 품은 괴물이 될 것이다.

퀄의 말이 끝나기 무섭게 광화문 광장 바닥이 일그러지기 시작했다. 지진이라도 난 것처럼 쩍쩍 금이 가고, 혼절한 사람처럼 늘어져 있던 이마무라의 몸이 두꺼비의 등처럼 부풀어 오른다.

"크으윽!"

이마무라가 괴로운 사람처럼 몸을 웅크린 채 신음했다. 천지가 흔들렸지만, 건은 자리에서 움직이지 않았다. 사인검을 쥔 손에 힘을 준 채 서서히 거대해져 가는 이마무라를 노려보았다.

네 번째 영루를 삼킨 이마무라는 더 이상 인간이 아니었다. 최상급 이매의 기운이 뻗어 나와 칼날처럼 사방을 헤집는다.

―내 결계는 안전하니, 마음껏 힘을 써라! 이곳에서 아무리 난동을 부려도 현실 공간엔 조금의 해도 끼칠 수 없으니!

청송의 자신만만한 말에 건의 두 눈이 가늘어졌다. 그래 봤자 저 힘의 원천은 유연이었다. 결계에서의 싸움이 길어질수록, 유연의 힘을 갉아먹는다고 생각하자 짜증이 치밀었다.

쿠구궁―.

몇 걸음 물러난 건은 이제 집채만 하게 커진 이마무라를 올려다보며 싸늘하게 뇌까렸다.

"오니*구나. 아주 흉측해."

악귀처럼 일그러진 시뻘건 얼굴에 두 개의 뿔을 매달고, 너덜너덜한 누더기를 걸친 오니가 웅크렸던 몸을 편다. 오니가 움직일 때마다 삿된 기운이 타 버린 재처럼 피어올랐다.

"인간이길 포기한 것인가?"

이매가 된 이마무라에게서 더 이상 인간의 힘은 느껴지지 않았다.

* 오니: 일본의 도깨비로 험상궂은 얼굴에 뿔을 달고 있다.

그저 시뻘건 눈을 하고선 탐식의 재물을 찾아 사방을 둘러볼 뿐.

건은 천천히 몇 걸음 물러나 고개를 들었다. 사방에서 검은 연기가 피어오르고, 빌딩을 타고 화매들이 기어오른다. 인간들의 모습은 어디에도 보이지 않았으나, 이 광경은 지옥도나 다름없었다.

-귀…… 멸자를 먹는다.

지독한 악취를 흘리며 띄엄띄엄 말문을 연 오니의 뻘건 눈이 건을 향했다. 어찌나 강한 힘인지, 온몸의 솜털이 곤두서 저릿한 전극이 혈관을 타고 흘렀다.

"오랜만에 힘쓸 맛이 나는군."

오니와 눈을 맞춘 건은 뻐근한 목을 좌우로 기울인 뒤 사인검에 힘을 실었다. 순간 건의 곁으로 암흑이 생겨나더니, 집채만 한 호랑이 귈이 송곳니를 드러내며 위협적으로 목을 울린다.

-결국, 마지막 영루를 먹은 게 확실하군.

이어 윤기 나는 갈색 털을 갖춘 곰과 비익조를 연상케 할 만큼 거대한 청매가 날개를 펴 하늘을 덮었다.

-욕심을 통제하지 못한 인간의 말로다.

-처음입니다. 인간이 영루를 먹고, 이매가 된 것은.

-멍청한 것.

RSA의 나자들은 눈을 의심하며 한 걸음씩 물러섰다. 세자를 보호하듯 에워싼 수호부들의 기운을 평범한 나자들이 감당하기엔 무리였다.

수호부들의 기운에 압도된 오니의 송곳니가 주욱 자라난다. 흉흉한 눈빛으로 건을 내려다보던 오니가 어느 순간 히죽, 웃었다.

-먹는다.

그 말에 담백한 표정으로 고개를 든 건의 눈썹이 삐딱하게 기운
다. 발밑에서 솟구친 힘이 하늘을 꿰뚫듯 일렁거렸다.

"누구 마음대로."

근정전 용마루 위에 비스듬히 누워 연초를 태우던 망량의 눈매가
가늘어진다. 광화문 광장 위로 둥근 결계가 발동한 것으로 보아, 드
디어 싸움이 시작되었다. 하지만 결단코 호락호락하지 않을 싸움이
될 것이다. 청송의 힘을 모조리 털어 넣은 결계가 흔들리고, 그 주위
의 땅이 진동했다.

검은 호랑이는 소멸을 각오하였다. 이 모든 일이 제가 남긴 멸첩
에 의해 벌어진 참극이라며 슬퍼하였다. 켄이치 이마무라가 왕실을
배반한 존재라 할지라도, 놈에게는 종친의 피가 흐른다. 수호부들은
왕실의 핏줄에 직접적인 해를 끼칠 수 없다. 결국, 놈을 막을 수 있
는 건 귀멸자뿐이었다.

쉬고 싶단 말은 거짓이었다. 놈의 마음을 편하게 만들어 주기 위
한 거짓말. 인간도 아니면서 놈에게 전염되었는지, 점점 인간의 생
각을 하게 된다.

망량이 연기를 흘릴 때마다 흰 기운이 결계 방향으로 날아갔다.
이렇게라도 하지 않으면, 결국 귀멸자는 궐이를 삼키고 말 것이다.
망량은 어떻게 해서라도 그 일만큼은 막고 싶었다.

"이, 이게 어찌 된 일이냐!"

망량은 지붕 아래에서 들려오는 이숙의 목소리에 시선을 내렸다. 막

강녕전을 빠져나온 이숙이 궐에 남은 나자들에게 명령하는 게 보였다.

"당장 광장으로 사람을 보내라! 보내서 세자의 안전을 확보해!"

"예!"

이숙의 명령에 내금위장이 직접 RSA를 통솔해 궐을 빠져나간다. 망량은 이숙의 몸속에 여전히 남아 있는 힘을 발견했다.

-오호라.

어쩌면…….

소리 없이 뇌까린 망량이 용마루 위에 올라서자, 그를 발견한 이숙의 눈이 휘둥그레졌다. 망량은 사뿐하게 이숙의 앞으로 뛰어내렸다.

"그대, 아직 귀멸의 힘을 품고 있구나."

망량은 오랜만에 가슴이 빠르게 뛰어 대는 것을 느꼈다. 모든 힘이 계승되는 줄 알았더니, 아니었다. 귀멸자의 힘이 워낙 대단하여 선대의 기운을 얕본 탓이었다.

"망량을 뵙습니다. 어찌 된 일입니까. 어찌 저 안에서 세자의 힘이 요동치는 것입니까!"

"이보게, 혹 궐이란 존재를 아는가?"

"예? 궁을 지키는 흑범을 말씀하시는 거라면, 알고 있습니다."

"그럼 대화가 쉽겠군. 궐이는 왕실을 받들던 백성들의 마음과 수호의 염원이 합쳐진 존재다. 그런 녀석이 인간의 마음을 배워 인간들을 연민하기 시작하였지. 하여, 궐이 된 것이다."

망량은 창백한 이숙의 얼굴을 이리저리 살피더니 서서히 주위를 맴돌았다.

"그런 놈이 지금 죽을 둥 살 둥 힘을 쏟아붓고 있네. 그것도 자네 아들에게. 자네 아들을 살리기 위하여."

부채를 펴 살살 흔들자, 이숙의 몸에 든 기운이 넘실넘실 피어오른다. 이 또한 경이로울 만치 강한 힘이었다. 항상 부드럽게 웃는 상이라 무시했던 제가 처음으로 한심하게 느껴졌다.

"망량 영감, 제가 어찌해야 하는지 알려 주십시오. 제 아들을 다치게 하고 싶지 않습니다."

망량의 눈빛이 서늘하게 빛난다.

"오호, 좋아. 그럼…… 너의 힘을 모두, 네 아들에게 줄 수 있겠느냐? 그 힘 전부를 귀멸자에게 준다면, 어쩌면…… 검은 호랑이 놈이 목숨을 바치지 않아도 될 터. 단, 네놈의 목숨은 어찌 될지 장담할 수 없다."

눈을 크게 뜬 이숙은 영문을 모르겠다는 표정으로 먼 곳에 생겨난 결계를 쳐다보았다. 결계에 시커먼 구멍이 생기는가 싶더니, 뱀 한 마리가 튀어나온다. 하지만 이내 빠져나온 청매의 부리에 뱀의 몸이 갈가리 찢겨 나갔다. 이어 다시 닫힌 결계. 폭발음이 들릴 때마다 찢기고 회복되길 반복하는 결계를 보는데 가슴이 빠르게 요동친다.

"저 안에 내 아들이 있다는 것이지요."

"그래. 아주 지독한 것이 나타났거든."

"그럼 당연히, 주어야지요. 내 아들을 살리는 것이 우선입니다. 제 비루한 힘으로 아들을 구할 수 있다면, 당연히 주어야지요!"

멍청한 것. 인간은 참으로 멍청하고, 실수를 반복한다. 그러나 망량은 자식을 위해 목숨을 버릴 수 있는 인간의 마음을 아주 조금이나마 이해할 수 있을 것 같았다. 그래 봤자 어리석다는 생각엔 변함이 없지만 말이다.

제 목숨보다 소중한 것이 있다니…….

씁쓸한 미소를 부채 뒤에 감춘 망량의 눈이 부드럽게 휘었다.

'검은 호랑아, 인간들은 이리도 나약하다. 제 핏줄에게, 제 분신에게, 그런 착해 빠진 인간들에게, 감사해야 할 것이야.'

차 뒷좌석에 오른 유연은 처음 느껴 보는 울렁거림에 할 수 있다면 속을 게워내고 싶었다. 멀미와도 비슷한 증상이었지만, 그보다도 머리가 깨질 듯 아팠다.

유연은 멀리서도 선명한 광화문 광장의 결계를 보며 소름 돋은 팔을 쓸어내렸다. 호텔에서 느꼈던 불안함이 현시된 것 같아서 심장이 빠른 속도로 뛰어 댔다. 그러자 룸미러를 통해 창백한 유연의 얼굴을 살핀 장은호가 걱정스러운 어투로 묻는다.

"괜찮으십니까?"

"속이 좋지 않은 것뿐이에요. 괜찮아요, 은호 씨."

"저하께서 일 마치시는 대로 곧장 궁으로 모시라고 하셨습니다. 그러니 이동하겠습니다."

"궁이요? 광화문 광장이 아니고요?"

"예. 광장은 위험합니다. 궁으로 모시겠습니다."

혹시 장은호의 눈에도 저 모습이 보이는 걸까?

결계 안에서 벌어지는 싸움은 일반인들의 눈에 보이지 않는다. 다만 파동의 여파로 도로 곳곳이 갈라지고 이따금 건물이 흔들리거나, 어딘가에서 싱크홀 같은 재해가 발생했다.

유연은 청계천까지 이어진 강한 진동을 느끼며 보통의 싸움이 아니란 걸 짐작했다. 게다가 무언가 계속해 가슴을 두근거리게 했다. 마치 자신의 존재를 알려 주려는 것처럼 꽉 잠긴 아우성이 머리를 울린다. 그 소리는 경복궁에 가까워질수록 더욱 다급해지고, 멀어졌다.

게다가 이 기분 나쁜 냄새는 뭐지……?

소독약 냄새에 물비린내가 뒤섞인, 불쾌한 냄새가 속을 더 뒤집었다.

"은호 씨, 미안한데 차 좀 멈춰 봐요."

생각을 해야 한다. 그녀의 머릿속에 지친 표정으로 이조문을 나서는 건의 모습과 제 머리를 쓰다듬던 궐이의 표정, 호방하게 웃으며 꽉 끌어안아 주던 치웅과 바짓가랑이를 잡고 생글생글 웃는 청송의 모습이 하나씩 스쳐 지나갔다.

갓길에 비상등을 켠 채 멈춰선 은호가 진지한 표정으로 다음 지시를 기다렸다. 눈을 감은 채 생각에 잠겨 있던 그때, 흘려보냈던 건의 말이 떠올랐다.

'켄이치 이마무라가 왕실에서 보물 하나를 훔쳤는데, 그걸 서연아 대표에게 주었다더군.'

이마무라가 훔친 보물. 그것도 건이 직접 나서서 찾아야 할 만큼 귀한 것이라면, 그 또한 궁궐을 지키는 수호부의 힘이 깃들어 있을 것이다. 답이 눈앞에 있지만, 뿌연 안개가 낀 것처럼 시야가 답답했다.

유연은 차에서 내려섰다. 하필, 몇 시간 전 치웅과 멈춰 섰던 그 자리.

'영감님.'

유연은 궐이 대신 망량을 불렀다. 본능적으로 결계 안에서의 싸움을 방해해선 안 될 것 같다는 예감이 짙게 들었다.

-그래, 주인아.

'이마무라가 훔쳐 간 게 뭔지 알려 주세요.'

-그것이 어이 궁금하지?

'그때, 청송이 궐에 돌아왔을 때요. 그때랑 비슷한 기분이 자꾸 들어요.'

-그 녀석이 주인을 부르더냐?

'네?'

-녀석이 주인, 너를 부르는 소리가 들리냔 말이다.

어안이 벙벙한 얼굴로 고개를 든 유연은 머릿속을 울리는 소리에 집중했다. 하지만 누군가 자신을 부른다기보다는, 조급하고 화가 난 아우성에 가까웠다.

'좀…… 화가 난 것 같은데요.'

-쯧, 성격 하고는.

'설마 수호부인가요?'

-수호부라고 해야 할지, 신이라고 해야 할지, 염원이라고 해야 할지. 혹, 녀석을 데려올 수 있겠느냐?

'어디에 있는지, 무엇인지만 알면요.'

다시금 쿵, 하며 지축이 흔들린다. 길을 가던 사람들도 미약하게나마 진동을 느꼈는지 움찔움찔 놀라며 주위를 둘러보았다.

-녀석은 청룡이다. 오래전, 연못 바닥 깊숙한 곳에 묻혀 있던 청룡을, 도둑놈이 화매를 이용해 꺼내 도망쳤다. 물을 다루는 녀석인데, 지금껏 잠잠했던 녀석이 저리 난리를 부리는 걸 보니 무언가 있구나.

물을 다루는 청룡?

그녀는 조금 전 느꼈던 감각의 정체를 짐작해냈다. 어디 있는지 알 것 같다.

유연은 급히 고개를 틀었다. 망량의 목소리는 더 이상 들리지 않았고, 궐이와 치웅, 청송은 제 목소릴 듣지 못하는 것 같았다.

그녀는 때마침 이우혁을 떠올렸다. 건이 저 안에 있다면, 우혁은 그의 지시를 따르고 있을 터. 휴대 전화를 꺼내 통화 버튼을 누르자, 신호음이 울리기도 전 우혁이 전화를 받았다.

[어디십니까, 궁으로 돌아가셨습니까?]

"실장님은 어디신데요?"

[NV 호텔 앞입니다. 찾아야 할 물건이 있어서요.]

"저하가 꼭 회수하라고 하시던가요?"

[예, 중요한 물건입니다. 그런데 어디에 숨긴 것인지는 아직.]

"수영장이요."

[예?]

"아니면, 공중목욕탕인 거 같아요. 어쨌든 물이 있는 곳이에요."

우혁은 잠시 침묵하다가, 고맙다고 말한 뒤 전화를 끊었다. 그제야 가슴에 얹힌 듯했던 무언가가 쑥 내려갔다. 머릿속에서 들려오던 아우성도 멎었고, 울렁거리던 속도 정상으로 돌아왔다.

정답이었던 걸까? 그녀는 헛웃음이 새어 나오는 입가를 문질렀다. 도움이 되었다는 생각에 웃음이 나는 반면, 이마무라가 청룡을 훔친 이유가 머릿속을 괴롭혔다.

"이제, 궁으로 가도 될 거 같아요."

안도한 그녀의 모습에 덩달아 긴장했던 장은호가 보닛을 돌아 운전석 문을 열 때였다.

쿠구궁-.

처음엔 결계에서 느껴지는 진동인 줄 알았다. 하지만 순식간에 뒤에서 전속력으로 달려드는 덤프트럭을 발견한 순간, 무언가 잘못되었다는 것을 강하게 예감했다.

"조유연 씨!"

쾅-!

폭발이 일어날 때마다, 오니의 몸에 구멍이 뚫렸다. 사인검의 검날에 만신창이가 되어 가면서도, 오니는 경복궁 방향으로 어떻게든 나아가려 했다.

건은 묵직한 재킷을 벗어 던지고, 넥타이 매듭을 풀었다. 가쁜 숨을 몰아쉬는 그의 곁으로 흑사의 머리를 뜯어 버린 퀼이 다가와 안광을 빛냈다.

"귀멸자야, 저놈은 너 혼자 힘으론 안 된다!"

"닥쳐, 고양이. 아무리 허기져도 넌 안 먹어."

"이대로 가다가는 결계를 넘어선단 말이다!"

"닥치라고! 유연이 안 된다고 했어. 조유연한테 가족이 몇이나 된다고 생각해. 지금껏 잃기만 했던 여자야. 그러니까 헛소리하지 말고 살아 있어."

"고집이 세구나."

퀼은 말을 듣지 않는 건의 손목을 불쑥 잡았다. 막 오니에게 달려들려던 건은 제 손목을 통해 전해지는 엄청난 힘에 경악하며 고함을 내질렀다.

"이 멍청한 새끼야!"

오니의 주위로 불길이 일어난다. 이매가 주위의 화매를 제물로 삼아 자신의 힘으로 만드는 술수였다.

"주인의 가족. 귀멸자, 네가 되어 주면 되는 것 아니더냐."

"당장 이 손 놓지 않으면, 네 목을 먼저 비틀어 버릴 것이다."

사납게 일그러진 두 남자의 시선이 맞붙었다. 일말의 양보조차 없이 치열하게 대치 중인 두 남자의 사이로 치웅이 불쑥 끼어든다.

"헛짓거리 그만하고, 청송! 결계가 흐려지지 않았느냐!"

하지만 청송은 어디에도 보이지 않았다. 그때였다. 오니가 결계를 들이박는 순간, 엄청난 충격파가 머리 위에서 쏟아져 내려왔다.

건은 헛바람을 들이켜며 검으로 바닥을 내리찍었다. 다행히 바닥에 무릎이 닿는 일은 없었지만, 수호부들은 사정이 달랐다. 어디선가 아이의 모습으로 뛰어온 청송이 눈물범벅이 되어 건의 바짓가랑이를 붙든다.

"귀멸자야, 누이가! 누이가……!"

청송의 눈물을 보는 순간, 시간이 멈춘 기분이었다.

"유연이 왜."

건은 제 팔을 놓아 버린 궐을 찾아 고개를 틀었다. 하지만 궐이 역시 충격 어린 표정으로 하늘을 올려다보며 서 있을 뿐이었다. 유일하게 멀쩡한 치웅만이 사나운 표정을 하곤, 결계 밖을 향해 소리쳤다.

"이 빌어먹을 새끼가!"

치웅이 허공으로 뛰어올라, 순식간에 오니가 된 이마무라의 머리 위에 앉았다. 오니는 제 머리 위에 앉은 여인을 떼어 내기 위해 발버둥 쳤지만, 치웅은 쉽게 잡히지 않았다.

"벌 받을 땐 받을지라도, 네놈의 더러운 머릿속을 들여다보아야 겠다!"

긴 손톱을 뽑아낸 치웅이 그대로 오니의 정수리를 내리찍는다. 쩌 걱, 하며 갈라지는 소리와 함께 검은 피가 줄줄 흐르기 시작했다. 그 대로 머리통을 움켜쥔 치웅은 힘을 개방했다.

치웅의 힘은 진실을 보는 눈. 고통스러워하며 발버둥 치는 오니의 한쪽 무릎이 바닥을 내리찍는다. 오니의 검은 피를 흡수한 치웅의 혈관이 거무튀튀하게 불거진다. 이어 이마무라의 상념이 치웅에게 전이되기 시작했다.

'한국의 궁궐은 예로부터 화재에 취약했지요. 게다가 수신 청룡까 지 궐을 떠났습니다. 이참에, 잿더미로 나앉는 것도 볼만하겠어요.'

'조선의 법궁을 무너트리겠단 말입니까?'

'그래야 우리가 원하는 것을 얻습니다. 궁궐에 억울하게 갇힌 것 들을 풀어 줄 때가 되지 않았습니까?'

'일이 너무 커지는 것 아닐지…….'

'걱정 마십시오. 그때쯤이면, 세자의 장례를 치르느라 정신이 없 을 겁니다.'

'정말…… 생각하시는 대로 일이 진행될까요?'

'될 겁니다. 단, 마음에 걸리는 한 명이 있습니다. 내가 아직 힘을 가늠하지 못한 존재인데……. 조유연을 막아야 합니다.'

치웅은 분노로 일그러진 눈을 서서히 치켜떴다.

"나의 주인을 어찌한 것이냐……. 어찌한 것이야!"

폭풍처럼 솟아오른 물기둥에 갇힌 오니의 팔다리가 찢겨 나간다. 건은 폭주하는 치웅을 보며 청송에게 소리쳤다.

"조유연이 어떻게 된 거야!"

"누이가, 누이가 쓰러졌다. 힘이 느껴지지 않는다. 아무런 상념도 없다. 귀멸자야……. 흑, 누이가."

말도 안 돼.

유연이 다쳤거나, 그 이상으로 큰일이 생겼다는 충격에 건의 정신이 혼미해졌다.

건은 귈이 바라보고 있는 방향으로 돌아섰다. 저 멀리 광장 끄트머리, 무언가 묘한 형태가 아지랑이처럼 피어오르는 것이 보인다. 큰 사고가 난 것인지, 앰뷸런스 소리가 들리는 듯도 했다. 그런데 생각지도 못 한 일이 벌어졌다. 흐려졌던 결계가 다시금 두꺼워지기 시작하더니, 조각나던 귈이의 형체가 돌아왔다.

귈과 청송, 치웅은 다시 돌아온 힘에 놀라 고개를 번쩍 들었다. 그러자 결계 꼭대기, 곰방대를 문 채 둥둥 떠 있던 망량이 사뿐하게 바닥으로 내려앉는다. 흰 도포 자락을 탁, 털어 내며 건과 마주 선 망량의 얼굴엔 평소의 미소마저도 사라진 채였다.

"먹어라."

뜬금없이 내민 술 한 잔. 핏발 선 눈으로 망량을 노려보던 건이 술잔을 받아 든다.

"무엇이야. 그리고 유연이는, 조유연은 어떻게 된 거야!"

"네가 그 술을 마시면, 모든 것이 해결된다. 그러니 마셔라."

"망량!"

"어허! 한 방울도 흘리지 말아야 할 것이야. 이것은 네 아비가 따라 주는 마지막 술이 될지도 모르니 말이다."

오니의 머리 위에서 뛰어내린 치웅이 순식간에 망량에게 다가와 거칠게 멱살을 잡아챘다.

"설마 너……!"

"다른 방법이 있더냐?"

"하여간, 네놈은…… 참으로 그 속을 알 수 없어서 재수가 없어."

건은 고통스러워하는 오니와 술을 번갈아 보았다. 아버지가 따라 주는 마지막 술이라니. 의미를 알 수 없는 말이었지만, 어쩐지 그 뜻을 알 것 같아서 술잔을 쥔 손이 떨렸다. 그러자 곰방대를 턴 망량이 혀를 차며 멍하니 서 있는 궐이의 뒷덜미를 움켜쥔다.

"똑바로 봐라. 호랑아, 저게 바로 네 주인의 힘이다. 저 여인이 바로, 좁쌀만큼도 걱정할 필요 없는 너의 주인이란 말이다."

망량은 희미한 미소를 머금은 채 천천히 주위를 둘러보았다.

술을 입안에 털어 넣은 건이 입가를 문지르고, 치웅은 손톱을 넣었다. 대신 지금껏 뽑은 적 없던 도검을 뽑아 들고 끈을 손목에 감는다.

다시 날아오른 청송이 구멍 난 결계를 메꾸는 동안, 궐이는 서서히 눌러놓았던 힘을 방출하기 시작했다. 그리고 저 멀리 거꾸로 처박힌 덤프트럭 한 대. 바닥에 쓰러진 여인을 에워싼 건 아무런 힘도 갖지 못한 털북숭이들이었다. 고작해야 아이 주먹만 한 녀석들이 달려드는 덤프트럭을 튕겨 내어 주인을 지켰다.

망량은 힘을 다해 바스스한 먼지로 화하는 녀석들을 보며 부채를 폈다. 부채질할 때마다 정체되어 있던 기류가 흔들린다. 점점 거세지는 바람이 회오리가 되더니 화매와 오니를 한 번에 묶어 휘몰아치기 시작했다.

"주인은 무사하다. 네놈들이 걱정하지 않아도, 지키는 놈들이 한둘이 아니야. 그러니…… 네놈들은 주인의 땅을 지켜라."

아주 어렸을 때부터, 녀석들은 그림 속에서 불쑥불쑥 튀어나왔다. 길을 가다가도, 유난히 꼼꼼하게 칠하려 노력했던 스케치북에서도 불쑥불쑥 튀어나와 놀라게 했다. 그럴 때마다 다가오지 말라며 소리를 질렀고, 작은 털북숭이들은 시무룩한 얼굴을 하고 사라졌다.

조금 더 머리가 커지고 나이를 먹었을 땐, 그들을 무시하는 법을 배웠다. 제가 관심을 주고 무서워할 때마다 동그랗게 뜬 눈으로 닭똥 같은 눈물을 똑똑 떨어트리는 게 싫어서 그랬다.

그렇게 어른이 되었고, 그들은 제 인생을 망가트린 괴물이라고 생각했다. 그래서 피했다. 그래서 경멸했고, 그래서 멸시하였으며 그들이 싫었다.

'그런데 왜……'

왜 너희가 나를 구해, 왜.

숨 가쁜 질문이 어지러운 머릿속을 가득 채운다. 지독한 통증에 눈을 감았던 유연은 구급차 사이렌 소리에 정신이 번쩍 들었다.

"괜찮으세요? 조유연 씨! 괜찮으십니까?"

눈을 뜨자마자 보인 건 제 어깨를 움켜쥔 채 파랗게 질린 장은호의 얼굴이었다.

"은호 씨……. 안 다쳐서, 다행이에요."

한 마디 한 마디 힘겹게 내뱉자, 갑자기 눈물을 터트린 은호가 그녀를 와락 끌어안았다.

"다행입니다. 다행이에요, 흐윽…… 다치지 않으셔서 다행입니다."

저보다 어리다고 했던가? 유연은 덩치 큰 남동생 같은 은호의 등을 다독였다. 그러며 부축을 받아 몸을 일으키자, 구급대원은 물론이고 지켜보던 시민들이 안도하며 박수를 친다. 이어 덤프트럭에 타고 있던 운전사가 정신을 잃은 채 구조되는 게 보인다.

그녀는 몸 어딘가 잘못되었다는 것을 느꼈다. 분명 통증이 느껴지지만, 명확하게 꼬집을 수 없는 몽롱한 상태였다.

멀리 이전보다 두꺼워진 결계를 보며 안도한 그녀의 곁으로 구급대원이 다가왔다.

"병원으로 가셔서 검사받으시겠어요?"

"아뇨, 제가 지금은 궁으로 가야 해서요. 상처가 있다면 왕실에서 치료 받을게요. 은호 씨, 이곳 사고 수습 좀 부탁해요."

말을 할 때마다 숨이 찼지만, 조금 놀라서 그런 것 같았다. 유연은 갑작스러운 대형 사고로 난리통이 되어 버린 주위를 둘러보았다. 그러곤 거꾸로 뒤집힌 트럭과 구급차에 실려 떠나는 운전자를 보며 주먹을 말아 쥐었다.

"누군가 고의로 사고 낸 거 같습니다."

장은호 역시 같은 생각인지, 사나운 표정으로 이를 갈며 거친 숨을 내뱉는다. 찬 공기와 닿은 입김이 하얗게 얼어갔다. 유연은 무겁게 느껴지는 코트를 꽉 움켜쥔 채 고개를 끄덕였다.

"저도 같은 생각이에요. 저 일단 가 볼 테니, 은호 씨. 하나도 빠짐없이 알아내 줘요. 아셨죠?"

"RSA에서 도착할 겁니다. 그 차 타고 들어가세요."

아직도 사고의 여운이 가시지 않은 것인지 장은호는 콧물을 훌쩍이며 눈가에 맺힌 눈물을 닦아 냈다. 유연은 그런 은호의 팔을 쓰다듬어 준 뒤, 급히 멈춰 선 왕실 호위 차량에 올라탔다. 그러자 기다렸다는 듯 우혁에게 전화가 걸려 온다.

"네, 실장님."

[찾았습니다. 하, 젠장…….]

"정말요? 어디에 있었어요?"

[어항이요. 하, 어이가 없어서. 3미터짜리 대형 수조 안에 떡하니 넣어 두곤, 바득바득 우기더라고요. 모른다고.]

"아, 다행이에요. 제 정보가 틀렸네요. 어쩌죠? 죄송해서."

[사우나 입구에 놓인 어항이었습니다. 그래서 오히려 사우나를 뒤지기 전에 찾을 수 있었고요. 그런데 목소리가 안 좋으신데…….]

말을 이어 나가던 우혁이 뒤늦게 사고 소식을 들은 것인지, 버럭 소리를 질렀다.

[사고라뇨! 괜찮으신 겁니까? 어디에요, 지금!]

누가 절친 아니랄까 봐, 화내는 모습도 건과 닮아 있다. 수화기를 귀에서 떼어 낸 그녀가 헛웃음을 지으며 괜찮다고 말했지만, 우혁은 믿지 않았다.

[지금 당장 갑니다.]

"경회루로 오세요. 아셨죠?"

[경회루 들렀다가, 곧장 태의를 뵈러 갈 테니 한 걸음도 움직이지 마십시오. 아셨습니까?]

"네네, 알겠어요."

끝도 없이 이어지던 우혁의 잔소리에서 해방된 건, 건춘문 안으로 들어선 뒤였다. 차에서 내려 경회루 방향으로 절뚝거리며 걸어가는데, 궁의 분위기가 어딘지 모르게 이상했다.

그녀는 경회루와 통하는 강녕전 앞에 멈추어 섰다. 그 앞에는 상선영감을 비롯해 상궁부와 내의원의 의원들이 바쁘게 움직이고 있었다.

"무슨 일이 있나요?"

유연은 제일 가까이에 있는 내의녀를 불러 물었다. 그러자 겁에 질린 얼굴을 한 여자가 고개를 푹 숙인 채 울먹였다.

"주상 전하께서 쓰러지셨는데, 바이털 신호가 너무 약합니다. 이대로 가다간……."

"맥이 약하다는 거예요?"

유연이 놀라 되묻자, 내의녀는 차마 말을 잇지 못한 채 고개만 끄덕였다.

"하……."

그녀는 울고 싶은 마음이 들었다. 하지만 이대로 주저앉을 수도 없었다. 해야 할 일을 해야 한다.

주위를 둘러보던 유연은 강녕전 앞에 모인 이들 사이에서 이태를 발견했다. 성큼 걸음을 내딛자, 갈비뼈 아래로 끔찍한 통증이 지끈하게 이어졌다.

"이태 씨! 소헌군 마마."

유연은 간신히 다가가 이태의 팔을 잡았다. 그러자 놀란 이태가 그녀를 내려다보며 입을 쩍 벌린다.

"어, 어떻게 된 거예요? 다치셨어요?"

"아뇨, 근육이 좀 놀란 거 같아요. 혹시, 나 좀 도와주실 수 있어요? 아니, 도와주셔야 해요."

도움이란 말에 이태의 얼굴에 막막함이 깃든다. 자신감을 잃은 이태는 에틸이라는 단체도 해산한 뒤 모든 투자금을 회수했다고 들었다.

유연은 머뭇거리는 이태의 팔을 조금 더 힘주어 잡으며 부탁했다.

"이태 씨, 제발요."

"제가 뭘 할 수 있다고……. 사고나 치는 건 아닌지."

"지금 저 도와줄 수 있는 사람, 이태 씨밖에 없어요."

유연은 사람들이 몰린 강녕전을 뒤로하고 이태를 잡아끌었다. 마지못한 듯 끌려오던 이태가 어느 순간부터는 그녀를 부축하기 시작했다.

경회루와 이어진 함홍문을 나선 그녀는 돌다리를 건너 돌기둥 사이, 경회루 현판 아래 섰다.

"무슨 일인지 몰라도, 형님은 무사하실 겁니다. 결계 안에서 부딪치는 힘을 모두 느낄 수 있어요."

"다행이에요. 하, 진짜 다행이다……."

"그런데 많이 다치신 거 맞죠? 저까지 속이려 하지 마세요. 조유연 씨, 지금 상태……."

"이태 씨. 화매를 불러 줘요."

"예?"

당황한 표정의 이태가 파랗게 질린 입술을 달싹인다. 유연은 저 멀리 뛰어 들어오는 우혁을 발견하곤 손을 흔들었다. 우혁 역시 그녀와 이태를 발견했는지, 더욱 속력을 올려 뛰어오고 있었다.

"화매를 불러 달라뇨. 그게 무슨……."

"신주를 이 아래 묻어야 해요. 그런데 지금은 저걸 묻을 수 있는 사람이 없잖아요. 그것도 아주 깊이."

"신주요?"

어느새 가쁜 숨을 몰아쉬며 뛰어온 우혁이 이태에게 눈인사를 한 뒤 청룡 조각상을 내밀었다. 유연은 붉은빛이 도는 그것을 받아들 었다.

"수고하셨어요, 실장님."

"예, 하……. 그런데 괜찮으십니까?"

"다들 나만 보면 왜 괜찮냐고 묻는지 모르겠네. 저 괜찮아요. 괜찮으니까 이러고 있는 거예요."

유연은 제 손바닥에 올려진 청룡 조각상의 머릴 쓰다듬어 보았다. 차갑고 미끄러운 비늘의 감촉이 느껴지는 건 착각일까? 양손에 청룡을 올린 그녀가 이태를 돌아보자, 어찌할 줄 몰라 하는 얼굴이 보인다.

"부탁할게요. 지금 여기서, 이 일 해 주실 분은 이태 씨밖에 없어요."

이태는 과거의 상흔으로 얼룩진 팔을 감싼 채 턱 끝을 떨었다. 유연은 그의 결정을 기다리기로 했다. 만약 이태가 못 하겠다고 한다면 제가 직접 물에 들어갈 의향도 있었다.

"바닥에 묻으면 되는 거예요?"

"네. 그냥 제자리로 돌려놓으면 돼요."

어금니를 눌러 문 이태가 고개를 끄덕인다. 이어 이태의 주위로 하얀 기운이 스멀스멀 피어오르더니 커다란 뱀 한 마리가 경회루 높이까지 덩치를 키우며 자라났다.

이게, 화매의 기운이구나.

확실히 이매의 기운과는 다르다. 유연은 겁먹지 않고, 손에 올려둔 조각상을 뱀에게 내밀었다. 그러자 스르륵 몸을 기울인 뱀이 그것을 조심스럽게 입에 물곤 연못을 향해 기어간다.

청룡이 물에 닿는 순간, 그녀는 몸속 어딘가가 시원해지는 걸 느꼈다. 물 깊은 곳으로 사라지는 뱀의 모습을 확인한 뒤에야 안도의 숨이 길게 새어 나온다.

"이 실장님, 이제 방화범만 잡으면 돼요. 치웅 언니가 직접 본 거예요. 누군가, 궁궐 어딘가에 불을 지를 겁니다. 막을 수 있어요. 막아 주세요."

"아주 버라이어티하네요. 이번엔 불입니까?"

"네. 놈들은 경복궁을 아예 잿더미로 만들 생각을 하는 것 같아요."

험하게 욕지거리를 내뱉은 우혁이 이어 마이크에 지시를 내리자, 어딘가에서 정장을 입은 사람들이 튀어나와 사방으로 흩어졌다.

유연은 투명한 연못을 내려다보며 재킷 안에 가려진 옆구리를 감싸 안았다. 반투명한 흰 뱀이 연못을 한 바퀴 돌더니 서서히 사라진다. 제 할 일을 마친 것처럼 몸에 힘이 풀렸다.

괜찮아, 이제. 괜찮을 거야.

검을 내리그을 때마다 오니는 기괴한 비명을 내질렀다. 마치 독주를 마신 것처럼 뜨거운 기운이 식도를 달구고 몸속에서 날뛴다. 경이로울 만치 강한 힘이다.

건은 괴로워하는 오니에게 성큼성큼 다가갔다. 재밌는 사실은, 오니를 벨 때마다 놈의 덩치가 줄어든다는 것이었다. 초반의 전투에 제법 상처를 입은 터라 쉽지 않을 거라 예상했건만, 지금은 어린애를 다루는 것처럼 흥이 식기까지 했다.

건과 눈이 마주치자 겁에 질린 것처럼 물러나던 오니를 거대해진 흑범과 곰, 청매가 에워싼다.

–갖⋯⋯ 는다.

와중에도 녀석은 사념을 흘려보내는 걸 잊지 않았다.

"무엇을."

–무엇이⋯⋯ 든.

녹슨 쇳덩이처럼 거친 소리에 건은 얼굴에서 여유를 지웠다. 실은 분노하였지만, 표출하고 싶지 않았다. 빼앗고자 하는 마음이 지키고자 하는 열망을 이길 수는 없다.

건은 축 늘어트렸던 검을 들었다. 이제 더는 시간을 끌고 싶지 않았다. 하지만 아무리 이매가 되었다 한들, 한때는 인간이었던 자다. 과거로 거슬러 올라가면 피가 섞인 혈족이기도 했다. 그런 놈의 목을 베어야 한다는 사실이 그를 망설이게 했지만, 이 모든 힘이 유연에게서 시작된다는 것을 상기하면 더는 이 꼴을 두고 보고 싶지도 않았다.

자신의 마지막을 예감한 것인지, 오니는 발악하듯 팔을 휘둘렀다. 그럴 때마다 어디선가 나타난 화매가 삽시간에 달려들었지만, 부질없는 짓이었다.

수호부들에 의해 갈가리 찢겨 나간 화매들의 잔상이 검은 비처럼 쏟아진다.

–크아악!

도깨비답게 붉은 눈을 빛낸 오니가 마지막 힘을 다해 건에게 달려들었다. 사인검의 푸른 검흔이 허공을 벤다. 종잇장을 가르듯 서걱, 하는 소름 끼치는 소리가 정적을 끌어낸다. 이어 두툼한 손을 뻗어 올린 채 굳어 있던 오니의 몸이 허물어지기 시작했다. 마치 수만 마리의 벌레가 흩어지듯, 검은 조각들이 사방으로 뻗어 나간다. 그에 치웅이 검으로 바닥을 찍자 혹한의 냉기가 균열의 틈을 빠져나와 도망치던 조각들을 얼린다. 한 걸음 물러선 건은 검은 호랑이가 그것들을 모조리 파괴하는 것을 지켜보며 마른세수했다.

오니가 무너진 자리, 이마무라는 다시 인간의 모습을 하곤 혼절하여 쓰러져 있었다. 그리고 이마무라는 기절한 순간에도 손에는 영루 하나를 꽉 움켜쥔 채였다.

건은 피투성이가 된 놈의 손목을 발로 밟아 눌러 펴곤, 영루를 집어 들었다.

"이것이 염라의 영루냐."

궐에게 묻자 어슬렁거리며 다가온 녀석이 황금색 눈을 빛내며 고개를 끄덕인다. 하지만 염라의 영루는 조금도 성스럽거나, 대단해 보이지 않았다. 그저 핏물에 더러워진 투명한 조각일 뿐. 어째서 이것이 영생을 준다고 불리는지 알 것 같았다. 욕망을 이기지 못해 스스로 영루를 먹고 이매가 되어 버린, 인간이기를 포기해 버린 자의 생명을 품은 것이 바로 염라의 영루였다.

건은 움켜쥔 그것을 궐에게 주었다. 궐이 역시 염라의 영루를 얻기 위해 과거의 업보를 쌓아 온 놈이다. 놈의 얼굴엔 말로는 표현하지 못할 회한이 가득했다.

"문 열어라, 청송."

마치 폭풍이 휩쓸고 간 자리처럼 검은 연기가 피어오르는 결계 안. 건은 당장에 유연을 봐야 했다. 무슨 일이 벌어졌던 건지, 다친 곳은 없는지 확인하고 싶었다.

청송이 결계를 열자, 지옥 같던 눈앞이 밝아지고 경회루 연못 앞에 서 있는 유연이 보였다. 그녀를 보자마자 뱃속에 똬리 틀고 있던 불안의 결정이 눈 녹듯 사라진다.

안도의 한숨을 내쉰 그의 얼굴에 미소가 그려질 때, 옆구리를 감싼 채 초점 없는 눈빛으로 못 아래를 바라보던 그녀의 몸이 서서히 기울어진다.

"조유연!"

건은 유연의 이름을 부르며 결계 밖으로 뛰어나갔다. 연못 방향으로 기울어져 쓰러지던 그녀의 몸 아래, 순간 반투명한 덩어리가 똬리를 튼다.

그것은 이태가 불러낸 화매였다. 덕분에 연못에 빠지지 않고 똬리 튼 뱀의 몸통 위로 떨어진 그녀를 화매는 조심스럽게 땅으로 옮겼다. 미친 듯이 뛰어간 건은 바닥에 눕혀진 그녀를 부축해 안았다.

"유연아! 조유연!"

창백한 얼굴로 정신을 잃은 그녀를 보는데, 등줄기로 식은땀이 주룩 흐른다. 겪어 본 적 없는 급격한 불안감에 기운이 요동쳤다.

"형님! 조유연 씨가 다치신 것 같습니다. 아까부터 옆구리를 감싸고 힘들어하셨어요."

"뭐?"

건은 이태가 가리킨 그녀의 갈비뼈 부위를 조심히 움켜쥐었다. 그러자 검은 재킷에 스며들어 있던 붉은 핏물이 후드득 떨어진다.

경악한 건의 눈에 핏발이 서고, 무언가 목구멍을 틀어막은 것처럼 아무런 말도 나오지 않았다. 건은 충격에 숨을 몰아쉬며, 간신히 소리쳤다.

"태의를 불러라! 당장!"

분명 괜찮을 거라고 믿었다. 멀쩡하게 걸어서 궁으로 들어갔다는 소식을 들었기에 아무 일도 없을 거라고 생각했다. 하지만 이렇게 큰 상처를 입었다는 걸 아무도 몰랐다니. 참기 힘든 분노에 몸이 떨린다.

건은 유연을 번쩍 안아 들고 전각 방향으로 뛰었다. 뒤쫓은 이태가 난처한 표정으로 건을 막아선다.

"형님, 내의원으로 가셔봤자 태의께선 안 계세요! 차라리 제중원을 호출하시는 것이⋯⋯."

"무슨 소리야 그게."

"주상 전하께서 쓰러지셨습니다. 그래서 태의께선 지금 강녕전에 계세요."

"아버지가?"

건은 그녀를 안은 팔에 힘을 주었다. 불현듯 고개를 들자, 통곡하는 상궁들과 다급히 오가는 의원들이 보였다. 시간이 느리게 흐르는 것처럼 가슴을 할퀴는 고통이 선연하게 전해진다. 숨을 몰아쉰 건은 하늘을 올려다보며 고함쳤다.

"망량!"

–걱정하지 마라. 내 마지막이 될지도 모른다고 했지, 마지막이란 말은 안 하였다.

"무슨 말장난이야. 이봐!"

강녕전 방향으로 훈풍이 분다. 이어, 여유로운 걸음의 망량이 건의 눈앞을 스쳐 지나갔다. 흰 도포 자락을 펄럭이는 망량을 알아본 상온과 차 내관이 놀란 얼굴로 큰절을 올린다.

자신만만한 얼굴의 망량은 주둥이가 긴 주병을 꺼내 들어 주상이 있는 전각 안으로 들어갔다. 술병을 든 망량의 손이 검다. 마치 큰 상처를 입은 것처럼 썩어 들어가고 있었다.

"주상은 화매에 당한 것이다. 그러니 이보다 더한 치료 약은 없지."

주상이 위독하다는 소식은 빠르게 대한민국 전역으로 퍼졌다. 뿐만 아니라 외신을 통해서도 전 세계의 사람들이 대한민국 왕실의 상황을 접하였다. 하지만 조유연에 관한 기사는 철저히 비밀리에 붙여졌다. 누군가 세자빈이 될 그녀를 해치려 하였고, 실패하였다는 사실이 알려져서 좋을 것이 없다는 우혁의 결정이었다.

막 건춘문을 넘은 중전 윤 씨가 건을 발견하곤 얼굴을 붉혔다.

"건아!"

"오셨어요?"

"이게 무슨……! 아버지는 어떻게 된 거고, 네 얼굴은 또 왜 이렇게 상했어!"

윤 씨는 살이 내린 아들의 뺨을 어루만지며 참았던 눈물을 뚝뚝 흘렸다. 어색했던 과거는 온데간데없었다. 윤 씨는 건을 끌어안고 등을 쓰다듬었다.

비스듬히 땅바닥을 내려다보던 건의 눈가가 붉어진다. 그도 사람인지라, 지금의 상황이 힘들었다. 하지만 애써 웃으며 모친을 위로하였다.

"어머니야말로 걱정 마시고 들어가 보십시오. 아버지가 기다리십니다."

"유연이는. 응? 유연이는 어디 있니."

그날로부터 일주일이 흘렀다. 주상은 망량이 준 술을 마신 뒤, 이틀이 지나고 말끔하게 자리를 털었다. 그것은 망량주로, 유연이 담근 것이라고 하였다.

이매에 당한 기억을 지우고 치유하는 술. 주상의 힘을 앗은 건 망량의 화매였다. 치웅은 그럴 수밖에 없었을 거라며 망량처럼 검게 죽어 가는 본인의 손을 들어 보였다.

'왕족을 해하려 하였으니, 망량이나 나나 이러한 벌을 받는 것이지. 하지만 망량이 그리하지 않았다면, 궐이 높은 지금 여기에 없을 것이다.'

게다가 아버지는 선대 귀멸자로서 남아 있던 힘을 모조리 잃었다. 평범한 인간이 되어 버린 아버지의 첫마디는 자신의 안위였고, 어머니가 보고 싶다는 바람이었다.

"유연이는 태의께서 직접 치료 중입니다. 제법 상처가 깊어서 저 외에는 접근을 금하는 중이고요."

"아직도 깨어나지 않은 거니?"

"아뇨, 깨어났습니다."

"그런데, 네 얼굴이 왜 이래. 응?"

건은 씁쓸하게 웃으며 어머니를 침전에 들이라 지시하였다. 손가방을 움켜쥔 윤 씨는 무겁게 가라앉은 건의 어깨를 몇 번 돌아보고는 서둘러 전각으로 들어갔다.

"전하."

윤 씨는 멀쩡한 얼굴로 앉아 있는 이숙을 발견하곤 커다란 눈물을 뚝뚝 흘렸다.

"얼굴 보자마자 울면 쓰나. 잘 지냈는가."

부드럽게 미소 지은 이숙이 윤 씨에게 손을 내밀었다. 손가방을 떨어트린 윤 씨는 가슴을 부여잡고 이숙에게 다가갔다.

궁을 떠나며 그저 건강하게, 무사히 오래오래 살아 달라는 부탁밖에 하지 못했다. 그뿐이었다. 그런데 하루아침에 위독해졌다는 소식을 듣곤 하늘이 무너져 내리는 것 같았다.

"다행입니다……. 이리 무사하셔서, 다행입니다."

이숙은 품에 안겨 우는 아내의 등을 다독이며 오랜만에 울컥하는 감정을 느꼈다.

"나야, 무사하지. 난 아무렇지 않네. 하나, 내 아들이……. 우리 건이가 걱정이야."

삼엄한 눈빛의 익위사의 익위들이 건을 맞는다. 동궁전 내의 별채 앞이었다. 건은 꾸벅 인사하는 장은호에게 물었다.

"유연이는."

"식사 말끔하게 하셨고, 나인의 도움을 받아 샤워도 하셨습니다. 그리고 집으로 돌아가게 해 달라고도 하셨습니다."

장은호의 목소리에 점점 힘이 빠졌다. 건은 그럴 줄 알았다는 듯 고개를 끄덕이곤, 객체 안으로 들어갔다.

창문 앞에 앉아 휴대 전화를 들여다보던 유연이 혼란스러운 얼굴을 하곤 고개를 든다. 말간 햇살에 둘러싸인 그녀는 처음 본 그날처럼 어여쁘고 사랑스러웠다. 단, 자신을 경계하듯 바라보는 저 눈빛만 제외하면 제게 사랑한다고 속삭였던 그녀의 모습 그대로였다.

"저, 저하. 돌려보내 주세요."

"또 그 소리군."

건은 자신을 경계하는 유연의 맞은편 의자를 끌어내 앉으며 마른세수를 했다. 그러곤 턱을 괴며 손가락 사이로 그녀를 응시했다. 눈이 마주치자, 당황한 그녀가 시선을 피한다.

"말했지. 우리, 혼인할 사이라고."

그 말에 막막한 표정의 그녀가 고개를 숙이며 손가락 끝을 힘주어 만지작거렸다.

"못 믿겠어요."

"왜 못 믿지? 내가 거짓말이라도 하는 것 같은가?"

"그게 아니라……."

"네 이름이 뭔데."

뜬금없는 질문에 유연은 굳어 있던 입술을 달싹였다.

"조유연입니다."

"직업은?"

"서화제약 비서…… 실. 아니, 아닌데……."

혼란에 빠진 듯 울상이 된 그녀를 보며 건이 자리에서 일어났다. 그녀에게 다가간 그가 힘없이 웃으며 한쪽 무릎을 바닥에 댄다. 그러곤 유연의 손을 잡아 제 뺨을 감싸게 했다.

"그래, 아니야. 망량이 네게 무슨 짓을 했는지 몰라도, 이건 반칙이지. 네가 나를 잊으면, 반칙이지 않아?"

유연은 도무지 지금의 상황이 이해되지 않았다. 하지만 무조건 세자의 말을 거짓이라 말할 수도 없었다. 제 기억에서 사라진 반년. 그리고 아침저녁으로 자신을 찾아와 말을 거는 세자를 볼 때마다 콕콕 찌르는 가슴의 통증을 무엇으로 설명할 수 있을까?

분명 집에서 잠들었건만, 눈을 떴을 땐 왕실이었다. 그것도 동궁전, 세자의 처소와 몹시 가까운 곳이란 걸 깨달은 순간 숨이 멎는 줄 알았다. 하물며 상처까지 입었다고? 그녀는 기억에 없는 사람들이 하나둘 찾아와 당황하는 모습을 볼 때마다 이 순간에서 도망치고 싶어졌다.

"유연아, 조유연."

정갈한 햇빛 속에 눈꺼풀을 내리깔았던 그가 고개를 들며 부드럽게 미소 짓는다. 그녀는 저도 모르게 그의 입가를 어루만졌다.

"죄송해요……. 저도 제가, 어떻게 된 건지 모르겠어요."

유연의 눈시울이 붉어지고, 이유 없이 눈물이 뚝뚝 떨어졌다. 건은 제 입가를 어루만지는 그녀의 손가락을 잘근 깨물며 상체를 세웠다. 젖은 뺨에 가만가만 입 맞추며 바들바들 떠는 어깨를 감싸 안았다.

"네가 무엇이든 상관없어. 다시, 처음부터 시작하면 돼."

하지만 끝끝내 그녀는 그를 마주 안지 않았다.

상처를 소독해야 한다는 이유로 태의가 들고, 그녀가 치료받는 것을 끝까지 지켜본 그는 몇 시간이 지난 뒤에야 객채를 나섰다.

언제 도착한 것인지 대청에 앉아 있던 궐이 고개를 튼다. 김궐의 눈빛 또한 혼란 그 자체였다. 혹여 유연에게 해를 끼칠까 나서지도 못하는 꼴이 우스울 정도였다.

"누구의 짓인지 알아냈나?"

건이 궐의 곁에 앉아 다리를 꼬자, 눈을 빛낸 범이 고개를 끄덕였다.

"화재를 일으키려던 놈은 영루를 취해 정신이 나가 있더군. 하여 놈의 몸에서 영루를 회수했다. 그리고 주인을 해하고자 했던 이는…… 그놈이야."

"최우식."

건은 사나운 눈빛으로 정면을 노려보았다. 객체는 고요했다. 그 서늘한 정적이 절정에 달하는 순간, 우혁이 마당으로 들어선다.

"운전기사가 입을 열었습니다."

그 말에 두 남자의 눈빛이 변했다. 자리를 털고 일어난 건은 유연이 있는 객채를 돌아보며 고개를 끄덕였다.

"가지."

유연은 침대 위에 무릎을 모은 채 생각에 잠겼다. 휴대 전화에 남은 메시지를 확인할 때마다 제가 미쳐 버린 게 아닌지 혼란스러웠다. 세자와 주고받은 메시지는 보통의 연인들이 나누었을 내용으로 가득했다.

그의 말대로 우린 정말 연인 사이였던 걸까? 어째서?

제 기억에 며칠 전, 설아에게 세자빈이 될 수 있게 도와주겠다고 했다. 그러니 엄마를 살릴 수 있게 도와달라고도. 그런데 기억을 더 듬을수록 불쾌함이 가시지 않는 기분은 왜일까. 게다가 잃어버린 반년이란 시간이 그녀를 괴롭혔다. 무언가 잘못되었다는 생각에 머리가 지끈거린다. 유연은 무릎 위에 이마를 댔다.

알아내야 한다. 슬픈 미소를 띤 건의 얼굴을 보는 것이 가슴 아픈 이유가 분명 있을 것이다.

손가락 끝을 만지작거리던 그녀는 저도 모르게 누군가의 이름을 불렀다.

'궐아.'

궐이? 그게 누구…….

순간, 머릿속에 엄청난 양의 기억이 쏟아지듯 밀려든다. 세자의 초상화, 검은 호랑이. 제 뺨을 핥던 감촉, 함께 술잔을 기울이던 계절의 온도 같은 것들이 그녀를 압박했다.

'장난치지 마세요. 눈 떴는데 안 계셔서 놀랐잖아요.'

'내가 어디 간 줄 알았어? 응? 대답해 봐. 눈앞에 내가 안 보여서 싫었나?'

'아이, 진짜! 그만 좀……!'

말을 할 때마다 틀어막는 입술, 밀려나는 몸. 젖은 바닥과 몸이 눈앞에 그려진다.

'진도를…… 빠르게 빼는 것도 나쁘지 않은 것 같은데.'

머리 위에서 쏟아져 내리던 뜨거운 물과 애틋한 몸짓에 정신을 차리지 못했다. 그를 온 마음으로 끌어안고, 조금 울었던 날. 함께 웃었고, 울으며 처음으로 누군가에게 진심을 털어놓았다.

유연은 눈앞에 아른거리는 건의 얼굴을 떠올리며 힘껏 주먹을 말아 쥐었다.

"미쳤나 봐……."

꿈이 아니다. 유연은 새빨개진 얼굴을 감싼 채 고개를 번쩍 들었다. 제가 중요한 걸 잊고 있다는 사실이 명확해졌다. 그리고 침실 구석에 말없이 서 있는 젊은 남자를 보는 순간, 가슴이 꽉 막혔다.

"너……."

황금빛 눈을 한 남자가 슬픈 표정으로 다가오더니 그녀의 발아래 무릎을 꿇었다.

"주인아."

그러곤 흰 무릎에 이마를 대곤, 뜨거운 눈물을 후드득 떨어트린다.

"주인아……."

과거의 영광을 뒤로한 명동 구석진 모텔 안. 명품 로고가 잔뜩 박힌 보스턴백을 손에 든 최우식이 계단을 뛰어 내려오고 있었다. 당장 출국하지 않으면 출국 금지가 내려질지도 모르는 상황. 최우식은 똥줄이 탄다는 것이 어떤 마음인지 알게 되었다.

중환자실로 실려 갔던 놈이 정신을 차렸다. 경찰이 놈의 병실을 점유했단 소식을 들은 뒤부터, 최우식은 제정신이 아니었다.

'덤프에 치였는데도, 멀쩡한 게 말이 되냐고!'

귀신을 보는 줄만 알았더니, 귀신을 부리기까지 하는 것인가? 최우식은 등줄기가 오싹해지는 걸 느끼며 정신을 바짝 차리려 애썼다.

윤 실장이 섭외한 운전기사는 5년째 길에서 지낸 무연고자로, 만취한 상태로 사고를 내기로 했다. 그렇게만 해 준다면, 서울에 제대로 된 집 한 채와 연락이 끊긴 딸을 찾는 걸 돕겠다고. 제법 철저하게 조사해 섭외한 놈이었건만, 기어이 실패하고 말았다.

'그까짓 것도 제대로 못 하고!'

육두문자를 섞어 욕지거릴 쏟아 내며 건물 밖으로 뛰쳐나올 때였다.

"썩을……."

최우식은 건물 주변을 에워싼 왕실 호위 차량을 발견하곤 마른침을 꿀꺽 삼켰다. 검은 정장을 입은 사내들이 양손을 앞으로 모은 채 일정한 간격으로 늘어선 모습에 위압감이 느껴진다. 최우식은 중심에 서 있던 이우혁을 노려보며 주먹을 말아 쥐었다.

"뭡니까, 당신들은."

하지만 대답은 생각지 못한 방향에서 들려왔다.

"뭐긴 뭡니까. 너 잡으러 온 거지."

최우식의 바로 뒤, 닿을 만큼 붙어 선 세자의 목소리가 소름 끼치게 싸늘하다. 소스라치게 놀란 최우식은 천천히 돌아섰다.

"세, 세자 저하?"

"과거 살인을 저지른 것도 모자라 이번엔 조경훈 씨의 딸을 살인 청부했고, 기어이 왕실을 모독했습니다."

"세, 세자 저하! 억울합니다, 저는!"

"물론 대한민국에 사형제가 없어서 인간이길 포기한 범죄를 저질러 봤자 무기징역이겠지만…… 내가 용서가 안 되는데 어쩌죠?"

"거, 말도 안 되는 소리 하지 마십시오! 내가 왜 딸 같은 유연이를 해친단 말입니까! 증거도 없잖습니까!"

"아아, 증거."

세자의 입꼬리는 부드럽게 호선을 그렸지만, 눈은 그렇지 않았다. 해충을 보는 듯한 경멸을 고스란히 내비치며 다가선 세자가 최우식을 향해 상체를 기울이며 말한다.

"재밌게도, 하필 NV의 대표이자 그쪽 며느리인 서연아 씨가 왕실의 보물을 훔쳤습니다. 그래서 서연아 씨의 자택과 업무 구역을 압수 수색 중입니다. 듣자 하니 재밌는 걸 갖고 있다던데…… 그 정도면 증거로 충분하지 않나?"

최우식은 서연아가 갖고 있다던 조경훈 안락사 지시 파일을 떠올리며 기겁했다.

"그, 그건 다 헛소립니다! 경찰 대동하고, 구속 영장 가져와요! 나참, 어이가 없어서."

되레 큰소리친 최우식은 심장이 터질 듯 벌렁거렸다. 그래도 대한민국은 목소리 큰 놈이 이기는 곳이다. 그러니 하던 대로만 하면…….

"그래요, 구속 영장이 나올 때까지 좀 기다려야겠지."

"세자 저하, 정신 차리십시오! 엄한 사람 누명 씌우지 말고! 거참, 대한민국 왕실도 약발이 다됐나. 왜 이러는 거야?"

"당신이라면 제정신일 수 있겠어? 감히 내 여인의 목숨을 앗으려했는데."

얼굴에서 미소를 지운 세자가 혼잣말하듯 입술을 움직였다. 청송. 그래, 분명 청송이라고 했다. 최우식은 본능적으로 두려움을 느끼곤, 세자를 밀쳤다.

"비키십시오! 더는 못 봐줄…… 아악!"

한 걸음 내딛는 순간이었다. 갑자기 눈앞이 하얘지더니, 발밑이 뻥 뚫리고 천 길 낭떠러지가 나타났다.

말도 안 돼!

발을 헛디딘 최우식은 비명을 내지르며 상공에서 엄청난 속도로 추락했다.

"으아악!"

시퍼런 매 한 마리가 어디선가 날아와 추락하는 최우식의 머릴 쪼았다. 부리가 닿을 때마다 살점이 떼어져 나가고, 몸이 홱홱 뒤집힌다. 최우식은 팔다리를 휘저으며 고통스러운 비명을 내질렀다.

"사, 사람 살려! 으아악!"

쑤욱, 아래로 떨어지는 끔찍한 추락감에 숨도 제대로 쉬지 못한 채 살려 달라 빌었다.

–껍데기 없이 귀한 목숨을 갖고 설쳤으니, 네놈은 무엇으로도 그 값을 치를 수 없다!

쩌렁쩌렁한 어린애의 목소리가 이렇게 소름 끼칠 줄이야.

최우식의 몸이 홱 뒤집히더니, 순식간에 강변북로가 나타났다. 이제 정말 끝이라는 생각에 오금이 저렸고 가랑이 사이가 축축하게 젖어갔다. 귀신에 홀린 거라고는 상상도 할 수 없었다. 몸의 구멍이란 모든 구멍에서 수분이 빠져나와 말라비틀어진 오징어가 되어 가는 듯도 하였다.

"사, 살려 주시오!"

미친 사람처럼 허우적거리던 최우식은 불현듯 두 발이 땅에 닿아있음을 깨닫고 눈을 번쩍 떴다. 식은땀이 줄줄 흐르고, 바닥엔 제가 쏟은 소변이 흥건하다. 새하얗게 질린 최우식은 넋 나간 사람처럼 주저앉아 고개를 들었다.

눈살을 찌푸린 경찰 몇몇이 최우식의 앞에 긴급 체포 영장을 내밀며 마지못한 듯 미란다 원칙을 읊었다.

"거, 바지라도 갈아입으셔야 합니까? 다 젖었네, 으이구."

살았다는 안도감에 최우식의 눈에서 두툼한 눈물이 주르륵 흐른다. 그러나 경찰의 뒤에 서서 세자에게 안겨 있는 꼬맹이를 보는 순간, 최우식은 또다시 오금이 확 쪼그라들었다.

"나, 나 좀 데려가요! 나, 나 좀 빨리 체포하란 말이야!"

"아이! 알겠어요, 알겠어. 최우식 씨, 당신을 살인 교사 및 의료법 위반, 폭행치사 등……."

청송은 볼썽사납게 경찰들에게 매달리는 최우식을 보며 혀를 찼다.

"한심한 인간 같으니. 제 목숨은 귀하고, 다른 이의 목숨은 값이 매겨지더냐?"

"죽을 때까지, 그 값 치러야지."

냉정하게 뇌까린 건은 최우식의 손목에 수갑이 채워지는 걸 보며 돌아섰다. 평소였다면 성격이 나쁘다고 한마디 던졌을 청송은 자그마한 손으로 건의 뺨을 감쌌다. 그러곤 다정하게 쓰다듬으며 생긋 웃었다.

"걱정하지 마라. 영감은 인간을 좋아한다. 하여, 지금껏 인간의 곁에서 살아온 것이다. 그러니 주인이 잠시 기억을 잃은 것 또한 이유가 있을 터. 절대 너를 잊진 않을 테니 너무 슬퍼 마라, 귀멸자야. 내 마음이 다 쓰리구나."

꼬맹이의 얼굴로 어른스러운 위로를 건네는 청송을 보며 건은 헛웃음을 지었다.

그래, 하물며 해가 뜨고 지는 것 또한 이유가 있는데…….

"쪼그만 게, 누구를 위로해."

건은 안고 있던 청송을 차에 태운 뒤 서서히 어그러지는 하늘을 올려다보았다.

눈이 내릴 것 같다. 미처 다 퍼붓지 못한 눈이.

꾸벅꾸벅 졸던 김 씨는 불현듯 눈을 떴다. 그러곤 하품을 크게 한 뒤, 무엇에 홀린 듯 병실을 나갔다. 이어, 박혜란이 입원한 병실에 옅은 안개가 낀다.

"나 때문에 참 오래도 주무셨군요."

비단신을 신은 망량은 반듯하게 누워 있는 혜란에게 큰절을 올렸다.

"내 탓입니다."

전보다 제법 살도 오르고 혈색도 좋아진 혜란은 당장에라도 눈을 뜰 것처럼 건강해 보였다. 마치 낮잠이 든 사람처럼 평화로운 숨결.

망량은 어른 손가락 크기만 한 유리병을 꺼냈다. 붉은 비단실로 묶인 뚜껑을 열자, 형언할 수 없는 향기가 그윽하게 번진다.

망량은 박혜란의 입술에 투명한 술을 몇 방울 떨어트렸다. 메마른 입술 새로 술을 흘려보낸 망량은 그것의 뚜껑을 고이 닫은 뒤 순식간에 자취를 감추었다.

이어, 얼마 지나지 않아 다시금 병실 문이 열리고 커피를 든 김 씨가 터덜터덜 걸어 들어온다.

"어머, 눈이 오네?"

김 씨는 창가로 다가가 문을 조금 열었다. 조금 전엔 뭣에게 홀렸는지, 눈을 뜨니 커피 자판기 앞이었다. 찬 기운에 소름 돋은 팔을 쓱쓱 문지른 김 씨가 뜨거운 커피를 호호 불 때였다.

"정말…… 눈이 오네요."

살아생전 들을 수 없을 거라고 생각했던 목소리가 병상에서 들려왔다.

"안녕하세요……."

느릿하게 두 눈을 깜빡이는 박혜란의 눈에서 뜨거운 눈물이 주르륵 흘렀다.

유난히 경계가 삼엄한 동궁전의 문이 열리고, 세자익위사들이 길을 낸다.

해가 저물기 시작해 붉은빛이 드리운 마당을 가로질러 세자가 향한 곳은 유연이 있는 별채였다. 잔설이 쌓인 바닥에 유일한 발자국하나. 마치, 별채 앞을 서성이다 집 안으로 들어간 듯한 자국에 희미한 웃음이 새어 나왔다.

처음엔 이해할 수 없었다. 그저 상처를 입었을 뿐이라고 생각했건만, 자신을 알아보지 못하는 그녀를 보며 하늘이 무너지는 것 같았다. 이어, 화가 났다. 파괴의 본능을 가진 것처럼 모든 것을 부수고 화를 내고 싶었다. 하지만 겁에 질린 표정으로 자신을 빤히 응시하는 그 눈빛에, 결국 아무것도 하지 못했다. 네가 나를 두려워할까 봐. 혹여라도 기억이 돌아오지 않게 되었을 때, 네가 기억하는 내가 최악의 인간으로 남게 될까 봐.

그렇게 생각하자 자신의 슬픔을 그녀에게 보이고 싶지 않았다. 그리고 한편으로는 다행이라는 생각도 들었다. 누군가 자신을 죽이려 했다는 것을 기억하지 않아도 되니까. 그 힘든 일을 겪었다는 것을 잊을 수 있어서. 거짓말을 해도 된다는 위로를 받은 기분이었다.

우리는 연인이었으며, 행복한 날들을 보내 왔다고. 그 누구도 당신을 배신하지 않을 거라고. 그저 잘 이해시키고 다시 사랑하면 된다며 쉽고도 뻔하게 생각했던 세자였다. 그런데도 그녀가 자신을 보며 울어 주길 바라는 건 대체 무슨 심보란 말인가.

건은 소복하게 쌓여 가는 눈을 바라보며 별채의 창문 앞에 섰다. 하지만 차마 문을 열지 못했다. 눈이 내린다며 두드려 보는 것도 하지 못했다. 아무렇지 않다고 하였지만, 막상 그녀가 자신을 알아보지 못해 난처해하는 모습을 보는 건 힘들었다.

창틀에 쌓여 가던 눈이 후드득 떨어진다. 건은 멍하니 별채의 창문이 활짝 열리는 걸 바라만 보았다.

"아……."

얇은 카디건을 어깨에 걸친 그녀가 하얀 입김을 흘리며 그를 내려다본다. 베이지색의 카디건 소매 안으로 드러난 손끝으로 부드러운 머리카락을 쓸어 넘겼다. 발그레하게 붉힌 뺨이 사랑스러웠다.

"오셨어요……?"

"응."

"추운데…… 왜 눈 맞고 계세요?"

자신을 바라보는 눈동자에 들어찬 건 두려움이 아니었다. 호기심, 흥미, 관심, 그리고 설렘. 그 어디쯤을 배회하는 친숙한 감정이었다. 눈이 마주치면 안다. 상대와의 거리가 어디까지 좁혀질 수 있을지. 서로를 보는 순간, 같은 생각을 했는지 각자 다른 생각을 했는지도.

건은 가슴이 두근거렸다.

"누가 첫눈을 맞고 싶다고 한 게 생각나서. 혹시 첫눈이 아니어도 나와 눈을 맞을 생각이 있을까 기대가 되기도 하고."

찬바람 때문인지, 다른 이유 때문인지 그녀의 코끝이 붉다. 고집
스럽게 다물린 입술 하며, 끝이 조금 올라간 눈시울도 옅은 붉은 빛
으로 물들었다.

건은 그녀에게 다가가 가까이 마주 섰다. 손을 뻗어도 닿지 않을
것이다, 그녀가 손 내밀어 주지 않는다면.

"유연아."

"네."

콧물을 훌쩍인 그녀가 양손으로 얼굴을 감싼다.

"이리 와."

건은 손을 내밀었다. 가볍게 닿는 그 미소에 그녀의 뺨이 새빨갛
게 달아오른다. 머뭇거리기를 잠시. 조심히 창틀에 올라선 그녀가
겁먹은 표정을 짓자, 양손을 뻗은 그가 고개를 까딱인다.

"네 발에 물 한 방울 안 묻게 할 테니까, 나 믿어."

"저 무거워요."

"내가 널 한두 번 안아 봤을까 봐?"

그가 눈썹 끝을 삐딱하게 기울이며 재차 고개를 끄덕였다. 창틀에
걸터앉은 그녀는 용기를 내 손을 뻗었다. 손가락 끝이 아슬아슬하게
닿는가 싶더니, 그녀의 몸이 앞으로 훅 기운다. 머리 위로 차가운 눈
송이가 내려앉는다.

제 몸을 가뿐하게 안아 드는 그에게 매달리듯 안겨 떨리는 손으로
목덜미를 끌어안았다. 그러자 듣기 좋은 웃음소리가 귓가를 스치고
부드러운 입술이 관자놀이에 닿는다.

그녀는 두 눈을 질끈 감았다. 퀼이가 제 발에 입 맞추며 눈물을 흘

릴 때, 제일 먼저 떠오른 건 교복을 입고 교단에 선 한 남자였다.

'서울 왕립고등학교에 입학하신 걸 축하드립니다. 신입생 여러분.'

처음이었다. 좌중을 훑는 무심하면서도 정중한 눈빛에 심장이 아플 만큼 뛰어 댄 건.

'세자, 이건입니다.'

첫눈에 반했다는 기분이 이런 건가 싶었다. 단상 위에 오른 세자의 첫인상은 '멋있다', '근사하다', '목소리가 좋다', 같은 단어들로는 부족할 만큼 압도적이었다.

이건을 처음 본 신입생들은 말 그대로 열광했다. 당시 세자는 왕실의 보호 아래 외부의 노출을 극도로 조심하던 때였다. 그런 존재를 실물로 접한 것도 모자라, 같은 학교에 재학한다는 사실에 다들 흥분했다. 그는 동화 속 왕자님이었고, 열일곱 여자아이는 공주님을 꿈꾸는 사춘기 소녀였다.

'학교생활은 어때.'

어느 날, 술에 잔뜩 취한 아빠가 유연에게 불현듯 물었다.

'괜찮아. 선생님들도 좋고, 애들도 착해.'

'힘들지는 않고?'

'괜찮다니까?'

'마음 같아선 외국에라도 나가서 살고 싶은데, 네가 위험해지지 않으려면 경복궁 가까이 지내야 하니……. 아빠가 미안해.'

'아니야, 아빠. 나 하나도 안 힘들어. 그리고 세자 저하는 나 몰라. 나라는 사람이 있는지도 모르셔. 내가 말 안 하면 어떻게 아시겠어.'

'그래? 그래, 나는……. 나는, 우리 유연이만큼은 하고 싶은 거 다 하고 살게 해 줄 거야. 이 아빠만 믿어!'

혀가 꼬부라진 채로 떵떵거리는 아빠의 큰 목소리가 창피해서 잔
소리만 퍼부은 뒤 방으로 들어갔다. 방문 너머 누구랑 이렇게 술을
마셨냐며 타박하는 엄마의 말에 아빠의 중얼거리는 소리가 흘러들
어왔다.

'최우식 알지? 오랜만에 우식이랑 마셨는데, 그놈이 뭐라는 지 알
아? 우리 유연이, 눈, 설아한테 주라더라. 세자빈으로 만드는 게 꿈이
라면서 헛소릴 해 대는데, 한 대 치고 싶었어. 겪어 보지 않은 사람
은 모르지. 우리 유연이가 얼마나 힘들게 살아왔는지.'

유연은 어떤 이유에서인지 모든 고등학교에 입학을 거절당했다.
선생님은 전산에 문제가 생긴 것 같으니 알아보겠다고 하셨지만, 그
날 집으로 정장을 입은 어느 남자가 찾아왔다. 그리고 그다음 날, 선
택적 입학만이 가능했던 왕립고에서 입학요청서가 날아왔다.

아빠는 세상을 잃은 사람처럼 허탈해했지만, 엄마는 인연은 어떻
게 할 수 없는 거라며 입학을 축하해 주었다. 하지만 그녀는 왕립고
등학교에 입학할 수 있어서 좋았다. 특별한 사람이 된 것 같았고, 누
군가 알아봐 주는 것 같은 느낌이 들어 따뜻했다. 게다가 남몰래 세
자 저하를 훔쳐보는 일상 또한 즐거웠다. 물론, 쉽게 마주치는 일 또
한 없었다. 3학년과 1학년의 생활 구역은 완벽하게 분리되어 있었
고, 아주 가끔 스쳐 지나갈 때도 세자의 시선은 항상 정면을 향해 있
었다.

그렇게 한 계절을 흘려보내고, 숨이 턱 막히던 여름. 잠신한 그림
도깨비를 발견하곤 난처해하던 그날, 우연인 듯 운명처럼 아름다운
그와 눈이 마주쳤다. 유난히 매미가 와락와락 울어 대던 날이었다.

머리 위로 떨어지는 흰 눈을 맞으며 유연은 건의 목덜미를 좀 더 꼭 끌어안았다.

제게 이름을 묻는 그에게 거짓말을 했다. 의도한 건 아니었다. 저도 모르게 당황해 나온 실수였을 뿐이다. 그날이 마지막인 줄 알았다면, 하지 않았을 거짓말이기도 했다.

"가끔 신을 신지 못하게 해야겠어."

꼭 끌어안는 그녀가 사랑스러운지, 건은 곤란해하는 얼굴 곳곳에 입 맞추었다. 다정한 입맞춤이 이어져 입술 언저리에 닿았을 때, 그가 말했다.

"키스하고 싶어."

어쩐지 꽉 잠긴 듯한 목소리에 그녀는 고개를 들었다.

"키스도…… 했어요?"

그녀의 질문이 어처구니없었는지, 잘생긴 콧등을 찌푸리며 그가 웃었다. 그의 머리카락에 들러붙은 눈이 녹아 물이 되어 톡 떨어진다.

"궁금해?"

유연은 고개를 끄덕였다. 기억에는 없지만, 실은 키스하고 싶단 말에 당연히 그래도 된다는 기분이 불쑥 들었다. 그녀의 귓불을 만지작거리던 그가 느른하게 입술을 끌어올리며 말했다.

"우리가 지금껏 무슨 짓까지 했는지, 하나부터 열까지 다 알려 줄 수 있는데."

내리깔린 건의 시선 끝에 그녀의 붉은 입술이 잔상처럼 맺혔다.

"유연아, 네가 기억을 잃었든 나를 잊었든…… 나는 너 두 번은 안

탐식의 재물

놓쳐. 그러니까 천천히 기억해. 이것도 제법 즐거워. 첫 키스를 두 번이나 하는 기분이라."

그녀는 무슨 답을 해야 할지 몰라 달싹이던 입술을 꾹 다물었다. 그러곤 고개를 숙이려 했지만, 턱 끝을 잡은 손 때문에 그러지 못했다.

"할게, 키스."

더운 숨을 흘린 푹신한 입술이 포개진다. 허락 따윈 받지 않은 무례한 입맞춤이었건만, 가슴이 떨리고 숨을 쉴 수 없을 만큼 행복했다. 서서히 내리깔린 그녀의 속눈썹에 한 송이의 눈이 떨어졌다. 차가웠던 눈이 녹아 눈물처럼 맺히면서 그녀의 눈시울이 붉어졌다. 눈발이 거세지고 하늘이 뿌옇다. 전각의 지붕에도, 담장 위에도, 발 딛고 선 궁궐 전체가 하얀 눈에 뒤덮여 장관을 이루었다.

몇 번 입술을 떼었다가 붙이며 말랑한 살을 아프지 않게 깨문 그가 그녀의 뒷머리 안으로 손가락을 넣을 때였다. 가볍고 빠른 발소리가 별채 방향으로 가까워진다. 건은 발긋하게 상기된 그녀의 얼굴을 내려다보며 천천히 입술을 떼어 냈다. 그러며 발소리가 난 방향으로 돌아서자 우산도 없이 뛰어온 우혁이 눈물 맺힌 눈가를 문지르며 말한다.

"박혜란 씨가, 유연 씨 어머니께서 깨어나셨습니다."

몇 번이나 병실 문고리를 잡았다가 놓았을까. 엄마가 깨어났다는 소식을 듣자마자, 신발 신는 것도 잊은 채 무의식중에 뛰었다.

유연은 고개를 숙여 건이 가져다준 신발을 신은 제 발끝을 내려다보았다. 아직 실감이 나지 않아서인지 눈물은 흐르지 않았다. 그저 이 문을 열었을 때, 모든 것이 거짓말일까 봐. 여전히 침대에 누워 있는 엄마를 보게 될까 봐. 혹은, 잠들어 있을 때보다 더 고통스러워하는 표정을 보게 될까 봐 겁이 났다.

이렇게 겁쟁이였나. 꿈과 현실의 중간 사이에 머무는 기억을 어디까지 믿어야 할지. 잠재된 기억인지, 만들어 낸 상상인지 모르겠다. 무너져 엉엉 울고 싶었지만, 궐이와 저하가 너무도 슬픈 눈빛이라 기억이 돌아오는 것 같다고 말하지도 못했다. 지금, 그녀는 이 모든 것이 꿈일까 봐 두려운 것이었다.

"같이 열까."

문고리를 움켜쥔 그녀의 손등 위로 건의 손이 겹쳐진다. 따뜻하고 커다란 손으로 어깨와 손을 감싼 그의 떨림이 느껴져 가슴 한편이 따뜻해졌다.

유연은 애써 웃으며 고개를 끄덕였다. 그러자 힘주어 옆으로 밀어 낸 병실 문 틈으로 간병인 아주머니의 즐거운 목소리가 듣기 좋게 새어 나온다. 유연은 아주머니의 목소리 사이마다 겹쳐지는 엄마의 목소릴 들으며 숨을 꽉 참았다.

"우리 유연이가 그랬구나……."

"다 들었지요? 놀랐어요. 혜란 씨가 지금까지 다 듣고 있었다니까, 낯부끄럽기도 하고 그러네요."

"꿈인 줄 알았어요……. 그런데 눈은 떠지지 않고, 자꾸만 나른하고. 하지만 13년 동안 우리 유연이가 찾아와서 해 준 얘기들이 있어서 지루하지 않았고요. 아주머니께도 감사해요."

이제는 기억에서조차 희미한 엄마의 목소리였다.

이렇게 힘이 없었나……? 이렇게 가늘었던가?

유연은 문을 활짝 열고 한 걸음 내디뎠다. 그러자 소리의 방향으로 고개를 튼 엄마의 얼굴에서 서서히 미소가 걷힌다. 이어 눈썹부터 뺨, 입가가 일그러지더니 바르르 떨렸다. 가늘게 휘어진 눈을 타고 후드득 떨어진 눈물이 시트를 꼭 움켜쥔 손등을 적신다.

"나, 알아보겠어……?"

첫마디를 고민했다. 어떤 말을 해야 할지. 다행이라고 해야 할지, 보고 싶었다고 해야 할지, 사랑한다고 해야 할지, 쉼 없이 곱씹었지만 고민했던 질문 대신 멍청하고 뻔한 질문을 던졌다.

"엄마, 나 알아보겠어?"

유연의 숨이 차오른다. 병상으로 다가가는 걸음이 위태롭게 흔들리다가 이내 훅 꺾였다. 하지만 바닥에 무릎을 찧기 전, 이건이 그녀를 부축했다.

유연은 하얀 병실 바닥을 내려다보며 떨어지는 눈물을 멍하니 응시했다.

"유연아……."

제 이름을 부르는 엄마의 목소릴 듣는 순간, 마음속에 쌓아 두었던 무언가가 와르르 무너졌다.

"유연아, 진짜 유연이 맞지?"

"응. 엄마, 나야."

"하, 이리 와. 우리 딸, 혼자 얼마나 힘들었을까."

힘겹게 뻗어 낸 엄마의 손이 그녀의 손등에 닿았다. 메마르고 거칠어진 손에 온기가 돈다. 유연은 제대로 숨도 쉬지 못한 채 엄마에게 안겼다.

"흐윽, 왜 그랬어! 왜……. 왜 나만 혼자 두고, 왜 잠들어서 깨어나지 않았어, 왜!"

"응, 우리 딸 미안해. 엄마가 미안. 엄마가 좀 더 힘낼걸. 유연아, 엄마가 미안해."

"내가……. 흑, 내가 아무것도 몰라서. 어떻게 해야 할지 몰라서. 내가…… 내가 잘못했어, 엄마. 흐윽, 내가……."

"엄마가 돼서 짐이 되지 말았어야 했는데……."

오열하는 유연을 꼭 끌어안은 혜란은 성인이 되어 버린 딸의 등을 쓰다듬어 보았다. 머리카락이 짧아지고 얼굴에선 젖살이 빠졌지만, 그래도 첫눈에 알아볼 수 있었다. 신기하면서도 숨을 쉴 때마다 고통스러웠다. 유연이 얼마나 힘들어했는지, 자신을 살리기 위해 어떤 노력을 했는지 알기에 혜란은 가슴이 아팠다.

유연의 젖은 뺨을 쓰다듬으며 눈물을 닦아 준 혜란이 침착한 표정으로 서 있는 세자를 올려다본다. 그러자 꾸벅 인사한 건이 눈물을 훔치는 김 씨에게 눈짓하곤, 입구 방향으로 돌아섰다. 혜란은 말없이 병실을 나서는 건의 뒷모습을 응시하며 유연을 더욱 꼭 끌어안았다.

"박혜란 씨가 모든 걸 기억합니다. 의료진이 나눈 대화 내용부터 찾아온 사람들까지. 몸 추스르시는 대로 박혜란 씨의 도움을 받아 채증하십시오."

건은 제중원 복도에서 대기 중인 이들에게 지시했다. 그들 중에는 왕실 전담 변호인이 다섯으로, 그들은 현재 긴급 체포된 최우식의 범죄 행위를 증명하기 위해 최선을 다하는 중이었다.

그들이 먼저 자리를 뜬 뒤, 건은 눈물을 멈추지 못하는 우혁과 마주 섰다. 눈이 짓무르도록 눈물을 흘린 우혁이 멋쩍은 표정으로 코를 팽 푼다. 건은 그런 우혁의 어깨를 다정하게 다독여 주었다.

"네 부모님도 이렇게 깨어나셨으면 좋았을 것을. 미안하다…… 이우혁."

"헛소리하지 마십시오. 이미 지난 일을 왜 사과하시는 겁니까? 게다가 제 부모님이 당한 건, 제가 저하를 알기도 전입니다."

"그래도 미안한 건 미안한 거야. 네 부모님 또한 내가 지켜야 할 백성이었으니까."

"됐습니다. 저는…… 저는 조유연 씨 어머니가 깨어나신 거로 모든 걸 보상받은 기분이니까요. 괜찮습니다. 희망이 생긴 것 같아서, 저 할 일을 해낸 거 같아서……."

말을 제대로 끝마치지 못한 우혁이 결국 또다시 눈물을 펑펑 흘렸다. 엉엉 우는 우혁의 어깨를 꽉 움켜쥔 건은 머쓱한 얼굴로 친구를 끌어안고 다독여 주었다.

그만 울라며, 네 위치를 생각하라고 속삭이던 때였다. 박혜란이 입원한 병실 문이 열리더니, 눈이 새빨개진 유연이 나왔다. 그러곤 우혁을 끌어안은 건을 보며 커다란 눈을 빠르게 깜빡였다.

"아, 저기……."

"아, 이거. 이건 그러니까 친구끼리의 위로라고 해야 할까."

"네에……."

당황한 건을 보며 웃음을 꾹 참은 그녀가 90도로 허리를 숙인다.

움켜쥔 손이 떨리고 있었다.

"도와주셔서 감사합니다. 정말, 감사해요. 기억은 꼭 다시 찾을게요. 노력할게요……. 정말, 감사합니다. 세자 저하."

그러더니 그 어느 때보다도 환하게 웃으며 다시금 병실 안으로 들어가 버렸다.

다시금 정적이 내려앉은 병실 복도. 헛웃음을 흘린 건은 우혁을 떼어 낸 뒤, 양손으로 머리채를 움켜쥐었다.

"하, 돌겠네……."

"설마, 기억이 돌아올 가능성은 없는 겁니까?"

"아니! 무조건……. 무조건 되찾게 할 거야."

바람을 훅 내뱉은 건은 유연의 산뜻한 태도에 묘한 오기가 생기는 걸 느꼈다.

그래, 네가 기억해 내지 못한다면. 기억하게 하는 수밖에.

"김궐, 당장 튀어 와."

우울한 기운으로 가득했던 병원에 희망의 기운이 가득하다. 13년째 잠들어 있던 박혜란이 자리를 털고 일어났다는 소식이 전해진 이후였다.

이매에게 화를 당해 오래도록 입원한 환자들이 하나둘 정신을 차리고 제중원의 중환자실이 비워지기 시작한다. 신기한 일이 아닐 수 없었다.

"엄마! 혼자 다니면 아직 위험하다니까?"

집에서 음식을 준비해 병실을 찾은 유연은 홀로 병실 안을 거닐던 혜란을 발견하곤 잔소릴 쏟아냈다. 그러자 지친 기색 없이 개운한 표정의 혜란이 타박하는 유연을 꼭 끌어안으며 등을 다독인다.

"우리 딸, 엄마 걱정했어?"

"당연히 걱정되지. 엄마 13년 동안 걸어 본 적 없잖아."

"그러게. 그런데 신기하게 힘이 나. 뛸 수도 있을 것 같아."

"그래도 안 돼. 천천히, 우리 천천히 하자."

두 모녀는 서로의 얼굴만 보았다 하면 꼭 끌어안는 게 습관이 되어 버렸다. 13년 동안 같은 장소에 있으면서도 서로 말 한마디 섞지 못했다는 안타까움 때문이었다.

유연은 혜란을 부축해 병상에 딸린 테이블을 폈다. 보잘것없는 음식 실력이지만, 세상의 맛있는 음식을 모두 대접하고 싶었다. 테이블을 꽉 채운 음식들을 본 혜란이 이걸 다 어떻게 먹냐며 헛웃음을 흘린다.

"아주머니도 곧 오실 거고, 민주도 올 거야. 넷이 왁자지껄하게 먹을 거니까 걱정 마요. 아! 엄마, 민주 결혼했어. 내가 말했나?"

"응, 말했어. 축하해 주고 싶었는데, 잘됐네."

혜란은 잠들어 있는 동안의 모든 일을 기억하고 있었다. 마치 녹음이라도 한 것처럼 빠짐없이 찾아온 사람들을 외웠고, 대화를 기억했다. 의도적으로 책을 외우듯 곱씹었다고 했다. 어차피 하루에 들을 수 있는 말들은 많지 않았기에 그렇게 할 수 있었다고.

병실엔 유연이 모르는 다양한 사람들이 찾아왔었는데, 그들 중에는 강미란과 최우식. 그리고 최준일과 최설아도 포함되어 있었다. 하지만 13년간 잠들어 있던 환자가 말하는 진술을 법원에서 증거로 받아들일지는 확실하지 않았다. 그래도 유연은 구속되어 재판을 기다리는 최우식도, 범죄 사실을 알면서도 입 다물고 있던 미란도 용서하고 싶지 않았다.

그러던 와중 가장 의외였던 건 설아였다. 설아는 아주 오래전 엄마를 찾아와 겁먹은 목소리로 미안하다고 몇 번이나 사과한 뒤 돌아갔다고 했다. 최설아 역시, 최우식의 범죄 사실을 알고 있었다고.

유연은 혜란의 말을 들은 뒤에야, 설아가 지금껏 제게 해 온 악행의 이유를 조금 이해할 수 있을 것 같았다. 죄책감의 기저인 제 얼굴을 볼 때마다, 죄인이 된 기분이었겠지. 그래서 제가 밉고 싫었을 것이다. 진실을 이야기하면 본인의 삶이 무너질 테고, 계속 숨기려니 죄를 짓는 기분이었겠지. 게다가 진실을 좀 더 일찍 알았다고 한들, 제가 할 수 있는 일은 없었을 것이다. 달걀로 바위 치기나 다름없었을 싸움에 몸을 던질 용기는 없었을 테니까.

'나는 너, 두 번은 안 놓쳐. 그러니까 천천히 기억해. 이것도 제법 즐거워. 첫 키스를 두 번이나 하는 기분이라.'

불쑥, 눈을 맞으며 그가 했던 말이 떠올랐다. 여전히 실감이 나지 않았지만, 그와의 관계가 보통 사이는 아니란 건 알 수 있었다. 게다가 제가 세자빈이 된다는 것도.

민망한 마음에 입술을 잘근 깨문 그녀가 엄마의 앞에 젓가락을 놓아줄 때였다. 병실 문이 벌컥 열리더니 양손 가득 봉투를 든 민주가 환하게 웃으며 뛰어 들어온다.

"어머, 아줌마!"

민주는 간식거리가 잔뜩 든 봉투를 내팽개치며 혜란을 와락 끌어안았다. 특유의 붙임성 좋고 시원시원한 성격은 여전했다.

"어휴, 민주야. 넌 정말 여전하구나. 예뻐, 아주."

"아줌마 이제 건강하신 거죠? 저 결혼한 건 들으셨어요? 유연이 애인이 누군지도 아시죠? 제가 친구 하난 진짜 잘 뒀다니까요? 역시, 유연이 옆에 딱 붙어 있길 잘했지 뭐예요."

"그럼, 그럼."

"그래도 아줌마가 깨어나신 게 제일 좋아요. 최고예요!"

유연은 쉬지 않고 재잘대는 민주의 입에 김밥을 하나 넣어 주었다. 그제야 커다래진 양 볼을 우물거리느라 입을 다문 민주가 배시시 웃는다.

"근데, 왜 세자 저하는 안 보이셔? 바쁘신가? 김궐이도 없고 송이도 없네?"

달큼한 호박죽을 한 숟가락 뜬 유연은 멋쩍게 웃으며 혜란의 눈치를 보았다.

"민주야, 문제가 있는데……. 나 기억이 없어."

"어?"

"기억이 안 나. 정확하게는 꿈같아. 한 반년 정도……. 세자 저하도, 김궐이란 남자도. 모르겠어. 사고를 당했던 거 같은데, 기억이 안 나."

놀란 민주가 젓가락을 바닥으로 떨어뜨렸다. 그러더니 더듬거리며 휴대 전화를 꺼내, 유연이 언급된 기사 스크랩을 내밀었다.

"진짜 기억이 안 난다고? 너랑 저하가 제주도에서 영국 총리도 만나고, 막 그랬는데……? 삼간택 발표는 주상 전하가 하셨어. 그게 다 기억이 안 난다고?"

유연은 고개를 끄덕였다. 이미 제 이름이 언급된 기사들은 모조리 찾아본 뒤였다. 그중에는 최설아에 관한 내용도 있었는데, 며칠 전

일반 병실에서 퇴원해 프랑스로 떠날 준비를 하고 있다는 기사였다.

답답했다. 사람들은 제가 어떤 일을 해 왔는지 아는데, 정작 당사자는 모르는 현실이 숨 막혔다.

"언제부터 기억나 그럼?"

"고등학교 때. 사고 나기 전까지……. 그때도 세자 저하를 기억하지 못했다고 하는데, 왜 이러는 건지 모르겠어."

건을 생각하면 이유 없이 눈물이 고인다. 가슴이 벅차고 울렁거리기까지 했다. 그러다가 불현듯 잊어버린 퍼즐 조각 같은 기억이 되살아날 때마다 다리에 힘이 풀렸다. 하지만 억지로 기억해 내는 건 불가능했다.

"사람 쉽게 안 바뀌어. 나쁜 놈이든 착한 놈이든. 아줌마 일어나셨잖아? 너도 바뀌는 거 없이, 다시 괜찮아질 거야."

"그랬으면 좋겠어. 조금씩 기억이 나긴 하는데, 억지로 기억하려 하면 너무 힘들어."

"내가 본 너랑 세자 저하는…… 찐 사랑이야. 그래, 결혼한 내가 부러울 만큼 진짜 사랑이었어. 그러니까 기억해 낼 거야, 유연아."

풀 죽은 유연의 머릴 흐트러트리며 장난친 민주가 싱글벙글 웃는다.

정말 그렇게 될 수 있을까?

꼭 다시 기억해 내고 싶었다. 풋사랑이나 다름없었던 첫사랑을 앓았다. 그런데 다시 눈을 떴을 때, 그가 제 연인이 되어 있다는 사실을 누군들 받아들이고 믿을 수 있을까?

하루하루가 의문이고 이해하기 힘든 일들의 연속이었지만, 포기하고 싶지는 않다. 애초에 포기하는 법을 모르고 살아왔다. 멍청하리만치 억척스럽게 엄마를 살리려 했고, 손가락질받으면서도 지금껏 버렸다. 그러니 이번에도…….

"아줌마, 오늘 제가 유연이 좀 빌려도 돼요? 오랜만에 둘이 오붓하게 술 한잔하고 싶은데."

민주의 말에 혜란이 유연의 손을 꼭 잡으며 고개를 끄덕였다.

"그래, 엄마는 아주머니랑 있으면 되니까 걱정하지 말고. 유연아…… 엄마는 세자 저하의 목소리 기억하고 있어. 어찌나 애틋하고 든든하던지. 이제는 너 하고 싶은 대로 해. 네 행복한 길을 가야지, 아빠 말 들을 나이는 지났잖니. 안 그래?"

"엄마, 그런 거 아니야……. 그럼 나 오늘은 민주랑 데이트 좀 해도 될까?"

"그럼, 당연하지."

때마침 출근한 김 씨 아주머니가 귤을 한 박스 들고 병실 문을 열었다. 누가 한국인 아니랄까 봐, 다들 먹을 것에 진심이다.

딸이 사 온 귤이 너무 맛있어서, 다 같이 나눠 먹으려고 찾아가 사 오셨단 말에 유연은 또 코끝이 찡해졌다. 고마워서, 소소한 위로의 손길이 모여 큰 감동이 되어 돌아왔다.

"그러니까…… 후유증이다?"

건의 질문에 수척해진 얼굴의 궐이 고개를 끄덕였다.

"주인이 나도 기억하질 못한다. 나를……. 나, 나를."

흐윽, 하며 김궐이 어울리지 않게 눈물을 훔쳤다.

수호부들은 초상집에 온 사람처럼 퀭한 눈을 하고 있었다. 유일하게 치웅만이 이우혁을 놀리는 재미에 들린 것인지 졸졸 따라다니면서 심기를 건드는 중이었다. 그마저도 건의 눈에는 좋아하는 남자애를 괴롭히는 여자애들의 장난 정도로 보일 뿐이었지만……. 그래도 티격태격하는 둘을 보니 급격하게 억울함이 치민다.

"망량!"

불똥이 튄 망량이 콜록거리며 연기를 뱉어 냈다.

"귀멸자야, 모든 일엔 순서가 있는 법이다. 그런데 네놈이 이렇게 재촉하면, 일이 틀어지기 마련이다."

"입만 살았군. 그래도 시간을 끌어 봤자 좋을 게 없어. 방법을 찾아내!"

"쯧쯧, 인간은 잘 변하지 않는다더니. 귀멸자 네놈도 성격 안 좋은 건 여전하구나."

건은 헛웃음을 흘리며 손에 힘을 모았다. 그러자 비현각 내에 건의 힘이 와르르 요동친다. 부채질해 제 주위에만 방어막을 만든 망량이 시큰둥한 표정으로 일어나더니 부채로 건의 머릴 딱, 때린다.

"이놈! 하나만 알고 둘은 모르는 놈. 지금 주인이 기억을 잃었다고 생각하지 말고, 잃었던 걸 찾아가는 중이라고 여겨라. 네놈이 말하지 않았더냐? 주인에게 무릎 꿇고, 나 좀 기억해 내라며 칭얼거리던 게 엊그제 같건만."

망량의 짓궂은 말에 건의 낯빛이 서서히 질려 갔다. 그 말인즉, 망량은 생각보다 많은 걸 보아 왔다는 뜻. 아무리 뻔뻔함이 기본으로 장착된 건의 성격이라고 해도, 비밀스러운 기억은 있는 법이었다.

귀 끝까지 새빨갛게 붉힌 건이 마른세수하더니 불쑥 귈이의 팔을 움켜쥐었다. 그러자 눈이 빨개진 귈이가 건을 보더니 고개를 끄덕인다.

"하자, 귀멸자야."

며칠 전, 기억을 잃어버린 그녀 때문에 실의에 빠진 두 남자는 비밀스러운 회동을 가졌다. 아무도 모르게 비밀스러운 계획을 세우고, 실행을 앞둔 상황. 천천히 고개를 끄덕인 건이 시간을 확인하더니 일어났다.

"유연이 지금 어디 있지?"

그 질문에 구석에 무릎을 모으고 있던 청송이 손끝으로 바닥을 쓱쓱 문질러 작은 통로를 만들었다.

"누이는 지금, 민주 친구와 아주 시끄러운 곳에 있다."

건은 청송이 만든 바닥 앞에 섰다. 내려다본 그의 눈매가 가늘어진다. 그곳은 한강을 직관할 수 있는 뷰로 유명한 하우스 와인 바였다.

지금, 사람을 진창으로 밀어 넣고 술을 마시러 가셨다? 그것도 여자 둘이서?

한숨을 내쉰 건이 궐을 돌아보며 고개를 까딱인다. 다가온 궐이 천천히 내부를 살피더니 어느 한 곳을 가리켰다.

"여기에서 화매를 부르게 하겠다."

"청송, 이 안에 결계를 만들 수 있나? 유연이 눈치채지 못하게."

그러자 청송이 어리둥절한 표정으로 고개를 끄덕였다.

"이렇게 좁은 곳이라면, 누이의 힘을 쓰지 않고도 결계를 만들 수 있다. 그런데 둘이 무슨 짓을 하려고 하는지 알려다오."

어깨를 으쓱 올린 건이 일어나자, 심기일전한 표정의 궐이 애써 청송과 망량의 눈길을 피했다. 서로 설명을 피하다가, 결국 건이 입을 열었다.

"충격요법. 하나씩 되짚어 줘야지. 우리가 어떤 사이였는지."

"쯧, 그러다 주인이 화낸다."

망량이 한심하다는 듯 두 남자를 보며 혀를 찼다. 하지만 이미 둘의 귀엔 아무것도 들리지 않았다. 한번 주인을 잃어 본 트라우마가 있는 궐은 유연의 목소릴 들을 때마다 오열했고, 건은 애가 타 미칠 것 같았다.

"그리고 조유연은 이미 세자빈이나 다름없어. 그런데 이 말도 안 되는 곳에 혼자 보낸다? 어떤 놈들이 함부로 접근할 줄 알고."

"소헌군을 데려오겠다."

건보다 더 급히 사라져 버린 궐이 얼마 지나지 않아 다시 나타났다. 궐에게 뒷덜미가 잡힌 채로 비현각에 나타난 이태의 눈이 화등잔만 해진다. 세자와 수호부들이 모여 있는 자리는 이태에게는 가시방석이나 다름없었다. 새파래진 이태는 안타까울 만치 꼬리 내린 강아지 같기도 했다.

"혀, 형님. 이게 무슨……."

말을 더듬은 소헌군을 돌아본 건이 싱긋 웃으며 다가갔다. 이태는 저와 닮은 형님을 올려다보며 마른침을 꿀꺽 삼켰다.

"네가 해 줘야 할 일이 있어, 아우. 내 부탁을 들어준다면, 우리의 관계를 처음부터 다시 시작할 가능성이 생길지도 모르는데……. 어 때. 내 아우 될 생각이 있나?"

민주가 투덜거리며 유연을 따라 포장마차 안으로 들어섰다.

"내가 고급스러운 데서 한잔 산다니까, 대체 왜 또! 아이 진짜, 나

사장님 얼굴 며칠 전에도 봤거든?"

민주의 칭얼거림에 유연이 생글생글 웃으며 닭발과 잔치국수, 고등어구이를 외친다. 그러자 반가운 얼굴로 뛰어나온 주인아저씨가 유연의 손을 불쑥 잡았다.

"딸! 아니 왜 이렇게 오랜만이야? 한동안 TV 틀 때마다 나와서 얼마나 놀랐는데. 정말 세자빈이 된 거야?"

"아뇨, 아직이요. 자주 못 와서 죄송해요. 너무 바빴어요. 아저씨, 아주머니도 잘 계셨죠? 장사는요?"

"뭐, 하루 벌어서 하루 먹고사는 거지. 오늘은 안주 다 서비스할 테니까 마음껏 먹어!"

"그럼 술을 얼마나 마셔야 하는 거예요?"

"예끼! 한 병만이야, 한 병."

잠시 잊고 있던 기억 속에 자리했던 곳이었다. 힘들 때마다 팩 소주를 마셨고, 그렇게 취한 날이면 찾아왔던 곳. 서울에 몇 남지 않은 포장마차여서인지 항상 사람들로 북적이던 이곳은 오늘따라 손님이 없었다.

이미 단골 도장을 쾅쾅 찍은 민주가 스스럼없이 주인아주머니를 도와 반찬을 차려 왔다. 싱싱한 오이에 당근, 반질반질한 삶은 메추리알까지 야무지게 담아 온 민주는 언제 그랬냐는 듯 신이 난 얼굴이었다.

유연은 기억에 남은 포장마차 안을 천천히 둘러보았다. 민주와 함께 찾아갔던 와인바는 거부감이 먼저 드는 곳이었다. 그 이유는 어쩌면 잊어버린 기억에 있을 테지만, 그 안에 최준일이 포함되어 있다는 확신이 들었다. 그래서 장소를 옮기자며 민주를 설득했다. 그리고 지금 필요한 건 와인이 아니라, 얼음처럼 차가운 소주였다.

표면이 하얗게 언 소주를 꺼내 온 민주가 능숙하게 병을 흔들어 뚜껑을 연다. 입맛을 다신 두 여자는 난로 가까이에 앉아 얼음장 같은 소주를 마셨다. 안주는 어묵 국물 하나뿐이었지만, 혀끝을 적시는 맛은 다디달았다.

"민주야, 네가 내 친구라서 너무 좋아."

뜬금없는 고백에 새치름하게 눈을 내리뜬 민주가 코웃음 치며 얄밉지 않게 웃었다.

"나도 네가 내 친구라서 좋아."

"내가 더 좋거든?"

"아, 그러든지. 어쨌든 나는 네가 보여 주는 갭이 좋아. 사람들은 다 너를 냉정하다고 생각하는데, 실은 표현하는 법을 몰라서잖아. 부끄러워서 얼굴 빨개지는 것도 좋고, 벌벌 떨면서 할 말 다 하는 것도 멋있어. 반전미가 있는 애야, 너는."

신랄한 민주의 평가에 소주를 털어 넣은 유연이 인상을 썼다.

"칭찬인지 욕인지 모르겠지만, 기분이 나쁘진 않으니 봐줄게."

"봐주긴. 그런데 너 어디까지 기억해? 최준일이 서연아랑 결혼한 것까지 잊은 건 아니지?"

그건 아니었다.

유연은 천천히 고개를 끄덕이다가 이해되지 않는 표정을 지었다. 신기하게도 기억에서 사라진 건 세자나 왕실과 관련된 기억들뿐이었다.

물을 마실 때, 길을 걸을 때마다 드문드문 아귀가 맞지 않는 일들이 떠오른다. 그것은 서연아와 최준일의 결혼이었고, 간호사가 엄마를 안락사하겠다고 말하던 순간 같은 것이었다. 그리고 미란과 대화를 나누다가 가윗날에 손이……

투명한 술잔을 멍하니 내려다보던 유연의 입술이 살짝 벌어졌다. 손바닥에는 정말로 깊게 팬 상처 자국이 남아 있었다.

"여하튼 너한테 개수작 부린 것들 하나둘 벌 받고, 눈앞에서 사라졌으면 좋겠어. 가진 놈들이 더 한다고, 서화의료원 한 짓거리 보면 진짜 치가 떨린다니까?"

민주는 안주로 나온 닭발을 우물거리며 참아 왔던 불만들을 쏟아냈다. 하지만 유연의 귀엔 민주의 목소리가 들리지 않았다.

'유연아, 나 좀 도와줘. 나 세자 저하가 정말 좋아!'

제 앞에 무릎 꿇은 최설아의 울먹임이.

'네 엄마, 내가 책임지고 치료하마. 네 아버지 유언을 잊지 마. 널 위해서야, 유연아.'

달콤한 독을 건네던 최우식의 제안이.

'숨겨. 네가 귀신을 본다는 거, 숨겨. 숨겨서 책임지고 우리 설아 세자빈 자리에 오르게 해.'

그리고 설아가 예화에서 길을 잃어 울고 헤맬 때 건의 도움을 받은 일이 불쑥 떠올랐다. 자신을 똑바로 바라보며, 정말로 눈을 갖지 않았냐고 물었던 얼굴이 아른거린다. 네, 라고 대답하며 움켜쥐었던 손이 얼마나 아팠는지. 다정한 표정으로 설아를 바라보는 눈빛에 가슴이 철렁했던 순간이 여과 없이 머릿속으로 쏟아졌다.

그런데도 내가 세자빈이 되었다고? 그 사이에 무슨 일이 벌어졌었는지 몰라도, 자신은 그를 속였다.

갑작스럽게 찾아온 어지러움에 양손으로 눈두덩을 누른 그녀는 그제야 사방이 조용해졌다는 것을 알아차렸다.

곁으로 다가온 누군가 테이블에 놓인 술병을 든다. 그러더니 그녀의 빈 잔을 천천히 채워 주었다. 길고 반듯하게 뻗은 손, 삽상한 겨울 냄새를 묻힌 남자를 안다.

그녀가 고개를 들자, 모자를 눌러쓰고 캐주얼한 점퍼를 걸친 건이 굳은 표정을 하고 서 있었다. 그 대각선으로는 뻔뻔한 표정으로 음식을 주문하는 우혁이, 하얗게 질려 눈치를 보며 앉아 있는 이태가, 그리고 당장에라도 울 것처럼 충혈된 눈을 비비는 김궐이 커다란 눈물을 뚝 떨어트린다.

유연은 제 발에 입 맞췄던 궐이를 떠올리곤, 자리에서 벌떡 일어났다. 그러자 어깨를 잡은 건이 다시금 천천히 그녀를 자리에 앉힌다.

"대한민국에서 나 못지않게 유명한 여자가 말도 없이 이렇게 돌아다니면…… 내 심장이 남아나겠어?"

그는 조금 전 따른 잔술을 입안으로 털어 넣었다.

"저하가 왜……."

술기운에 갈라진 목소리로 묻는 그녀의 눈시울이 젖어 든다. 눈언저리를 따라 미세한 경련이 이는가 싶더니 입술이 떨렸다. 건은 느긋하게 시선을 내리며 그녀의 머릴 쓰다듬었다.

"왜, 내가 찾아온 게 무서워? 겁먹은 표정은 왜지?"

"그게 아니라……."

"보고 싶어서. 내가 널 찾아오는 이유는 단 하나야. 네가 보고 싶으니까. 곁에 없어서, 봐야겠으니까."

건은 본인이 비워 버린 술잔을 다시 채워 주었다. 하지만 유연은 그 술을 받지 않았다. 무릎에 주먹을 올리곤 울음을 참는 사람처럼 입술을 아프게 짓씹는다.

빌어먹을.

건은 당장에 울 것 같은 그녀를 꽉 안아 주고 싶었다. 하지만 어깨를 잡아채는 우혁과 장은호의 손에 잡혀 질질 끌려가듯 자리로 돌아가야만 했다.

"제발 그만 좀 울리시죠? 천천히 모르십니까? 그리고 치웅 님에게 다 들었습니다. 화매를 부른다고요? 미치셨군요, 저하."

뼈를 때리는 이우혁의 촌철살인에 건의 낯빛이 파랗게 질린다.

"안 불렀잖아! 망했다고. 자리를 옮길지 누가 알았다고 그래?"

"나쁜 생각을 하니까 벌 받는 겁니다. 쯧쯧."

"이우혁, 지금 나랑 해보자는 거야?"

"어린애처럼 징징거리시긴."

어처구니없는 표정으로 자리에 앉은 건은 눈물을 훔치는 유연을 보며 마른세수를 했다.

우혁의 말대로 나쁜 마음을 먹어서 벌을 받는 것인지 계획은 실패했고, 기껏 불러낸 화매는 유연을 겁주란 말에 사색이 되어 손가락만 하게 덩치를 줄였다. 절대로 조유연을 건드리지 않겠다는 화매의 염원이 느껴진다고 해야 할까.

'화매만도 못한 놈.'

망량의 한심하다는 듯한 말 한마디가 심장에 콱 박혀 버렸다.

"우리 잘생긴 총각이 실연이라도 당했나. 왜 이리 울어?"

모자로 얼굴을 가려서인지 건을 알아보지 못한 주인아저씨가 궐이의 앞에 어묵 국수를 내려놓고 돌아갔다.

건은 테이블 가득 차려진 안주와 술에는 관심도 없이 턱을 괸 채로 유연에게 시선을 고정했다. 콧물을 훌쩍인 그녀가 갑자기 자신을 뾰족하게 째려보더니, 닭발을 입안으로 쏙 밀어 넣는다.

뜬금없게도 무슨 생각을 한 걸까. 또 마음이 바뀌기라도 한 걸까? 매콤한 양념을 혀로 핥고, 우물거리는 양 뺨이 볼록한 게 귀여워 미칠 것 같았다.

"저하, 무표정인 채로 얼굴 빨개지시는 거. 범죄인 거 같은데요."

우혁은 궐이의 몫으로 나온 어묵 국수를 빼앗아 후루룩 삼켰다. 그러자 손을 번쩍 든 궐이가 울먹이는 투로 주인을 부른다.

"주인장! 국수 다섯 개 더 가져오시게."

생경한 말본새에 웃음을 터트린 주인아저씨가 낄낄 웃으며 검지와 엄지를 맞댔다.

"오케이! 우리 불쌍한 총각 국숫값도 안 받아야겠네."

"사장님, 계산은 정확하게 해 주셔도 됩니다. 오늘은 부어라 마셔라 하는 날이니, 바가지도 괜찮습니다."

"어이구, 정말 바가지도 괜찮겠어요?"

"예, 청구는 얼마든지 괜찮으니 오늘 이 자리, 저희가 사겠습니다."

우혁의 말에 주인아저씨가 헛웃음을 지으며 밖을 내다본다. 날씨가 워낙에 추워서 오늘 손님은 더 받지 못할 거라며 난로에 연료를 더 넣었다.

"저하는 이제 똑바로 앉으시죠?"

건은 우혁의 타박에도 대꾸 없이 유연을 바라볼 뿐이었다. 서두르지 말자고 마음먹은 지 고작 10분 만에 또다시 조급증이 생겨난다.

"형님…… 죄송합니다. 제 화매가 조유연 씨는 절대로……."

고개를 푹 숙인 이태가 제 몫의 술을 연거푸 마시더니 자신 없는 목소리로 말했다. 그제야 건은 유연에게서 시선을 떼어 냈다.

저리 말해도, 주인은 더 이상의 손님을 받진 않을 것이다. 누군가 그녀에게 접근할까 봐 겁내지 않아도 되고, 저 아닌 다른 사람을 먼저 눈에 담을까 봐 조바심 내지 않아도 된다. 머리로는 알지만, 마음은 쉽게 움직여지지 않았다. 잠시 눈을 떼도 된다고, 조유연은 네가 걱정할 만큼 어린애가 아니라고.

"한 잔 줄까?"

건의 말에 고개를 불쑥 치켜든 이태의 눈시울이 금세 붉어진다.

"하, 이놈들은 왜 번갈아 가면서 울어?"

이태와 퀄이의 술잔을 채워 준 건은 한숨을 푹 내쉬며 두 녀석의 잔에 자신의 술잔을 부딪쳤다. 그러곤 이우혁의 어깨에 툭 기대어 손을 내밀었다. 그러자 익숙하다는 듯 나무젓가락을 반으로 갈라 내민 우혁이 어깨를 튕겼다.

"식사 예절을 다시 배우셔야겠습니다, 저하."

"치사하긴."

"힘드십니까?"

"어. 내 여자가 눈앞에 있는데 키스도 못 하고 안아 보지도 못하는 게 서러워."

시선을 똑바로 받은 유연이 움찔하며 놀라 얼굴을 붉힌다. 다 듣고 있으면서도 모른 척하는 모습이 은근히 사랑스러워 짓궂은 마음이 든다.

"그래도 살아 계시잖습니까. 사랑하는 상대가 살아 있다는 것. 그 것만으로도 이미 90%의 확률을 안고 가는 겁니다. 그러니까 염장 지르지 마시고 술이나 드시죠?"

건은 허탈한 웃음을 터트렸다. 살아 있다라……. 맞는 말이었다. 저렇게 제 눈앞에 숨 쉬고 있다는 사실만으로 감사해야 한다는 것을 안다. 몇 번이고 죽을 고비를 넘긴 그녀 아닌가. 건은 그녀가 살아 숨 쉬는 것을 확인했을 때 느낀 감동을 잠시 잊고 있었다.

그제야 눈물을 멈춘 궐이 맥주잔 가득 소주를 딴다. 그 모습에 혀를 찬 건이 유연을 돌아보며 부드럽게 미소 지었다.

"내가 잠시 머리가 돌았었나 보군."

번쩍 눈을 뜬 유연은 집이라는 걸 확인하곤 안도의 숨을 내쉬었다. 취한 건 아니었지만, 꿈에서 보았던 장면들이 뒤섞여 머릿속이 어지러웠다. 어쩌면 잃었던 기억일지 모른다.

손에 상처를 입었던 날, 세자의 침전으로 향했고 그곳에서 검은 호랑이를 만났다.

"김궐, 이라고 했지……?"

궐이란 남자는 사람이 아니란 말일까? 어째서 그 호랑이를 궐이라고 불렀을까. 이상한 일이었다.

침대에서 몸을 일으킨 그녀는 비척거리며 침실을 나섰다. 주방으로 가 냉장고에 든 생수를 꺼내는데, 이상한 느낌이 들었다. 거실에 놓인 소파 위, 긴 다리가 팔걸이 밖으로 빠져나온 게 보였다. 게다가 바닥에는 얇은 이불 한 장에 몸을 만 남자가 둘이나 있었다.

생수병을 떨어트릴 뻔한 유연은 소파 위에 단정하게 누운 건에게 다가갔다. 새벽빛이 거슬리는지 미간에 잔뜩 주름을 만든 그가 고른

숨을 내쉰다.

바닥에 누워 몸을 웅크린 건 김궐과 이태였고, 우혁은 보이지 않았다.

"이게 대체⋯⋯."

황당한 마음에 주위를 두리번거리던 그녀의 손이 불쑥 잡혔다. 뜨거운 체온이 그녀의 손목에서부터 시작해 팔꿈치 방향으로 올라온다.

잡아챈 사람은 잠이 덜 깬 건이었다. 유연은 심장이 떨어질 것처럼 놀라 마른침만 꿀꺽 삼키며 굳어 버렸다. 그러자 실눈을 뜬 그가 피식 웃더니 다시 눈을 감는다.

다시 잠들어 버린 그를 황당하다는 듯 내려다보던 유연은 헛웃음을 흘리며 소파 앞에 주저앉았다. 잘생긴 이마에 잡힌 주름을 꾹 눌러 줄까 하다가, 아슬아슬한 거리에서 멈추었다.

"뭐냐고요, 저하⋯⋯ 왜⋯⋯."

더 캐슬

VOL. 3　　　　The Castle

CHAPTER **19**

사내 연애 허가 구역

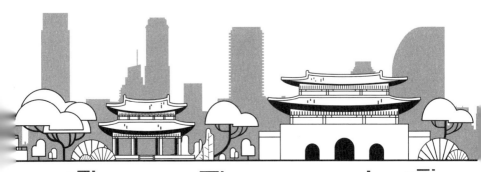

19

사내 연애 허가 구역

우혁과 장은호는 더부룩한 속을 얼큰한 순댓국으로 달랜 뒤 문을
연 약국에 들렀다.

퀭한 눈 밑이 검다. 둘 다 숙취에 어지간히 시달린 것처럼 기운이
하나도 없었다. 속은 밥심으로 달랬지만, 걸을 때마다 골이 울리는
건 약의 힘이 필요했다.

"숙취 해소에 가장 좋은 약으로 5개 주십시오."

"연말연시엔 이게 제일 잘 나가요. 술들을 어찌나 드시던지."

"그러게요. 힘드네요."

직업병처럼 약사와 눈을 맞추며 생긋 웃는데, 우혁의 어깨 위에
누군가의 턱이 톡 닿았다. 화들짝 놀란 우혁이 병뚜껑을 열다 말고
고개를 틀자, 시큰둥한 표정의 치웅이 허리춤을 와락 끌어안는다.

"그래. 술에 취해 궐에 돌아오지 않았다, 이거지?"

우혁은 심장이 바닥까지 떨어졌다가 튀어 오르는 걸 느끼며 안도
의 숨을 내쉬었다.

"기척 좀 내십시오, 기척 좀."

"자기가 안 와서 내가 얼마나 심심했는지 알아?"

"자기라뇨. 누가 들으면 오해하겠습니다, 치웅 님."

"오해하라고들 하지 뭐. 내 그대와 아침을 맞이한 날이 하루 이틀 인가?"

"치웅 님! 오, 오해라니까요!"

같이 아침을 맞다니! 그건 치웅뿐만이 아니라, 수호부 전체와 맞은 아침이었다. 한마디로 동물농장의 사육사가 된 기분으로 통솔했던 날들을 함께 보낸 아침이라 말하다니.

"갑시다."

우혁이 웃음을 꾹 참는 약사에게 인사한 뒤 치웅의 손을 잡고 약국을 나섰다.

이른 아침, 코트를 입고 머플러를 둘러도 추운 날이다. 그런데 치웅은 별다른 추위를 느끼지 못하는 사람처럼 청바지에 셔츠, 카디건 한 장을 걸친 채였다.

아무리 사람이 아니라도 그렇지. 곰은 추위를 안 타나? 치웅의 정체를 알기에 큰 걱정을 하지 않아도 될 일이건만, 하얗게 드러난 목덜미가 신경 쓰여 미칠 것 같았다.

"다들 뻗었던데. 어제 계획은 실패했나 보지?"

찬바람이 기분 좋은지, 싱글벙글한 얼굴을 하고 유연의 빌라를 올려다보던 치웅은 목을 감싸는 부드러운 감각에 시선을 내렸다. 우혁이 걸치고 있던 베이지색 머플러를 풀어 치웅의 목에 감아 준다.

"아무리 추위를 안 탄다고 해도, 이러고 다니시면 눈에 띕니다. 그러니 제대로 갖춰 입으세요."

말을 할 때마다 하얀 입김이 시야를 가렸다. 멍하니 제 목을 감싼 머플러를 내려다보던 치웅의 눈매가 우아하게 휜다.

"걱정되었느냐?"

멈칫한 우혁은 한숨을 길게 내쉬며 안경 코를 올렸다.

"제 코가 석 자라서요."

"흐음, 그런 점까지 똑 닮았다."

"제가 좀 흔한 얼굴입니다."

"그래. 참으로 흔한 인간이었다. 사방에 널리고 널린 인간 중 하나였지. 하지만 결국, 그 또한 유일한 존재 아니더냐?"

치웅이 까치발을 들더니 저보다 머리 하나는 큰 우혁의 머릴 쓰다듬는다. 우혁은 멍하니 치웅의 웃는 얼굴을 내려다보았다.

"너는 유일한 인간이다, 우혁아."

그러더니 휙 돌아서서 빌라 입구로 걸음을 내디딘다.

우혁은 길가에 어안이 벙벙한 표정으로 서 있었다. 어딘지 모르게 교과서에 나올 법한 말이었지만, 정곡을 찔린 것처럼 가슴이 시큰거린다.

우혁은 새빨개진 자신의 목덜미를 문지르며 고개를 숙였다. 정수리에서 열이 오르는 것만 같다. 머플러를 치웅에게 주어서 다행이라고 생각했다.

−어떻게 된 건지 말해.

유연의 메시지에 소파에 늘어진 병아리 이모티콘을 보낸 민주가 답했다.

-뭐가 어떻게 돼. 너 취했고, 저하가 업었고, 궐이가 신발 들어 줬지.

맙소사.

-넌 그 거ㄹ 두고 봐ㅆ어?!

얼마나 당황했으면 말도 안 되는 오타가 화면을 빠르게 채운다.

-그냥 두고 보기는? 당연한 거 아니냐. 너 취하면 당연히 서방이 챙겨야지. 게다가 이 세상 남자들은 못 믿어도, 세자 저하는 믿는다 내가. 김궐이랑.

유연은 김치 콩나물국을 끓이다 말고 바닥에 주저앉았다. 그러자 막 욕실에서 나온 건이 빠르게 다가와 그녀의 팔을 잡아챘다.

"무슨 일이야. 다쳤어? 설마 덴 건가?"

머리카락에서 뚝뚝 떨어진 물이 그녀의 무릎과 코끝을 적셨다. 건은 유연의 양손을 살피고 그것도 모자라 얼굴을 감싸 좌우로 돌렸다.

"아, 아뇨! 안 다쳤어요. 그냥 힘이 풀려서⋯⋯."

얼굴을 빨갛게 붉힌 그녀가 슬그머니 일어나 콧등을 적신 물기를 닦아 냈다. 그제야 머리카락을 수건으로 덮은 그가 안도의 한숨을 내쉰다.

"조심 좀 해. 넌 항상 위태로워."

"어제는⋯⋯ 죄송했어요. 무거우셨죠. 저도 그렇게 취할 줄."

"어제는 취한 게 아니라 기절이라고 봐야지. 나도 마찬가지고. 김 궐이 말술인 걸 잠시 잊었어."

피식 웃어 보인 그는 여전히 멍한 이태와 궐이에게 다가갔다. 김 궐은 여전히 퉁퉁 부은 눈으로 멍하니 유연을 쳐다보고 있었다. 유연은 그런 궐이의 앞에 큰 대접 가득 김치 콩나물국을 떠 내밀었다. 식탁에는 장조림과 김, 마늘장아찌와 멸치볶음 등 갖은 반찬이 가득했다. 거기에 더해 네 그릇의 국과 밥이 놓였고, 네 명이 몸을 좁혀 앉았다.

"자, 잘 먹겠습니다."

이태가 어울리지 않게 수줍은 표정으로 고개를 숙인다. 어쩌면 지금까지는 위악을 떨었던 게 아닐까 싶을 만큼, 이태의 태도는 낯설었다.

뭐, 지금까지?

무의식중에 떠올린 이태의 모습이 천천히 머릿속을 스친다. 처음 만난 날, 뱀을 부리며 웃던 얼굴 같은 것들이 떠올랐다.

마른침을 삼킨 유연은 허겁지겁 밥을 마는 궐이와 우아하게 젓가락질하는 건, 소심하게 국물부터 마시는 이태를 번갈아 보았다.

'삼 형제라고 해도 믿겠네.'

어쩜 세 남자가 다 이렇게 닮은 것인지. 신기한 일이 아닐 수 없었다. 김궐과 세자는 조금도 피가 섞이지 않았고, 이태는 종친이었다. 사촌끼리는 어느 정도 닮는다는 걸 알고는 있지만, 이렇게 비슷하게 생겼다니. 물론, 셋 다 성격은 제각각인 것 같지만……

자연스럽게 떠오른 상념 같은 것들이 이질감 없이 뒤섞인다. 유연은 밥을 오물거리다 말고 옆에 앉은 건을 올려다보았다. 어느 순간부터 낯선 사람이라는 느낌은 완전히 사라졌고, 자꾸만 기대고 싶고 닿고 싶다. 할 수만 있다면 지금도 불쑥 끌어안고 어리광을 부려도 될 것 같은 기분이었다.

그러니까, 저 소파에서……

그렇게 생각하자 얼굴이 확 달아오른다. 시선을 느낀 건이 따끈해진 그녀의 뺨에 손끝을 가져다 댔다.

"감기라도 걸렸어? 왜 이렇게 빨개."

"네?"

"아니면 생각난 거라도 있어? 우리, 이 식탁에서 자주 마주 앉았는데. 물론, 앉기만 한 건 아니지만."

능청스럽게 웃어 보인 그로 인해 유연이 당황한다는 걸 눈치챘는지, 밥을 밀어 넣던 퀄이 심기 불편한 표정으로 말했다.

"밥상머리 앞에서 그러는 거 아니다. 체하면 그대가 책임이라도 질 것인가?"

"당연히 책임져야지. 평생을 책임진다고 약조하였으니, 지켜야 하지 않겠어?"

"인간의 약속은 참으로 가볍구나."

"아니, 무거워서 어깨가 빠질 지경이야."

지지 않고 대거리하는 두 남자 때문에 이태와 유연은 슬그머니 일어났다. 다행히 식사는 마쳤지만, 속이 좋지 않았다. 물론, 술 때문은 아니었다.

딩동-.

때마침 울린 초인종. 유연이 그릇을 담고 현관문을 열자, 싱글벙글한 치웅이 그녀를 보며 두 눈을 부드럽게 휜다.

"아직도 기억이 안 돌아왔네?"

"네?"

"망량 놈은 모든 것에 순서가 있는 법이라고 하지만, 나는 그리 생각 안 하거든."

"저, 그게……."

누구냐고 물어야 했지만, 묻지 않아도 누군지 알 수 있었다.

"주인아, 잠이 너무 길구나. 슬퍼하는 인간들이 많다. 저놈 우는 소리도 듣기 싫고. 그러니, 우리 속도를 좀 낼까?"

치웅이 유연의 미간을 향해 손을 뻗은 때였다. 불쑥 나타난 건이 치웅의 손목을 잡는다.

"괴롭히지 마."

그 말에 치웅이 피식 웃으며 고개를 기울였다.

"네놈이 제일 많이 울지 않았더냐?"

"운다고 죽진 않아. 그리고 네 힘은 피를 봐야 하지 않은가?"

"한 방울이야."

"싫어. 안 돼."

두 사람의 말싸움을 지켜보던 유연은 치웅의 손이 검다는 걸 발견했다. 마치 얼룩이 진 것처럼 시커멓게 죽어 버린 손가락.

"손이 왜……."

유연은 저도 모르게 치웅의 손을 감싸 쥐었다. 놀란 건이 말릴 새도 없었다. 꽉 잡은 손끝에서부터 치웅의 손이 정상으로 돌아오기 시작했다. 놀란 건 치웅도 마찬가지.

평소의 하얗고 고운 손을 되찾은 치웅의 눈이 커다랗게 뜨인다. 왕족을 해하여 받은 벌이다. 태고부터 내려온 저주나 다름없는 벌이건만, 유연이 신의 권역을 무너트려 버렸다.

"주인아, 너……."

멀쩡해진 치웅의 손을 물끄러미 내려다보던 유연이 입술을 꾹 다문 채 마른침을 삼킨다.

"기억, 날 거 같아요."

두 눈을 치켜뜬 그녀의 눈동자에 기쁨의 감정이 일렁거렸다. 어깨를 움켜쥐고 있던 건의 손이 떨린다. 그는 턱 끝을 당겨 힘을 주며 그녀를 품 안에 끌어안았다.

"천천히, 지금처럼……. 아프지 말고, 천천히 하자."

책상 위에 놓인 엄청난 양의 서류를 내려놓은 김 팀장은 오랜만에 출근한 유연의 표정을 유심히 살폈다.

"양이 너무 많은가요?"

승연의 말에 유연은 대수롭지 않은 표정으로 생긋 웃었다.

"아뇨, 이 정도면 6시간 안에 끝낼 수 있어요."

"그래도 너무 오랜만에 출근하셨는데, 일이 많으면……."

"괜찮습니다, 팀장님. 이 정도는 많은 양도 아닌걸요."

서화에서 해왔던 업무량에 비하면, 예화에서 해내는 업무는 새 발의 피나 다름없었다. 새삼 얼마나 오랫동안 서화의 갑질에 시달려왔는지 실감 난다.

유연은 머릿속을 정리하듯 밀린 업무를 차근차근 해냈다. 세계 각국에서 보내온 환원 제안서에 답장을 보내고, 전시관을 방문할 국가 귀빈들 목록을 정했다. 어려운 일은 하나도 없었다. 불행인지 다행인지, 업무와 관련된 기억은 조금도 망가진 게 없었다.

오전 내내 서류와 씨름하던 유연의 휴대 전화가 울린다. 발신자를 확인할 새도 없이 전화를 받은 유연은 들려온 목소리에 굳었다.

[나야. 잘 지냈어?]

"최설아?"

[내 번호 지웠어? 치사하게?]

"너 프랑스 간다고 했던 것 같은데."

[응, 엄마랑 재익 오빠랑 같이 나갈 거야. 우리 좀 보자.]

"내가 지금 업무가 너무 많아서. 시간 내기 힘든데."

[세자빈 된다더니…… 진짜 한자리 잡았나 봐?]

"말 예쁘게 안 할 거면 끊는다?"

[아이, 진짜! 아니야, 미안해. 너 보고 줄 것도 있고. 만나자, 엄마도 같이.]

답지 않게 풀 죽은 최설아의 말투에 유연은 가만가만 입술을 문질렀다.

"알겠어. 나도 할 말 있었는데 잘됐네. 언제가 좋아?"

[오늘 저녁에 보자. 위치는 내가 보내 줘도 돼?]

"그래, 가까운 곳이었으면 좋겠는데."

[알겠어. 연락할게.]

전화를 끊은 뒤, 유연은 일부러 더욱 업무에 속도를 냈다. 이상하게 가슴이 아프게 뛰어 댄다. 답답하고 속이 좋지 않았다. 불안하다기보다는, 그저 상대를 떠올렸을 때 느껴지는 생리적 반응 같은 거였다. 어쩌면, 아침에 떠오른 기억 때문일지도.

펜을 탁 내려놓은 유연은 벌떡 일어났다. 그러자 업무를 보던 이들이 의아한 표정으로 고개를 든다. 그에 어색하게 웃어 보인 그녀는 빨개진 뺨을 누르며 사무실을 빠져나왔다.

넓고 탁 트인 복도를 보자 다행히 숨이 쉬어진다. 이참에 전시관을 한 바퀴 돌아야겠다고 생각한 그녀가 비상계단 문을 열 때였다.

"그, 그만 좀 하시라니까요! 치웅 님!"

"어허, 네가 먼저 시작해 놓고? 부끄러워 설마?"

"그건 충동적으로……!"

"사내가 입맞춤을 시작했으면 끝을 보아야 할 것 아냐? 네놈은 사내도 아니구나."

"사내가 아니라뇨. 누군 좋아서 참는 줄 아십니까?"

"그러게 참을 필요 없는데도?"

아래층에서 들려오는 소린 분명 치웅과 우혁의 대화였다. 멍하니 대화를 곱씹으며 고개를 들 때였다. 누군가 그녀의 입을 틀어막더니 품 안으로 끌어안았다. 유연은 놀라지도 않은 채 고개를 들었다. 익숙한 향기와 품의 주인은, 자신을 마음대로 끌어안을 수 있는 유일한 남자였기 때문이었다.

"저하."

들릴 듯 말 듯 입술을 움직이자, 검지로 입술을 누른 건이 싱긋 웃으며 그녀의 귓가로 고개를 숙였다.

"예화의 비상계단은 사내 연애 허가 구역이거든. 그러니까 이런 건 모른 척하는 거야, 유연아."

"사내 연애요?"

건이 갑자기 나타난 것보다 사내 연애란 말에 더욱 놀란 그녀의 눈이 화등잔만 하게 뜨였다. 그러자 어깨를 감싸 뒷걸음질 쳐 비상구를 빠져나온 건이 밀어를 속삭이듯 귓속말을 한다.

"응, 너랑 나도 사내 연애 중이었고."

하지만 치웅 언니는 사람이 아니잖아요.

유연은 충동적으로 튀어나오려는 말을 혀끝에 감았다. 이렇게 원치 않아도 봇물 터지듯 쏟아지는 기억이 떠오를 때면, 당시에 느꼈던 감정들까지 한 번에 휘몰아쳤다.

"저하."

"응?"

유연은 마음이 조급해지기 시작했다. 다정하고 상냥하며 근사한 사람. 자신을 볼 때마다 눈에서 하트와 꿀이 뚝뚝 떨어지는 남자를 왜 잊어버리게 된 걸까?

"왜 불렀어, 유연아."

생긋 웃는 얼굴이 가까워졌다. 귀 끝을 빨갛게 붉힌 그녀는 주위를 잽싸게 살피곤 그의 허리춤을 꼭 끌어안아 보았다.

"이렇게, 안아 봐도 될까 해서요. 혹시, 기억이 돌아오지 않을까 하고······."

제 허리춤에 매달리듯 안긴 유연을 내려다보는 건의 목울대가 느릿하게 움직인다. 조용한 복도엔 간간이 업무를 보는 사람들의 목소리나 키보드 두드리는 소리만이 들려올 뿐이었다.

숨만 몇 번 천천히 고른 그가 그녀의 뒷머릴 감싸려 손을 움직이려 했지만, 품에서 빠져나가는 속도가 더 빠르다.

"이제 충분합니다. 싫지 않은 걸 보니 정말로 연애한 사이 맞는 것 같아요."

이게 뭐라고 심기일전한 표정까지 짓는 건지. 건은 한숨을 내쉬며 그녀의 손을 잡았다.

"연애 아니고, 열애 정도는 돼야지."

"그 정도는 잘······."

"네가 그렇게 말하면, 나 상처받아. 그런데 어딜 가려고 계단으로 다녀."

그제야 기억이 났는지 유연이 아래층을 손끝으로 가리키며 배시시 웃는다.

"전시관에 가 보려고 했어요. 작품들 보면서 좀 걸으려고요."

"같이 갈까?"

"시간 괜찮으신 거예요?"

손목에 찬 시계를 들여다본 그가 고개를 끄덕인다. 그는 대답하는 대신 그녀의 손을 잡고 승강기로 향했다. 업무 구역에서 누군가의 손을 잡고 걷는다는 것이 영 어색했지만, 그에게는 일상처럼 보였다.

틈날 때마다 건은 과일 맛 음료를 손에 들고 있었다. 유난히 길고 잘 뻗은 손가락이 예뻐서 넋을 잃은 적이 한두 번이 아니었다. 그때는 저도 모르게 그 음료를 질투했던 적도 있었다. 그리고 이 기억은 아주 오랫동안 잊고 있던, 달콤한 추억이었다.

"이 전시관에 있는 것들, 모두 네 덕에 돌아온 놈들이야."

생각에 잠겨 있는 사이 어느덧 눈앞에 전시관 전경이 펼쳐졌다. 유연은 그를 따라 승강기에서 내렸다. 조선 전기 유물이 전시된 곳에 들어서자 묘하게 기분 좋은 묵향이 번진다. 관리가 잘 된 서고에서 맡을 법한 무거우면서도 은근한 향이었다.

"제 덕이 아니라, 저하께서 노력하신 겁니다."

"내가 누군지 기억도 못 하면서, 노력은 알아봐 주는 건가?"

그녀는 여유로운 표정의 그를 올려다보며 걸음을 내디뎠다. 마치 첫사랑을 다시 앓는 사람처럼 손을 잡은 것만으로도 떨리건만, 남자는 너무나 태연했다. 자연스러운 여유와 노련함, 그리고 몸에 밴 품위 같은 것들이 부러웠다.

"저는 저하를 잊은 게 아니에요. 6개월간의 저하만 기억하지 못하는 거지, 고1 때 처음 보고 반······."

말을 이어 나가던 그녀는 화들짝 놀라며 입을 꾹 다물었다.

무슨 말을 하려고 한 거지? 설마 첫눈에 반했다고 말하려고 했나?

유연은 당혹스러움에 그의 손을 놓아 버리곤 양손으로 입을 가렸다. 고개를 틀자 그의 미간이 꿈틀대며 좁혀지는 게 보인다. 말을 중간에 끊어 버린 게 마음에 들지 않는 표정이었다.

"지금 너 뭐라고······."

"아뇨, 그게······ 학교 다닐 때 기억은 나요. 처음 뵌 게 단상에서라고······."

깊이를 모르는 늪에 빠진 것처럼 부끄러움에 숨이 찼다.

"그 말이 아니었던 것 같은데."

"아니에요, 정말입니다. 입학식 날 보고 너무 근사하다고 생각했어요. 제가 말씀드린 적 없나요······?"

그는 대답하지 않았지만, 표정으로 알 수 있었다.

처음 듣는 거다, 이 남자.

"결혼할 사이였다고 하셔서 다 아시는 줄······."

"뭘."

"제 첫사랑이 누군지요."

불시에 공격당한 사람처럼 건의 표정이 멍해졌다. 난처한 얼굴로 눈치를 살피던 그녀는 꾸벅 인사하며 서둘러 돌아섰다. 전시관 구경은 혼자 하겠다며 앞서 나가는 그녀의 팔이 잡힌다.

"우리, 오늘 데이트할까?"

그의 목소리에 묻어난 조급함. 유연은 입술을 달싹이다 떨리는 손가락을 꽉 말아 쥐었다.

"죄송해요. 약속이 있어서요. 저녁에 친구를 만나기로 했어요."

"친구?"

"네, 받을 게 있어서."

그의 눈썹 끝이 비스듬히 치솟는다. 건은 알아듣지 못할 말을 중얼거렸다. '우연은 겹치는 법이니까.'라고 했던 것 같았다.

"병원도 들르고?"

"당연하죠. 다음 주면 퇴원해도 된대요. 요즘 엄마 밀린 뉴스 보면서 열심히 공부 중이시거든요. 퇴원하면 아빠 있는 곳부터 가 보기로 했습니다."

"흐음, 그래. 나도 같이 가."

"그래 주실 겁니까?"

"당연하지. 그런데 유연아."

건이 한가로운 전시관을 담담히 둘러보다가 어느 한 곳을 응시하며 말했다.

"여전히 저것들은 안 보이는 거겠지?"

그는 김궐이 남긴 멸첩을 전시한 유리관을 가리켰다. 누가 검은 호랑이 아닐라 봐, 본인의 일기장에서도 검은 연기가 스르륵 흘러내린다.

"무슨 말씀인지 모르겠지만……. 아무것도요."

흘끔흘끔 눈치를 살피는 그녀의 다갈색 눈동자가 흔들린다. 조유연은 본인이 거짓말에 능숙하다고 생각하지만, 틀렸다. 건은 숨기는 게 생길 때마다 눈꼬리를 떠는 그녀를 알고 있었다.

"그래? 네가 어디까지 기억났는지 알 것도 같은데……. 그래, 너무 늦게 다니지 말고. 친구와 좋은 시간 보내."

싱긋 미소 지은 그는 다시 유연의 손을 불쑥 맞잡았다. 그에게 이끌리듯 걸음을 내딛던 그녀가 반대편 손으로 그의 소매를 잡더니 발긋해진 얼굴을 들었다.

"친구를 만난 다음에, 조금 늦게……. 시간 괜찮으시면, 데이트. 하고 싶어요."

미칠 것만 같았다. 제가 무슨 말만 하면 얼굴을 빨갛게 붉히곤 더듬는 표정하며, 뭔가 생각날 때마다 흠칫흠칫 놀라 눈시울이 젖어 드는 모습이 사랑스러워서.

"하…… 돌겠네."

첫사랑? 정말 첫사랑이라고? 건의 혼잣말에 숙취에 좋은 차를 내려놓은 장은호가 수더분한 얼굴로 웃는다.

"상온께서 드시랍니다. 숙취에 좋은 온주라고 합니다. 따뜻하게 끓여서 술기운을 날렸으니, 차처럼 드시라고요."

잔을 받아 든 건은 아침부터 바쁜 우혁을 떠올리며 고개를 끄덕였다.

"이우혁은 오늘 연차인가?"

"잠시 외근을 나가셨습니다."

"치웅과?"

"예. ……예?"

대수롭지 않게 대답하려던 장은호의 낯빛이 파래진다. 마치 모략을 들킨 것처럼 어쩔 줄을 몰라 했다.

"이미 알고 있으니 숨길 필요 없어. 그런데 유연이 오후에 친구를 만난다고 하던데. 경호원들은?"

"오후엔 제가 합류합니다. 걱정 마십시오."

"위치는?"

"한남동 H 호텔의 한식 레스토랑입니다. 미슐랭 3성으로 유명합니다."

한 끼에 50만 원에 가까운 식사를 친구와 한다?

건은 웃음을 참지 못했다. 시의적절하며, 너무나 뻔한 타이밍. 이 시기에 유연을 만나기 위해 좋은 식당을 예약할 사람은 몇 없었다. 강미란과 최설아. 그리고 최준일 정도겠지. 어떻게든 손에 쥔 걸 잃지 않기 위해 그녀에게 용서를 구할 것이다.

평소의 유연이었다면 걱정하지 않았을 일이었지만, 기억을 잃은 지금은 사정이 달랐다. 게다가 유연의 상태를 모르는 정부에서는 차일피일 미루는 세자의 혼례를 걱정하고 있었다. 대선과 맞물린 시기에 혼례를 올린다면 집중도가 흩어질 수도 있었고, 정치적으로 이용될 가능성 또한 배제할 수 없었기 때문이었다. 하지만 기억이 없는 그녀에게 억지로 혼례를 강요할 수는 없는 일.

'아까는 뭐라고 하려 한 거지.'

'반'으로 끝날 단어가 무엇인지 고민하느라 지끈한 두통이 찾아올 지경이었다. 찻잔 표면을 어루만지며 예화의 창 너머를 응시하던 그가 산뜻한 표정으로 찻물을 삼킨다.

"장은호, 우리도 회식할까? 한 끼에 최소 30짜리로."

약속 장소를 받은 유연은 서화제약 근무 시절 고급 접대 장소로 종종 애용했던 식당임을 떠올리며 인상을 찌푸렸다. 하지만 만나야 한다.

유연의 목적은 하나였다. 최설아나 송재익, 최준일이 하는 말엔 관심조차 없다. 단지, 강미란이 했던 말을 기억해 냈을 뿐이었다. 아빠를 죽인 범인과 그 증거. 최우식은 벌을 받고 있지만, 결정적인 한 방이 없는 증거들 때문에 선고가 쉽지 않은 상황이었다.

최우식만 벌을 받으면 끝나는 일일까? 아니다. 분명, 이번 일이 트리거가 되어 지금껏 묵혀 있던 범죄들이 수면 위로 드러날 것이었다. 절대 그 죄를 좌시하지 않을 것이다.

유연은 이전과 달라진 마음을 들여다보며 신기한 느낌을 받았다. 예화를 나서자 기다리고 있던 장은호가 유연을 반겼다.

"제가 모시겠습니다."

"고맙습니다."

최설아와 약속한 시각은 오후 6시 30분. 그녀는 머릿속으로 해야 할 말과 듣고 싶은 말들을 끊임없이 정리했다. 강박적으로 손톱 끝을 만지작거리며 빠르게 스쳐 지나가는 창밖 풍경을 응시했다. 하지만 만약, 대가를 원한다면 어쩌지? 그들은 대가로 무엇을 요구할까? 막상 약속한 시각에 가까워지자 초조한 마음에 입이 말라 간다.

"저기, 은호 씨."

유연은 조심스럽게 은호를 불렀다. 그러자 신호에 멈춰 선 그가 돌아보며 대답한다.

"예, 말씀하세요."

"혹시, 오늘 동행하시나요?"

"예. 제가 동행할 겁니다. 무슨 일이라도……."

"아뇨, 그게 아니라 같이 있어 달라고 부탁드리려 했어요. 혹시라도 제가 일을 그르칠까 봐요."

"무슨 일인지 여쭤봐도 될까요?"

"글쎄요, 정의의 사도 놀이는 아니고……. 개인적인 궁금증을 해소하려 하는데, 막상 조금 무서워서요."

무섭단 말에 이맛살을 찌푸린 은호가 가속 페달을 밟으며 자신만만하게 말했다.

"걱정 마십시오. 조유연 씨에게는 손가락 하나 까딱하는 놈 없게 할 테니. 그리고 조유연 씨는 강하잖습니까. 트럭 사고만 아니었어도 이런 일 없으셨을 거예요. 제가 지키지 못한 탓입니다. 그러니 이번엔 무슨 일이 있어도, 제가 지킵니다."

"뭘 그렇게까지. 그런데 제가 트럭 사고가 나서 기절한 거였어요?"

낯부끄러운 마음에 화제를 돌렸다. 그러자 룸미러로 유연을 흘깃 본 은호가 고개를 젓는다.

"아뇨, 트럭 사고는 괜찮으셨습니다. 제가 듣기로 갑작스럽게 힘을 너무 많이 쓰신 것 같다고요. 게다가 사고로 상처도 입으셨고, 이런 말 드려도 될지 모르겠지만 망량주를 드셨습니다."

시선을 내리깐 그녀의 눈동자가 흔들렸다. 망량주, 켄이치 이마무라, 화매, 영루, 염라. 필름을 억지로 감는 것처럼 드문드문 끊어진 기억이 어그러지고 짓이겨진다. 고개 숙인 그녀의 코끝을 타고 땀 한 방울이 툭 떨어졌다.

"도착했습니다."

은호의 말에 유연은 멍하니 고개를 들었다. 단아한 호텔 로비엔 드나드는 사람들이 가득했다. 유연은 익숙한 풍경에 안도하며 숨을 내쉬었다.

왕실 호위 차량의 등장에 시선이 모여든다. 장은호의 에스코트를 받으며 차에서 내린 유연은 건물에 들어서자마자 기묘한 느낌을 받았다.

'이매……?'

대체 어디에? 이 안에 무언가 있다. 그림 속에 숨어 아슬아슬하게 힘을 죽인 무언가가.

살을 에는 감각에 식은땀을 흘리며 장은호와 함께 메인 승강기에 오른 유연은 불이 들어온 꼭대기 층 버튼을 노려보았다.

저기다.

"은호 씨, 혹시 세자 저하 퇴근하셨을까요?"

은호는 세자를 찾는 유연의 질문에 머쓱한 웃음으로 대답했다.

"아뇨, 아직 퇴근 전이시지만 곧 하실 겁니다."

"그럼, 제가 보고 싶다고 말씀드리면 여기로 오실까요?"

"만사 제쳐 두시고 오지 않으시겠습니까?"

든든한 느낌이 드는 건 착각이 아니겠지. 어쩌면 기억을 잃기 전까지 장은호라는 남자를 꽤 의지했을지도 모른다.

유연은 차에서 떠오른 장면들을 잊어버리지 않으려 노력했다.

"그럼, 한 시간 뒤에 저 좀 데리러 오라고 말씀해 주시겠어요?"

"그전에 도착하실 겁니다."

장은호가 입가를 문지르며 웃음을 참는다. 뭔가 숨기는 게 있는 모습이었다. 어느덧 멈춰 선 승강기의 문이 열리고, 높은 천장과 탁 트인 서울 풍경이 인상적인 장소가 나왔다. 언제나처럼 고객 응대를 위해 대기 중인 직원들이 유연을 알아보곤 반가운 표정을 짓는다.

"오랜만에 뵙습니다, 고객님."

"네, 오랜만이에요. 약속되어 있습니다."

"기다리고 계십니다. 직접 안내하겠습니다."

직원들은 능숙하게 유연을 향한 궁금증을 숨겼다.

그녀는 장은호와 함께 직원을 따라 안으로 걸어 들어갔다. 걸음을 옮길 때마다 무언가 제게 말을 거는 것처럼 이명이 울린다. 까르르 웃는 아이의 웃음소리 같기도, 여자들의 속살거리는 귓속말 같기도 했다. 어째서 이 느낌마저도 낯설지 않은 걸까? 하지만 그녀는 두리번거리지 않고 앞만 보며 담담히 걸었다. 그러자 멈춰 선 직원이 개인실 문고리를 잡곤 생긋 눈짓한다.

"일행분 도착하셨습니다."

무표정했던 유연의 얼굴에 그려진 듯한 미소가 번졌다. 서화에서 배운 몇 안 되는 쓸모 있는 방법 중 하나였다.

입꼬리를 보기 좋게 말아 올리고 양손을 자연스럽게 떨어트린 그녀는 천천히 열리는 문 너머 앉아 있는 네 명을 발견했다. 강미란과 최설아, 최준일. 그리고 서연아가 다소 긴장한 표정으로 엉거주춤 일어난다. 하지만 완전히 몸을 일으킨 사람은 강미란 혼자였다. 자식들을 둘러본 미란이 창백하게 질린 얼굴로 생긋 웃으며 유연을 맞는다.

"어서 와, 유연아. 아니…… 조유연 씨."

미란은 뒤따라 들어온 장은호를 의식했는지, 곧장 말투를 바꾸었다. 유연은 인사하는 대신 자신과 눈 맞추지 못하는 세 명을 둘러보며 자리에 앉았다. 유연을 끔찍하게 챙기는 장은호가 핸드백을 받아 팔에 걸곤 양손을 앞으로 모은 채 뒤를 지킨다.

"경호원도 있네? 세자 저하 경호 아니야?"

어색한 분위기에서 최설아가 먼저 말문을 열었다. 흘끔거리며 장은호를 보는 눈빛에 유연이 짧게 경고했다.

"사람을 그런 눈으로 흘끔대는 거 실례 아닌가. 그런 기본도 모르나?"

"하, 내가 언제? 흘끔댄 적 없거든?"

변한 게 없다. 사람은 쉽게 변하지 않는다던 민주의 말이 생각났다. 유연은 자신은 안중에도 없이 휴대 전화만 들여다보는 준일을 빤히 바라보다가, 유난히 수척해진 서연아에게로 시선을 옮겼다. 가만히 응시하던 서연아가 억지로 입매를 끌어올린다. 낯선 적의였지만, 어쩐지 당연하게 느껴졌다.

음식이 차례로 들어왔지만, 손대고 싶은 마음은 없었다. 유연은 제일 안절부절못하는 미란을 빤히 보며 물었다.

"그래서, 왜 보자고 하셨습니까?"

"어?"

"제가 컨디션이 좋지 않아요. 그래서 용건은 간단히 해 주셨으면 좋겠습니다."

"아, 응……. 그러니까, 이거."

갖은 음식 사이에 미란이 내민 USB가 놓였다. 유연은 은호에게 고개를 까딱여 보였다. 그러자 장은호가 정중한 자세로 USB를 집어 든다.

"뭔지 안 물어보니?"

"압니다. 증거 아닌가요? 사고를 일으켰던 트럭 기사의 증언과 치료 포기를 강요한 최우식과 김 원장의 대화 같은 거."

정확한 지적에 미란은 앞에 놓인 물을 벌컥벌컥 들이켰다. 그러곤 자존심이 상하는지 유연과 눈도 맞추지 않는 자식들을 둘러보며 이를 갈았다.

"미안하다. 남편이 자식 교육을 잘못했어. 설아는 내가 파리로 데려갈 거야. 가서 재활하고 피아노도 다시 시작해야지. 이번엔 제 아빠 인맥 없이 제힘으로 하게 할 거야. 애가 좀 삐딱하긴 해도, 연주를 좋아하는 건 진심이니까."

"네."

유연은 은호가 챙긴 USB에 온 신경을 빼앗겼지만, 티 내지 않으려 노력했다. 그러곤 레몬 향이 나는 따뜻한 물수건으로 천천히 손을 감쌌다.

"유연아."

불현듯 이름을 부르는 소리에 고개를 들자, 간절한 표정의 미란이 벌떡 일어난다.

"내가 잘못했어. 내가 미안하다. 내가 너무 무심했어……. 내가 먼저 나서서 널 챙겼어야 했는데."

"아주머니가 왜요? 저는 감사하고 있습니다. 적어도 입혀 주고 키워 주고, 가르쳐 주신 은혜 정도는 압니다."

"그럼 부탁 하나만 할게. 우리, 우리는 좀 살려다오. 서화의료원에서 단독으로 행한 범죄로 결론지어 줘. 서화제약은 잘못이 없잖니. 응? 준일이가 널 얼마나 아꼈니……. 설아도 성격은 별로지만, 널 친언니처럼 생각했대. 미안하다. 응?"

"최우식 씨가 제 아버지의 치료를 중단시키신 거 아무도 몰랐나요?"

"나만 알고 있었어. 애들이 뭘 알겠니. 네가 어렸던 것처럼, 우리 애들도 어렸⋯⋯."

"최설아."

유연은 나지막한 음성으로 설아를 불렀다. 그러자 떨리는 손으로 와인 잔을 들던 설아가 고개를 치켜든다.

"왜?"

"내 기억이 잘못되었다고는 생각 안 하는데⋯⋯. 너, 내 병실에 찾아왔었지. 찾아와서, 미안하다고 울었잖아. 아빠를 죽였다고⋯⋯. 미안하다고. 나는 그때의 너를 기억하는데, 너는 잊었나 봐?"

순간 설아의 입술이 천천히 벌어졌다. 그 큰 눈에 순식간에 그렁그렁한 눈물이 차올랐다.

그날을 기억하게 된 계기는 망량주였다. 장은호에게 망량주를 마셨단 소리를 듣고, 늪 아래에 감춰져 있던 기억들이 부지불식간에 수면 위로 떠올랐다.

"너, 너 그걸⋯⋯."

사실이었나? 그럼, 그 기억이 모두 진짜라는 이야기다. 숨이 꽉 막혀 오는 기분이었다. 유연은 마른 입술을 축이며 수건을 꽉 움켜쥐었다.

"이제 기억나? 옛날엔 그래도 미안한 걸 알더니, 이제는 아닌가 봐. 그리고 최준일. 오빠도 마찬가지예요. 내 첫사랑⋯⋯. 오빠 아니잖아. 할 거짓말이 없어서, 우리가 원래 그렇고 그런 사이였단 거짓말을 했어요?"

유연이 일어서자, 올려다보는 준일의 눈이 흔들렸다.

"생각보다 막장이네요?"

헛웃음을 흘린 서연아는 할 말이 많은 표정이었다. 유연은 서연아가 제게 했던 거짓말, 혹은 같잖은 사실 따위를 하나둘 곱씹었다.

"서연아 씨도, 똑같은 사람 아닌가요? 팔아먹을 게 없어서, 21세기에 왕실을 팔아먹으려 하셨죠."

"유연아."

준일이 답지 않게 떨리는 목소리로 그녀를 불렀다. 유연은 의자에 엉덩이를 붙인 네 명을 천천히 훑으며 물수건을 내려놓았다. 그러곤 와인 병을 집어 들어 빈 잔을 가득 채웠다. 찰랑거리는 와인을 품위 없이 꿀꺽꿀꺽 삼키는 그녀에게 멍한 시선이 들러붙는다.

거칠게 잔을 내려놓는 그녀를 향한 눈빛엔 공포감이 가득했다. 무얼 두려워하는지 안다. 가진 걸 잃을까 걱정하는 거겠지. 저들보다 아래라고 생각했던 제가, 손에 쥔 것들을 빼앗아 갈까 봐 겁에 질린 얼굴이었다.

유연은 술이 묻은 입술을 손등으로 훔치며 말했다.

"당신 같은 사람들을 방관자라고 합니다. 물론, 아무 의심 없이 호구 짓을 한 내가 제일 멍청한 거겠지만. 당신들은 범죄자와 다를 바 없어요. 서화제약을 물고 늘어질지 말지는, 하는 거 봐서. 그때 결정하죠. 잘, 먹고 갑니다."

까딱 고개 숙인 그녀가 돌아섰다. 벌떡 일어난 서연아가 알아듣기 힘든 욕설을 내뱉었지만, 유연은 돌아보지 않았다.

마음이 급하다. 지금은 살갗을 긁는 기운이 어디에서부터 시작된 건지 찾아야 했다. 개인실을 나선 유연은 뒤따르려는 직원에게 눈인사한 뒤, 장은호와 함께 걸음을 내디뎠다. 좁고 긴 통로, 양옆으로 자리 잡은 개인실을 지나자 통창이 매력적인 홀 풍경이 펼쳐졌다.

"고객님, 안내가 필요하신가요?"

"아뇨, 그림을 좀 보고 싶어서요."

유연이 중앙 기둥에 걸린 그림을 발견하곤 걸음을 내디딜 때였다.

"오늘 왕실에서 홀 전체를 급히 대관하신 관계로, 출입을 통제하고 있습니다. 그러니……."

유연을 붙들었던 직원의 얼굴이 하얗게 질린다. 뒤늦게 유연을 알아본 탓이었고, 그녀의 뒤로 나타난 누군가 때문이었다.

"내 일행입니다. 괜찮아요."

"몰라봐서 죄송합니다."

직원은 당황한 표정으로 허리를 깊게 숙였다. 유연은 천천히 돌아섰다. 어깨를 감싼 사람은 건이었다. 그것도 RSA의 직원들과 함께 식당 안으로 들어서는 모습에 그녀의 목울대로 마른침이 삼켜졌다.

"저하?"

"응. 친구와 만난다더니. 우리 여기서 만나네?"

심장 박동이 머릿속에서 뛰어 대는 기분이다. 유연은 기둥에 붙은 그림을 흘긋대며 애써 웃었다.

"친구와 약속한 곳이 여기라……."

그때, 유연을 찾으러 나온 강미란이 홀 안으로 뛰어 들어왔다. 건은 달뜬 숨을 몰아쉬는 강미란을 발견하곤 이어 기둥에 붙은 그림으로 시선을 옮겼다. 그의 눈동자 색이 변하기 시작한다.

"친구가 강미란 이사였나?"

건은 부러 유연의 허리춤을 꽉 감싸 안았다. 그러자 사태 해결을 위해 머릴 굴리는 표정이 그녀의 얼굴에 선명히 떠올랐다.

"저……."

그의 품에서 빠져나가려는 듯 그녀가 몸을 뺐다. 하지만 건은 그녀를 유리 벽 방향으로 몰았다. 차가운 벽을 짚은 그의 뒤로 잠신했던 이매가 환동하기 시작한다.

"왕실 모독."

"아닙니다, 그런 거."

그녀는 끔찍한 소릴 들은 사람처럼 고개를 저었다. 피식 코웃음 친 건은 그녀의 말간 눈동자를 지그시 내려다보며, 부러 목소릴 내리깔았다.

"아니, 내게 거짓을 고하는 건 엄연히 왕실 모독이야."

"거짓이 아닙니다! 설마, 저를 협박하시는 겁니까?"

협박? 실소한 그는 두 눈을 가늘게 접으며 그녀의 뺨을 어루만졌다.

"협박? 우리 사기꾼께서 내게 할 말은 아닐 텐데."

그의 가슴팍을 밀어내는 그녀의 손이 부들부들 떨린다. 색이 연한 눈동자엔 수치스러움과 치욕이 들러붙어 있는 듯도 했다.

건은 당혹스러워하는 그 모습조차도 사랑스러워 견디기 힘들었다. 어디까지 기억났는지, 어디까지 기억하고 있는지. 이제 정확하게 알 것 같다.

"유연. 설마, 이름도 가짜는 아니겠지?"

"거짓말하지 않았습니다, 저는."

"내가 준 술은 한 모금도 입에 대지 않더니……. 오늘은 제대로 취했는데?"

"아뇨. 하나도 안 취했……."

"취했어."

건은 보란 듯 그녀의 입술을 삼켜버렸다. 푹신하면서도 부드럽게 뭉개지는 감촉에 이어 매끄러운 숨이 파고든다. 갑작스러운 키스에 놀랐는지 그녀의 속눈썹이 떨렸다. 건은 알싸한 와인 향을 맡으며 뒷걸음질 치는 강미란을 노려보았다.

쾅!

순간, 무언가 두 사람이 들어선 벽을 들이받았다. 흡사 덤프트럭이 덤빈 것 같은 소리에 놀란 유연이 비명을 질렀다.

천장 조명이 흔들리고, 집기 쓰러지는 소리가 요란하게 울렸다. 그러자 그녀의 입을 막은 그가 진동이 울리는 문 너머를 서슬 퍼렇게 노려보며 속삭인다.

"저게 바로 이매(魑魅)의 목소리야. 너도 들리지?"

놀란 표정의 유연이 고개를 젓는다. 와중에도 거짓말을 하는 이 여자의 입술은 왜 이렇게 예쁜 걸까. 다 알고 있다는 건 아직 기억해 내지 못한 걸까?

"거짓말이 수준급인 걸 보니, 궁금해."

"저하."

"지금까지 무엇을 보고, 들었는지. 그리고 숨겼는지."

건은 부러 못되게 말하며 그녀의 입술을 엄지로 덧그렸다. 환동한 이매의 기운이 거세질수록 눈동자 색이 짙어진다.

"왕실 역사상 처음이야. 사기 결혼이라니. 대화는 잠시 후에 다시 하지."

건은 그녀의 이마에 입 맞추곤 소리의 방향으로 돌아섰다. 그러자 귀를 막은 그녀가 벽에 기댄 채로 천천히 주저앉는다.

'치웅, 청송. 유연을 부축해. 그리고 김궐. 튀어나와.'

그의 말이 끝나기 무섭게 시공간이 열렸다. 건은 기둥에서 기어 나온 머리 두 개 달린 도마뱀을 올려다보며 사인검을 소환했다. 귀멸자의 힘을 알아본 이매의 눈이 창황하게 흔들린다.

"타이밍 좋게 환동해 준 게 고마워서, 단번에 끝내지."

나직하게 읊조린 그가 고개를 기울임과 동시에, 거대한 흑범이 튀어나와 단번에 이매의 목을 물어뜯었다. 건물이 흔들리고, 벽에 걸린 그림이 바닥으로 떨어진다.

─크아악!

궐은 한입에 이매의 목을 물어뜯었다. 한 번의 반항조차 하지 못한 채 소멸해 버린 이매의 몸체에서 노란 연기가 피어오른다.

건은 바닥으로 떨어진 이매의 아가리에 검을 꽂아 넣었다. 그러자 사뿐하게 내려앉은 궐이 입에 문 영루를 툭 떨어트리곤, 유연을 바라보며 커다란 눈을 부릅떴다.

─귀멸자야…… 주인의 기억이 돌아온 것 같구나.

영루를 집어 들어 돌아선 건의 시야에 바닥에 주저앉아 치웅을 끌어안은 유연의 모습이 보였다.

눈물을 펑펑 흘리며 치웅의 가슴팍에 안겨 있던 그녀가 천천히 옆으로 쓰러진다.

더 캐슬

VOL. 3

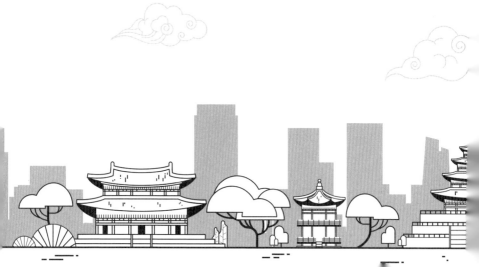

CHAPTER 20

나의 주인, 나의 신부

20

나의 주인, 나의 신부

건은 안절부절못하며 침전과 마당을 번갈아 드나들었다. 누워 있
는 유연을 보면 가슴이 답답하고, 막상 밖으로 나가면 금방이라도
그녀가 깰 것 같아서 조급증이 밀려든다.

쓰러진 그녀를 경복궁으로 옮기는 걸 본 망량은 수호부들과 건을
한 자리에 앉혀 놓고 호된 호통을 쏟아냈다.

*'네놈들이 욕심을 부려서 주인이 힘들어하는 것이다! 성질들은 급
해서, 고 며칠을 못 견디고 사고를 치느냐 말이야!'*

그 이매는 제가 불러낸 게 아니라며 이태는 억울해했고, 김궐은
딴청을 부렸다.

'이럴 줄 알았으면, 그리 몰아붙이지도 않았지.'

물론, 이번 일은 우연에 우연이 겹친 것뿐이었다. 타이밍이 너무
나 기막혔다는 것이 오해할 만도 했지만, 건과 궐은 떳떳했다. 하지
만 그녀가 바로 정신을 잃을 거라고는 상상하지 못했다. 다행인 건,
환동하기 전에 쳐 놓은 결계 덕분에 식당이 망가지는 일은 없었다

는 것.

건은 미처 녹지 못한 얼음으로 가득한 마당으로 내려섰다. 버석한 바람이 분다. 건은 고즈넉한 궐을 둘러보았다. 청송의 문을 사용한 덕분에 소란 없이 궁에 도착할 수 있었다. 그래서 지금 경복궁의 궁인들은 조유연의 상태를 알지 못했다. 만약 쓰러졌다는 사실이 알려진다면 서 상궁을 비롯해 궁인들이 침전 앞을 지키며 서 있겠지.

눈을 뜬 그녀는 그들에게 미안해서 어쩔 줄을 몰라 할 것이다. 이런 대접은 그녀가 바랐던 일이 아니었다. 권력을 마땅히 누려도 될 자리에서, 유연은 지나치게 고개를 낮춘다.

"망량의 말도 맞지만, 기다리는 것만이 능사는 아니라고 생각한다."

건의 뒤로 불쑥 나타난 궐이 주머니에 손을 꽂아 넣은 채 말했다. 그에 건이 멀리 보이는 빌딩 전광판을 올려다보며 코웃음 쳤다.

"네놈이나 나나, 기다리는 것에 이골이 났으니 이런 사달이 벌어졌지."

"그러니 주인도 이해해 줄 것이다, 네 마음을."

"네 마음은."

"나는 당연히 말하지 않아도 알지."

자신만만하게 입꼬릴 올리는 모습에 건은 헛웃음을 흘렸다. 어제까지만 해도 눈 마주치는 것만으로 펑펑 울던 놈이었다. 그런데 유연이 기억을 되찾기 위해 잠들었단 소식에 이토록 분위기가 바뀌다니.

만약 김궐이 인간 사내였다면 절대로 두고 보지 않았을 것이다. 감히 유연을 마음이 담았다는 사실만으로도 김궐은 궁에 발붙이지 못했을지도 모른다. 다행히 김궐은 유연을 여인이 아니라, 진정한 주인으로 모시는 중이었다. 어쩌면 친누이처럼, 동생처럼, 남매처럼. 피를 나눈 가족처럼.

"그래서, 유연이 언제쯤 깨어날까."

"오래 걸리진 않을 것이다. 망량 영감이 손을 써 두었으니까."

"이쯤에서, 궁금한 게 있는데."

건의 입술 새로 하얀 입김이 흘러나온다. 그건 코끝이 빨간 궐에게서도 마찬가지였다. 두 남자는 같은 방향을 바라보고 섰다.

"무엇이 궁금하냐."

"치웅의 말대로 이 땅에 이매의 씨가 마르게 되면, 너희는 어떻게 되는 거지?"

"무슨 뜻이지?"

"잠든다는 의미가 어떤 것인지 궁금하다는 거야."

건은 그간 종종 고민에 빠졌다. 이매를 모두 봉인하고 나면, 망량은 깊은 잠에 빠져들 것이라고 하였다. 하지만 그 말의 의미를 정확하게 파악하는 건 불가능했다. 잠드는 것이 소멸을 의미하진 않겠지만, 잠깐 사이에 정이라도 든 건지 녀석들이 없는 경복궁은 잘 상상되지 않았다.

"네가 창덕궁을 내어준다면, 그곳에 터를 잡을 것이다."

"창덕궁?"

"왜, 왕씩이나 되는 주제에 궁 하나 내어 주는 것이 아까운가."

"내어 주기 쉽지. 단, 거기서 무슨 짓을 하려고."

"글쎄……. 일단 번식 행위를 통하여 너와 주인 사이에 왕세손이 탄생한다면, 내 기쁜 마음으로 녀석의 선생이 되어 줄 생각이다."

뭐?

건은 웃음이 터지려는 걸 꾹 참으며 입가를 문질렀다. 벌써부터 세손의 교육부터 걱정하는 태도가 김귈다웠다.

"내 아이 앞에선 함부로 변신 같은 거 하지 마. 애 놀라."

"세손은 범을 두려워하지 않는다."

"세손이 될지 공주가 될지 어떻게 안다고."

"아, 공주도 마찬가지다. 주인도 금방 적응하였다. 이건, 운명이야."

"운명 좋아하네. 그냥 조유연이 좀 특이한 거라고 생각 안 해?"

"주인을 욕하는 것이냐? 허, 그리 안 봤건만. 귀멸자야, 넌 혼례를 치르기 전에 그 나쁜 성격부터 어찌해야겠구나."

"닥쳐."

덕분에 심각했던 분위기가 한층 환기되고, 이우혁과 장은호가 차례로 동궁전을 찾았다. 하지만 그때까지도 유연은 깨어나지 않았다.

이제 곧 자정이다. 건은 김귈과 함께 마루에 앉아 하늘을 올려다보았다. 두 눈을 가늘게 뜬 김귈이 작자를 알 수 없는 시조를 읊는다. 가져다 붙이면 모든 게 다 말이 되는 것이 시조라며 김귈은 어울리지 않게 순수한 표정으로 웃었다.

뜨거운 커피잔을 내려놓을 때였다. 두 남자는 동시에 궁궐 안의 기운이 바뀌었다는 것을 느꼈다. 무언가 동시다발적으로 바닥에 주저앉는 것처럼, 땅이 아래로 내려앉는 기분이었다.

고개를 든 건은 천천히 유연이 잠든 침전 방향을 돌아보았다. 여전히 고요한 사위. 벌떡 일어난 귈이 건에게 손을 내민다. 건은 그 손을 잡고 일어났다.

"내가 먼저."

"오늘만 양보하지. 창덕궁을 내어 주었는데, 고작 5분도 못 참을까."

대수롭지 않다는 듯 말하는 김귈의 눈이 빨갛다. 기쁨을 감추지 못하는 모습에 건도 모든 것이 끝났음을 예감했다.

저벅저벅, 규칙적인 발걸음 소리가 울린다. 침전 문 앞에 선 건은 얼어버린 손을 몇 번 쥐락펴락한 뒤 울렁거리는 가슴을 꾹 눌렀다. 그러곤 심호흡을 하며 문고리를 당겼다.

은은한 간접 등이 켜진 내부, 커다란 침대 위에 앉은 그녀가 휴대 전화를 들여다보다 말고 고개를 든다. 부드러운 머리카락을 쓸어 넘긴 그녀가 피식 웃으며 무릎에 턱을 괸다. 그러더니 멍하니 서 있는 건을 불렀다.

"거기 계속 서 계실 거예요?"

태연자약한 미소에 건의 가슴이 콱 죄어들었다.

"조유연, 내가 누군지 알아?"

"당연하죠. 조금 얼떨떨하긴 한데…… 저 이제 다 기억나요."

헛웃음을 시작으로 건은 양손으로 눈두덩을 누른 채 소리 내 웃었다. 다리에 힘이 풀린다. 그녀가 무사해서 다행이라는 안도감과 이토록 별거 아닌 일이었다는 허탈감, 모든 것이 제자리로 돌아왔다는 안온함에 가슴을 쓸어내렸다.

침대 아래로 내려온 그녀가 문 앞에 선 그에게로 쪼르르 다가와 눈을 가린 손목을 움켜쥐었다. 건은 축축해진 눈을 숨기며 고개를 저었다.

"하지 마."

"에이, 울어요? 설마."

"하지 말라고 했어. 그만해. 놀리지도 마. 사람을 진창에 빠트려 놓고, 웃음이 나와?"

억울한 마음에 대뜸 쏘아붙이며 손을 떼자, 다갈색 눈동자에 눈물이 그렁그렁 차오른 게 보였다.

"내가 어떻게 이건을 잊었을까? 말도 안 돼. 내 첫사랑인데…….
정말 좋아했는데. 말 걸고 싶었는데. 이렇게 예쁜 남자를 왜, 잊어버
렸을까. 바보같이."

입술을 삐죽 내밀며 되레 울 것 같은 그녀의 모습에 건은 결국 두
손 두 발을 들어 버렸다.

"너 때문에, 내 명이 줄어."

순식간에 그녀의 뒷덜미로 커다란 손이 파고든다. 그대로 짓이겨
지듯 입술이 맞붙었다. 그녀의 몸이 기울어지고, 아랫입술이 아프게
깨물렸다. 다른 무엇도 생각할 수 없게 하는 달콤하면서도 집요한
키스였다. 숨이 가빠진 그녀가 몇 번이고 고개를 젖혔지만, 그는 멈
추지 않았다.

뒷걸음질 친 그녀의 무릎 뒤에 매트 모서리가 닿는다. 그대로 침
대 위로 밀려난 그녀의 몸 위로 그가 올라탔다. 말랑함이 파고들어
올 때마다 뇌까지 간지러워지는 기분이었다.

이 다정한 입맞춤을 어떻게 잊고 있었을까. 생각하면 할수록 기억
을 잃었던 것 자체가 이해되지 않았다. 하긴, 이성적인 납득이 불가
능한 일들이 벌어지는 곳이었다. 그녀의 삶을 뒤흔들어 버린 존재들
로 가득한 곳.

유연은 집요하게 밀어붙이는 그의 목덜미에 팔을 둘렀다. 보드라
운 살결을 어루만지며 올라온 그가 자그마한 얼굴을 움켜쥔 채로 입
술을 뗀다. 엉망이 된 표정으로 그녀를 내려다보던 건의 눈에서 커
다란 눈물이 툭 떨어졌다.

"이제, 제발 날 잊지 마."

놀려 주고 싶었다. 왜 우냐고, 결국 제자리로 돌아올 텐데 뭐가 그렇게 슬프고 조급했냐고. 하지만 한마디도 건네지 못한 채, 상체를 들어 다시 또 그의 입술을 삼켰다.

그때였다. 벌컥 문 열리는 소리와 함께 낭랑한 청송의 목소리가 침전을 쩌렁쩌렁 울린다.

"누이!"

"그 입 떼지 못할까!"

"쯧, 청춘이 부럽구나."

화들짝 놀라 몸을 일으킨 그녀는 달려오는 청송을 품 안으로 꼭 끌어안았다. 눈물 콧물 범벅이 된 청송이 유연을 올려다보며 엉엉 운다. 이어 건의 멱살을 잡아챘던 궐이도 눈물을 후드득 떨어트리곤 소매로 닦으며 돌아섰다. 유연은 머리를 쓰다듬어 주는 치웅의 가슴팍에 기대어 또다시 콧물을 훌쩍였다.

"나 죽을병에 걸린 것도 아니었는데, 왜 이렇게 다들 울어. 너희가 우니까 나도 눈물 나잖아. 바보들아."

"누이가 잘못되는지 알고 내 모든 신들께 기도를 드렸단 말입니다! 누이, 흑. 청송이 기억하시는 거지요?"

"그럼, 우리 청송이 기억하지."

그러자 불쑥 끼어든 궐이 유연의 어깨를 잡으며 충혈된 눈을 부릅떴다.

"나는? 나는 기억 나는 것이야? 대답해 봐라, 유연아."

"김궐, 완전 울보였어. 내가 속았지, 속았어."

"정말…… 정말 기억하는 것이지?"

"그래, 기억나. 검은 고양이."

"고, 고양이? 주인아!"

너마저! 라며 머리채를 움켜쥔 궐이 덕분에 울음바다에서 금방 웃음바다로 분위기가 바뀌었다. 궐이 훌쩍이는 청송을 다독이던 유연의 어깨를 감싸 안으며 이마에 입술을 누른다.

"다행이야, 돌아와서."

그 진지한 한마디에, 다들 고개를 끄덕였다.

유연은 새삼스럽게 두근거리는 마음으로 그들과 눈을 맞추었다. 잠시 이들을 잊었을 때, 그리고 다시 그 기억이 돌아왔을 때. 미안함과 죄스러움에 가슴이 아팠다.

어쩌면 엄마도 제게 그런 마음이었을까? 사랑하는 사람들을 기억하지 못한다는 것. 그들의 사랑을 잊는다는 것이 얼마나 힘들고 가슴 아픈 일인지 새삼 실감했다. 그리고 감사했다.

콧물을 훌쩍인 유연은 구석에 서서 곰방대를 문 망량을 발견하곤 손을 내밀었다. 여전히 검게 죽어 버린 망량의 손. 시선이 쏠리는 것이 못내 창피한지 얼굴을 붉힌 망량이 다가와 손을 맞잡는다.

유연은 쭈글쭈글하게 타들어 간 망량의 손을 꼭 움켜쥔 채 손등에 이마를 댔다. 그러자 기적처럼 죽어 있던 손끝이 섬섬옥수 같은 살결을 되찾기 시작한다.

모두가 신기한 눈으로 그 광경을 지켜보았다. 물론, 가장 어처구니없어하는 건 망량이었다.

"대체 넌 어떻게 된 인간이기에……."

"저도 몰라요. 제 힘이 도움이 된다는 게 신기하고 좋을 뿐이에요. 고마워요, 영감님."

망량은 깨끗해진 자기 손을 보며 전에 없이 따뜻한 미소를 지어 보였다.

"영감이라 하지 말랬다. 이 얼굴에 무슨 영감이라고. 어쨌든⋯⋯ 고맙다."

모두가 안도하여 세자의 동궁전에 널브러진 그때, 문 두드리는 소리가 난다. 찾아온 이는 우혁과 은호였다. 활짝 문을 연 우혁이 침대 위에 엉겨 붙은 무리를 보며 쯧쯧 혀를 내둘렀다.

"거 남사스럽게 붙어 있지 마시고 떨어지시죠. 세자빈마마 되실 분입니다. 그러니 동물 여러분께서는 체통을 지키세요."

「서화제약 前 총수 최우식. 징역 30년 구형. 검찰 측은 인간으로서 해서는 안 될 패악을 저지른 도덕적 책임을 무겁게 여겨.」

「NV 호텔 대표 서연아가 쏘아 올린, 친일의 흔적. 대한민국을 뒤흔들어.」

「대한민국 왕실에 드디어 봄꽃이 피어난다. 세자빈으로 조유연 씨를 간택 후, 드디어 혼례.」

「주상 이숙, 올해 안으로 왕위를 물려준 뒤 중전과 함께 제주도에 터를 잡기로.」

북악산 산책로 끝, 차량이 올라갈 수 있는 가장 높은 곳에 다섯 대의 차량이 멈추어 선다. 아직은 종종 영하권으로 떨어지는 날씨 때문에 산책로를 찾는 사람들은 거의 없었다.

차에서 내린 건이 직접 뒷문을 열어 혜란을 부축한다. 오랜만에 찬바람을 맞은 혜란이 잠시 놀란 표정을 지었지만, 탁 트인 종로를 내려다보는 눈빛엔 감격이 물결쳤다.

"여기니?"

"네."

반대편에서 부축한 유연은 미리 방석을 깔아 둔 벤치로 혜란을 안내했다.

홀로 부친상을 치르고, 화장까지 해 아버지의 친구가 알려 준 곳에 뿌린 유연이었다. 봉안당에 모시고 싶었지만, 형편이 되지 않았다. 그때의 자신은 고작해야 고등학교 1학년이었으니까. 아직 주민등록증도 발급받지 못한 어린애였다. 그래서 더 억울하고 서러웠다.

제중원에 아버지를 그대로 입원시켰다면, 서화의료원으로 병원을 옮기지만 않았어도, 어쩌면 아버지는 살아 계셨을지도 모른다. 그때 느꼈던 서럽고 억울한 감정이 가슴 안에 거품처럼 톡톡 터져 오른다.

"뿌린 곳은 화장터 근처예요. 아무것도 몰랐거든……. 그래도 난 아빠를 이곳에 묻었다고 생각하기로 했어요. 우리 셋이 자주 올라왔었잖아. 기억나?"

"그럼, 기억나지……. 주말마다 같이 올라와서, 꼭 이 자리에 앉았었잖아."

"그땐 몰랐는데……. 아빠가 무슨 생각을 하면서 이 산책로를 올랐는지. 어떤 마음으로 궁을 내려다보신 건지."

이전과는 다른 반듯한 자세로 궁궐을 내려다보는 그녀의 눈가가 붉어졌다. 그러자 다가온 건이 그녀의 어깨 위에 손을 올린다. 유연은 제 뒤에 선 그를 올려다보았다.

"저, 여기서 유연이 때문에 대리운전도 했습니다. 만 오천 원 벌었고요."

"맞아, 그랬었어요. 저 그날 얼마나 놀랐는지 아세요?"

"못 잊을 날이지."

"아빠 기일이기도 했고요."

"생신이기도 했어."

부드럽게 미소 띤 얼굴로 두 사람을 번갈아 보던 혜란의 눈가가 젖어 간다. 불쌍하고 억울하게 목숨을 잃은 남편의 영정 앞에서 펑펑 울어 주지 못한 게 한이 될 뿐.

"그놈⋯⋯. 아니, 사람 목숨 갖고 장난치는 놈들 모두. 저승길이 편하진 않을 거예요. 내 꿈에 아주 까만 호랑이가 나왔었거든요. 그 호랑이는 저승사자였을까요? 말을 하더라고. 나쁜 짓 하고 죽어 버린 놈들 모두 저승에서 발 뻗고 살지 못하게 할 거라면서 날 위로해 줬는데, 그게 너무 실제 같아서⋯⋯ 믿고 싶어요."

혜란의 말에 건과 유연은 까만 고양이 한 마리를 떠올리며 웃음을 참았다. 그녀의 뺨을 짓궂게 당긴 그가 다시금 어깨를 움켜쥐었다.

혜란은 주섬주섬 가방을 열어 씨앗 봉투 하나를 꺼냈다. 얇은 종이에 든 건 별것 아닌 들꽃 씨앗이었다. 북악산에도 봄이면 흐드러지게 피어나는 종이었기에 특별한 것 없었지만, 경훈이 가장 좋아했던 꽃이기도 했다.

"피어날지, 혹한을 견디지 못하고 죽어 버릴지 모르지만⋯⋯ 그래도 네 아빠의 넋이라도 이곳을 찾아온다면, 꽃 한 송이 정도는 선물해 주고 싶어서."

혜란의 목소리가 꽉 막혀 떨렸다. 보슬보슬한 땅에 토도독 떨어진 꽃씨가 흙 속으로 굴러든다. 후드득 떨어진 눈물에 땅이 젖는다. 봄이 움트기 시작했다.

북악산에서 내려온 유연은 곧장 집으로 향했다. 승강기가 없는 게 흠이었지만, 혜란은 씩씩하게 걸어 집안으로 들어섰다.

마지막 기억에 있던 아파트에 비할 바는 아니지만, 세상이 변한 만큼 신기한 물건들이 가득했다. 게다가 이 모든 것이 유연이 아득바득 살아 내어 이룬 것들이라고 생각하니, 미안함에 가슴이 미어진다.

혜란은 큰 장식 없이 말끔한 집안을 둘러보며 유연의 손을 꼭 잡았다.

"네가 너무 고생이 많았어. 이제 엄마 걱정은 하지 마."

"엄마야말로 걱정하지 말고 하고 싶은 거 다 하고 살아요. 내가 도와줄게."

"너 고등학교 보낼 때가 엊그제 같은데, 이제 손주 볼 나이라니. 조금 억울하긴 해도, 사위가 너무 잘생겨서 기대되기도 해."

"와, 내가 얼굴 밝히는 거 유전이었구나?"

"그럼, 당연하지? 네 아빠도 오죽 잘생겼었니? 알랭 드롱 저리 가라였어, 애."

"우리 엄마 맘고생 엄청 했겠네. 아빠가 너무 잘나서."

"잘나고 착하고 다정하기까지 한 남자가 나만 사랑해 주는 게, 얼마나 가슴 설레는 일인데. 넌 알지? 엄마는 마음고생 안 했어. 아빠가 너무 잘했거든."

웃음을 터트린 유연은 혜란에게 집안 곳곳을 소개했다. 몇 번의 눈이 내리고 녹아 엉망이 된 옥상에 올라가 같이 꾸며 보자는 약속도 했다.

옥상 가장자리에 서서 아래를 내려다보자, 왕실에서 나온 경호원들이 곳곳에 배치되는 게 보인다. 혼례를 올린 뒤 거처를 궁으로 옮길 때까지는 위험에 대비해야 한다며 건은 제법 많은 인원을 배치했다. 예전이었다면 과한 처사라며 거절했겠지만, 지금은 그 무게를 유연도 충분히 알고 있었다.

"그럼, 혼례를 언제 올린다고?"

텃밭을 가꾸기 딱 좋다며 화단 구석을 둘러보던 혜란이 물었다. 난간에 턱을 괸 유연은 막 차에서 내려 고개를 드는 건과 시선을 맞추며 발긋해진 뺨을 감쌌다.

"살구꽃 필 때요. 꼭 그때 올리기로 했어요. 동궁전 뒤로 살구나무가 빼곡하게 심겨 있거든. 엄청 예쁠 거예요."

그녀는 아래를 향해 손을 흔들었다. 그러자 주머니에 손을 넣은 채 기다리던 그가 고개를 기울이며 웃는다. 그때였다. 머리 위로 청송의 푸릇한 힘이 이슬처럼 뿌려지는 게 느껴졌다. 유연은 건물 전체에 드리운 기분 좋은 힘을 느끼며 청송에게 고맙다고 말했다.

─걱정 마십시오, 누이. 누이의 가족은 우리의 가족입니다. 그 어떤 삿된 것도 가까이 올 수 없게 할 테니 걱정 마십시오.

'역시, 우리 청송이 최고야.'

─누이 덕분에 이매들이 설치질 않으니 일이 줄었거든요. 헤헤, 발뻗고 잔다는 게 이런 기분인가 봅니다.

청송의 말대로 정말로 이매들의 수가 급격하게 줄었다. 하지만 애초에 잠신해 있던 이매의 수는 헤아릴 수 없을 정도였기에, RSA의 업무량은 그대로였다.

'그러고 보니 오늘······.'

집경당에 불이 꺼졌다. 온돌 마루는 차갑게 식었고, 잠시 머물던 주인은 자신의 자리로 돌아갔다.

'미국으로 돌아가는 날이었나.'

이태가 궁을 나서기 전 마지막으로 만난 존재는 망량이었다. 망량은 이태에게 붉은 실이 매달린 작은 병 하나를 내어 주었다. 그것을 어찌 사용하느냐에 따라 저곳의 불이 다시 켜질지도 모른다는 망량의 말에 소현군은 펑펑 울었다.

이송의 죽음으로 망상증에 시달리다가 정신까지 이상해진 모친이 요양원에 있다는 소식을 들었다. 원치 않은 것들을 보는 것도, 그 소리를 듣는 것도 군부인에게는 몹시도 큰 충격이었다고 했다.

이태가 죽음을 무릅쓰고 경복궁을 찾은 이유, 세자를 해치면서까지 살리고자 했던 사람은 바로 모친이었다.

그렇게 이태는 차 내관과 함께 미국행 비행기에 올랐다. 건에게는 혼례를 치르기 전, 돌아올 수 있게 해달라고 부탁했다 한다. 물론, 저 얼굴값 못하는 착한 남자는 흔쾌히 승낙했다.

"얘, 세자 저하가 너 기다린다."

"엄마, 사위라고 해요."

"그럴까? 그래도 아직은 조금 어색해서."

"엄마, 그거 알아요? 나 첫사랑에 성공한 여자다?"

"응?"

"내가 말 안 했나? 그때 아빠가 너무 심각해서 말 못 했는데, 나 실은 저하한테 첫눈에 반했거든. 엄마 딸이, 첫사랑 때문에 힘들었어요."

혜란은 능청스러워진 유연을 보며 웃음을 터트렸다. 딸이 이토록 행복해하는 모습을 얼마 만에 본 건지. 요즘은 감수성이 예민해져 코끝에 바람만 스쳐도 눈물이 났다.

혜란은 쉽게 집을 나서지 못하는 유연의 등을 떠밀었다. 제 할 일까지 미뤄 두고 엄마의 뒤치다꺼리를 하기엔, 유연을 찾는 곳이 너무나 많았다.

"알겠으니까 어서 가. 엄마 닮아서 첫사랑이랑 결혼하고, 누가 내 딸 아니랄까 봐. 축하한다, 딸내미."

"데이트하자."

점심을 훌쩍 넘긴 시각이었지만, 출근하겠다며 건물로 들어서는 유연을 잡았다.

"데이트라뇨? 출근은요?"

"조유연, 너무한 거 아니야? 우리 제대로 된 데이트 한 적 없어. 하물며 영화관도 가 본 적 없다고. 데이트의 3단계, 식사하고 영화 보고 차 마시고. 남들은 뻔하다고 하는 거, 너랑 나는 어떻게 혼인 직전까지 그 근처도 못 가 볼 수가 있지?"

저도 모르게 유치한 투로 쏟아 냈다. 건은 그간 제 속을 시커멓게 만들어 놓고 평소와 다름없는 그녀의 태도에 약이 오를 대로 오른 중이었다.

그래, 조유연의 성격은 일반인들과는 조금 다른 편이긴 하다. 희생적이고 겁도 많은데, 의외성으로 가득한. 하지만 자신은 대한민국 왕실의 주인이 될 사람이었다. 한마디로 왕세자, 곧 왕이 될 것이었다.

제 입으로 말하긴 그렇지만 유연이 원한다면 호화로운 세계 여행을 할 수도 있었고, 누군가처럼 드레스 룸을 명품으로 가득 채워 줄 수도 있었다. 하지만 대체 이 여자는 원하는 게 없다. 바라는 건 오직 평온한 하루인 것처럼. 무언가를 요구하려는 낌새조차 없었다.

반면 그는 애원처럼 내뱉었던 그날의 프러포즈를 후회하는 중이었다. 어떻게든 기회를 만들어 눈물 나게 감동적인 프러포즈를 해주고 싶었다. 남들이 낯간지럽다 욕해도 좋다. 제 여자만 감동해 준다면.

"그러니까…… 땡땡이치자는 거예요?"

"응. 땡땡이치고 같이 밥 먹자. 같이 밥 먹고 영화 보러 가자. 그러고 나서 차 마시고, 술도 한잔하면 좋고."

"아, 술은 좀. 한동안 사양할래요."

망량주를 마셨던 걸 떠올린 건지 그녀가 고개를 절레절레 젓는다.

유연은 잠시만 기다리라며 휴대 전화를 꺼내 일정을 확인했다. 그 모습에 건은 뒷머리에 열이 오르는 걸 느꼈다. 예화에 입사한 지 얼마나 됐다고, 그녀가 들여다보는 일정표에는 저 못지않은 스케줄이 가득했다.

"뭐야, 네가 예화 일 다 해?"

그녀의 휴대 전화를 빼앗은 그가 분 단위로 적힌 스케줄을 보며 이를 갈았다. 작게 이우혁의 이름을 다섯 번이나 내뱉었다.

"아이, 빨리 돌려줘요. 제가 거의 일주일 넘게 출근 못 했잖아요. 그러니 밀린 일 처리해야죠."

"이게 다 누구랑 미팅인데?"

온갖 갤러리 이름과 개인 소장 위주의 VIP 명단을 빠르게 훑어 내린 건은 코웃음을 치며 휴대 전화를 돌려주었다.

"그럼, 이 미팅 나랑 해."

"네?"

예화를 드나드는 사람들은 물론이거니와, 소란을 구경하기 위해 고개를 내민 직원들의 눈이 빛난다. 세자빈과 세자가 함께 있는 모습은 쉽게 볼 수 있는 장면이 아니었기에 그들은 휴대 전화를 먼저 꺼냈다. 하지만 이상하게 화면이 까만 게 전원이 들어오지 않았다.

당황한 사람들이 휴대 전화를 껐다가 켜며 방법을 찾아 헤매는 동안, 건은 유연의 손을 잡고 당당히 건물 안으로 들어섰다. 그러자 대기 중이던 우혁과 예화의 직원들이 구세주라도 발견한 표정으로 유연에게 달려온다.

"조유연 씨, 지금 미국의 제너럴 A에서 대표가……."

"조유연 씨, 청운 기획에서 홍보자료를……."

"조유연 씨, 어제 말씀드렸던 VIP 명단에 명장 육세봉 님 계시는지 확인을……."

하지만 너도나도 유연의 도움을 받으려던 그들의 바람은, 중간에서 서류를 빼앗아 드는 세자로 인해 와르르 무너졌다. 파일철을 빼앗기지 않으려 힘을 쓴 우혁이 눈썹을 삐딱하게 치켜올리며 묻는다.

"세자 저하, 이 건은 조유연 씨가 하셔야 합니다. 접대 업무에 친분이 얼마나 중요한지 아시잖습니까?"

236

"그 업무, 접대, 확인. 이제 다 내가 하지. 남은 업무 다 내 쪽으로 밀어."

"저하! 아니, 대표님!"

"나, 제발 데이트 좀 합시다. 편하게 잠도 자고, 손도 잡고, 밥도 먹고. 그러려면 이 여자의 일이 줄어야 하거든? 그러니 나 살리는 셈 치고 오늘 하루, 조유연 씨 내가 빌려 갑니다."

막무가내로 업무를 빼앗아 간 건으로 인해 유연은 멍하니 서서 헛웃음만 지을 수밖에 없었다. 건은 당장에라도 일을 마무리하려는 사람처럼 집무실을 향해 성큼성큼 올라가더니, 대뜸 인상을 찌푸린 채 우혁에게 지시를 내렸다.

"그리고 혹시 말인데, 업무 공간. 하나로 합치는 안을 마련해 봐요. 저 여자가 눈에 안 보이면 이제 내가 죽을 거 같아서. 아시겠습니까?"

황당한 주문을 마친 건이 집무실 안으로 사라진 뒤, 다들 헛웃음을 흘리며 몸에 힘을 풀었다. 그러며 너도나도 유연을 위로하듯 한 마디씩 건넨다.

눈에 안 보이면 죽을 것 같다니. 그게 뭐야.

유연은 로비 중앙에 덩그러니 서서 웃음을 터트렸다.

건은 조유연의 업무를 중간에 모두 강탈한 것도 모자라 대표이사실과 일반 사무 구역을 합치라는 말도 안 되는 지시까지 내렸다. 물론 업무 구역 합병은 전 직원의 열렬한 반대로 인해 무산될 테지만, 업무를 강탈하는 건 막을 수 없었다.

유연이 했다면 곧장 결재가 진행됐을 사안들이, 대표 이사를 거치면 일이 커진다. 그 때문에 진종일 직원들과 대표 이사의 중간 매개체 역할을 하던 유연은 결국 더는 참지 못하고 자리를 박찼다.

"데이트하러 가요."

대표이사실의 문을 허락도 없이 벌컥벌컥 열고 들어온 사람을 빤히 보던 건의 눈매가 휜다.

"그럴까?"

뻔뻔하게 웃는 저 미소에 녹을 것 같다고 하면, 이것 또한 콩깍지겠지? 하지만 저 멀쩡하다 못해 반짝반짝 빛나는 껍데기는 하필이면 그녀가 제일 좋아하는 남자의 얼굴이기도 했다.

"제발, 직원들 좀 괴롭히지 마세요. 데이트는 얼마든지 해 드릴 테니까."

머쓱한 마음에 유연은 잔소리를 늘어놓았다.

"뭐야, 나 악덕 상사인가? 내가 그렇게 괴롭혔어?"

펜을 내려놓은 그가 재킷을 걸치며 다가왔다. 그러더니 틀린 말은 아니라는 듯 어깨를 으쓱 올리고는 그녀의 머리카락을 귓바퀴로 넘겨 주었다.

"그래도 어쩌겠어. 네게 넘긴 그 일들, 팀장급에서 해결할 수 있는 일들이야. 네가 내 결재받기 쉬우니까 너한테 넘긴 거지. 제발, 일을 준다고 무조건 다 받지 마. 여긴 다른 회사들과는 달라."

유연의 표정이 멍해졌다.

정말 그랬던 걸까? 하긴 예화의 업무 방식을 곰곰이 지켜본 결과 수직 관계보다는 수평 관계가 더 많은 편이었다. 직위와 직급은 살아 있지만, 그것이 전부가 아니라는 듯이 각자 알아서 일한다고 해야 할까? 어쩌면 무서운 대표 이사의 결재를 받고 싶지 않았던 몇몇 꼼수에 휘말린 걸지도 모른다.

유연은 짧게 반성한 뒤 건의 허리춤을 안았다.

"그럴게요."

"음, 피드백 빠른 건 마음에 들어."

"제가 원래 적응력이 빠르잖아요."

"어쨌든, 오늘은 우리 둘만이야."

그의 말에 유연의 눈이 동그래졌다. 이어 말뜻을 알아들은 그녀의 눈빛에 난감함이 스친다. 유연을 끔찍하게 아끼는 수호부들이 언제 어디서 튀어나올지 장담할 수 없기 때문이었다.

건은 그런 그녀의 눈가에 입 맞춘 뒤 자신의 옷걸이에 걸려 있는 코트를 꺼냈다.

"그럼, 가지. 데이트하러."

세자익위사에 비상령이 떨어졌다. 이유는 이건이 보내온 두 사람의 데이트 코스 때문이었다.

하필 그가 고른 첫 번째 장소는 성수동 카페거리에서 유난히 커피 맛이 좋기로 유명한 곳이었다. 붉은색의 레트로한 벽돌로 마감된 외벽에 G라는 단 한 글자의 간판만 달린 곳. 게다가 두 번째 데이트 장소는 종로 근처에 있는 작은 영화관이었지만, 한옥처럼 만들어진 외관이 독특해 규모 대비 많은 사람이 방문하는 곳이었다.

더욱 큰 문제는, 세 번째 데이트 장소가 정해지지 않았다는 것이다. 순서를 보자면 차를 마시고 영화를 봤으니 술 한잔을 하며 식사할 차례였지만, 장소에 대한 정보가 없다.

"일단, 카페와 영화관에 협조 요청 부탁드립니다. 영화관의 경우엔 대관할 수 있는지 문의하시고, 카페는…… 기미 상궁을 보내야 할까요?"

우혁은 말을 하면서도 한숨이 나와 이마를 짚었다. 그러자 그의 곁에 서 있던 여자가 팔짱을 끼우더니 시큰둥한 표정을 한다.

"무엇이 걱정이냐? 날 못 믿어? 어떤 십장생도 내 주인을 건드릴 수는 없어."

"압니다, 예, 알아요. 그러니까 제발 이 팔 좀 놓으시죠."

우혁은 꽉 잡힌 팔을 들어 보려 했지만, 어찌나 힘이 센지 치웅의 팔을 떼어 내지 못했다. 끙끙대며 힘을 빼는 우혁이 재밌다는 듯 지켜보던 치웅이 말했다.

"우리도 할까? 데이트라는 것."

치웅의 눈동자가 환하게 불 밝힌 전광판을 향한다. 치웅에게 서울은 기억에 없는 새로운 세상이나 다름없었다. 제주도행 비행기에 올랐을 때 태연한 척하면서도 긴장을 숨기지 못하던 모습을 떠올린 우혁의 미간에 깊은 주름이 잡힌다.

"오늘은 저하를 따라다니느라 바쁠 겁니다."

"그 뒤에서 조용히 하는 거지."

"치웅 님, 하나 궁금한 게 있습니다."

예화의 계단을 걸어 내려오는 세자와 유연을 발견한 우혁의 눈매가 깊어진다. 치웅은 유연에게 손을 흔들어 보이며 심상하게 대답했다.

"멍청한 질문만 아니라면."

"제가 정말, 누구와 닮았습니까?"

"음…… 그 누구가 궁금한 것이냐?"

"아뇨. 그가 누군지 궁금한 게 아니라, 저를 그 사람으로 보고 계신 건지 궁금합니다."

우혁은 천천히 치웅의 방향으로 몸을 틀었다. 그러자 다소 멍해진 치웅이 고개를 든다. 우혁은 느릿하게 눈을 감았다가 뜨며 안경 너머 서늘한 눈빛을 응시했다.

"멍청한 질문이라, 대답할 가치가 없다."

치웅의 입매가 부드럽게 호선을 그린다. 하지만 치웅은 웃고 있는 것이 아니었다. 우혁은 마치 그녀가 울고 있는 것 같다는 기분을 받았다. 우혁은 다시 건의 방향으로 몸을 틀며 고개를 끄덕였다.

"죄송합니다. 제가 생각해도…… 멍청한 질문이었습니다."

순순히 인정하는 우혁의 얼굴을 물끄러미 올려다보던 치웅이 대뜸 넓은 등판을 철썩 때렸다.

"정신 차려라. 내 분명 말하였다. 넌, 너일 뿐이라고."

"그럼, 자꾸 누구와 닮았다고 하지 마십시오. 입 맞추고 싶을 때마다 그 생각이 나서…… 울고 싶어지거든요."

우혁의 귓가가 빨갛게 달아오른다. 치웅은 발긋해지는 우혁의 눈가와 귀 끝을 살피며 명치 중앙을 지그시 눌렀다.

"나, 여기가 아프다. 너 때문이다, 인간아."

아프다는 말에 놀란 우혁이 고개를 내리려 했지만, 때마침 건이 다가왔다. 치웅에게 습관처럼 안기려 하는 유연의 허리춤을 감싼 건이 미소를 지은 얼굴로 우혁에게 속삭였다.

"영화 티켓 끊는 법을 몰라. 빨리 정리해서 폰으로 보내 놔. 급하니까."

아!

이제야 어째서 이렇게 조급하고 불안한 마음이 드는지 알 것 같았다. 지금까지 세자는 단 한 번도 영화관을 찾은 적이 없었다. 물론 시사회 초대를 받아 셀럽으로 참석한 적은 있었지만 직접 티켓팅을 하진 않았다.

우혁은 망설임 없이 영화관으로 향한 익위에게 전화를 걸었다.

[실장님, 대관은 불가능하다고 합니다. 게다가 어떤 영화를 고르실지 말씀해 주지 않으셨습니다.]

"그렇네요. 일단, 현장에 계십시오. 저하께서 도착하시면 대훈 씨가 티켓팅 도우시고요."

[실장님은요?]

숨을 크게 들이켠 우혁이 담담한 얼굴로 어딘가를 바라보는 치웅을 내려다보며 손질된 머리카락을 흩트렸다.

"저도 데이트합니다. 오늘은 간단 백업만 할 테니, 다들 세자 저하 보필 업무 숙지하세요."

꼭 와 보고 싶은 곳이었는데, 어떻게 알았을까?

꾸덕꾸덕한 크림을 잔뜩 올린 아인슈페너가 시그니처 메뉴인 이곳엔 이미 많은 사람이 자리를 차지하고 앉아 있었다.

세자의 등장에 자리를 지키던 이들의 눈이 휘둥그레졌다. 당연하게도 세자의 팬클럽인 궁결도 발칵 뒤집혔으며, 카페의 좌표가 SNS

를 통해 실시간으로 공유되었다. 하지만 웅성거리는 소리만 울릴 뿐. 사람들은 호기심 어린 표정을 하고도 접근해 말을 걸거나 소란을 부리지도 않았다. 조용히 데이트하는 둘을 사진에 담고, 더욱 은밀하게 그것을 퍼트렸다.

"아인슈페너 둘이요."

싱글벙글한 유연이 카드를 내밀자 뒤에 선 건의 눈매가 삐딱하게 기운다.

"데이트 비용까지 더치페이해야겠어?"

"영화도 보여 주실 거고, 밥도 사 주실 거잖아요. 그리고 이 커피는 딱 제 취향이라, 저하께는 너무 달지도 모르는 거거든요. 그러니 제가 내야죠."

"기미는?"

"네?"

그러자 카드를 받아 든 직원이 화려한 영업용 미소로 대신 대답했다.

"기미를 봐주실 분이 와 계십니다. 걱정하지 마세요. 저희는 최고급 원두에, 동물성 생크림을 사용합니다. 만족하실 거예요. 영광입니다, 세자 저하. 세자빈마마."

아직은 빈이 아니었지만, 이제는 일일이 정정하는 것이 더욱 큰일이었다.

유연은 계산을 마치고 카드를 받아 든 뒤 건의 손을 잡고 커다란 화분에 둘러싸인 좌석으로 향했다. 볕이 잘 드는 자리엔 두 사람을 환영한다는 주인의 메시지 카드가 놓여 있었다.

유연은 옆에 앉으려는 그를 맞은편에 앉힌 뒤, 휴대 전화를 꺼내 개봉한 영화 목록을 화면에 띄웠다.

"자, 이제 골라 봐요. 우리 첫 영화."

"흠."

고개를 비스듬히 기울인 그가 다리를 꼬아 앉으며 그녀의 휴대 전화를 가져간다. 긴 다리와 빛을 받은 남자의 모습은 한 폭의 그림 같았다. 그래서 유연은 잠시 안구에 휴식을 허락했다. 양손으로 턱을 괴며 그를 보자, 시선을 느꼈는지 잘생긴 두 눈을 가늘게 뜬다.

"왜 그렇게 보는 거지? 무섭게."

"왜요? 보면 안 돼요?"

"아니, 되는데……. 그렇게 보면, 오빠 가슴이 너무 뛰는데."

못지않게 능청스러운 투로 대꾸한 건이 휴대 전화를 내려놓으며 상체를 기울였다.

"키스해도 돼?"

헛바람을 들이켠 그녀가 거침없이 입술부터 포개려는 그의 어깨를 밀어내려 할 때였다.

"커피 나왔다."

익숙한 목소리가 두 사람 사이에 훅 끼어든다. 커피를 올린 작은 쟁반을 테이블 중앙에 탁 내려놓은 귈이 팔짱을 끼우더니 둘을 내려다본다. 유연의 얼굴에 반가움과 함께 놀라움이 뒤섞였다.

"내 시도 때도 없이 발정하지 말라 하였거늘. 귀멸자야, 언제 어른이 될 것이냐?"

"하, 김귈……. 너 왜 여기 있어."

건은 어처구니없는 표정으로 김귈과 화분 뒤에 숨어 있는 직원을 번갈아 보았다.

"내가 기미를 보기로 하였다. 오늘 먹는 음식들 모두, 내가 본다.

기미 궐이다.”

“뭐?”

“기미 궐이라고. 어서 먹어 보아라. 달고 맛있다. 그리고 보는 눈
이 많을 땐 절제를 하여야지. 그리 천둥벌거숭이처럼 달려들면 안
된다.”

궐의 등장에 카페 내의 사람들은 더욱 분주해졌다. 지난번 민주의
결혼식장에 등장한 두 남자의 사진이 〈궁걸〉을 통해 일파만파 퍼져
나갔고, 먼 종친일지도 모른다며 사람들은 궐이를 궁금해했다. 그런
김궐과 이건이 만들어낸 두 번째 투 샷. 유연은 구름 떼처럼 몰려드
는 사람들을 발견하곤 마른침을 삼켰다. 그걸 아는지 모르는지, 마
주 선 두 남자는 서로를 바라보며 으르렁거리기 바쁠 뿐이었다.

자포자기하듯 한숨을 내쉰 유연은 스푼을 들어 꾸덕꾸덕하고 달
콤한 크림을 한 입 떴다. 구름처럼 폭신하고 달다. 행복한 맛이었다.

결국, 영화관에서도 소란을 피해 갈 수는 없었다. 팝콘과 콜라의
기미를 보겠다며 따라 들어온 김궐 때문이었다. 하지만 눈치는 있는
지 팝콘을 반 이상 해치운 뒤 돌려준 궐은 어딘가로 불쑥 사라졌다.
덕분에 둘은 조용한 분위기에서 영화를 볼 수 있었다.

두 사람이 고른 영화는 천만 관객을 돌파한 것도 모자라, 세계 권
위의 영화제에서 우수의 성적을 낸 작품이었다.

신기한 기분이었다. 사실 영화관은 그녀도 자주 방문해 본 곳이
아니었다. 그래서인지 어둑하면서도 아늑한 이 느낌이 낯설었다. 스

크린에 집중하면, 어두운 공간에 둥둥 떠 있는 기분이 들었다. 그래서 깍지 낀 손에 힘을 주자 미소를 머금은 입술이 이마에 닿았다.

"이렇게 해 보고 싶었어, 너하고."

들릴 듯 말 듯 한 속삭임에 가슴이 어찌나 설레던지. 결국 영화를 보는 둥 마는 둥, 건의 옆얼굴을 흘끔대다 러닝 타임이 끝이 났다.

그래도 좋았다. 애인의 어깨에 기대어 보기도 하고 탄산음료를 나누어 마시기도 하는 것이. 남부럽지 않은 연애를 한다는 것이 행복했다.

나, 이렇게 행복해도 되는 거겠지……?

"그럼, 이제 식사하러 갈까?"

평범한 데이트를 하자고 했던 제안답게, 영화관을 나선 그는 그녀에게 식사 장소 결정권을 넘겼다.

짓궂은 표정으로 주위를 두리번거리던 그녀는 곳곳에 숨어 있는 익위들을 발견하곤 코끝을 찌푸렸다.

"저기 갈래요."

그녀가 가리킨 곳은 영화관과 경복궁 사이에 자리 잡은 낡은 떡볶이 가게였다. 분식집이라고 하기도 뭣한, 메뉴는 어묵과 튀김. 순대와 떡볶이밖에 없는 곳.

"분식으로 되겠어?"

"간단하게 배 채우고 야식 먹으러 가고 싶은데…… 어때요?"

"야식?"

"오늘 외박할 거예요."

"어?"

순간 그의 표정이 멍해졌다.

"같이 야식 먹어요. 경복궁 말고, 예쁘고 높은 데서."

박혜란이 깨어나고, 유연이 기억을 되찾은 뒤로 바쁘디바쁜 일정 때문에 둘만의 시간을 가져 본 적이 없었다.

쿵쾅거리는 심장을 꾹 누른 그가 심기일전한 표정으로 고개를 끄덕인다.

"좋아, 가지. 익위들 전부 데리고, 떡볶이 먹으러."

예약도 없이 방문한 스무 명의 사내들을 주인 할머니는 반가운 얼굴로 맞아 주셨다. 게다가 분식집을 찾은 건 이들만이 아니었다. 대체 언제부터 따라오고 있던 건지, 빨간 양념의 떡볶이가 자글자글 끓고 있는 철판에서 눈을 떼지 못하는 청송이 군침을 꿀꺽 삼키며 말했다.

"누이, 이 기가 막힌 걸 혼자 드시려 했습니까? 너무합니다!"

그러자 슬그머니 주인 할머니의 뒤에 선 김궐이 침이 흐를 것 같은 얼굴로 접시들을 왕창 내민다.

"자, 어서 담으시게. 어서. 아주 많이 담으시게나."

"좀 기다려라, 이놈아! 배 속에 걸신들렸나, 니 좀 전에 저짝에 있는 오뎅도 다 묵었제? 작작 좀 무라! 쪼매 기다릴 줄도 알고!"

"양이 적었소. 그러게 누가 이리 맛 좋게 음식을 만들라고 하였소?"

"하이고 마, 말하는 꼬락서니가 와 이리 예쁘노."

"그러면 덤을 많이 얹어 주시오. 그럼 되오, 주인장."

역시 김궐다웠다.

떡볶이에서 눈을 떼지 못하는 청송이 귀여웠는지, 주인 할머니는 제일 먼저 청송의 몫을 내어준 뒤에 차례차례 음식을 퍼 담았다. 그러며 똥강아지처럼 쫄래쫄래 따라다니는 귈이에겐 음식 나르는 걸 도와주면 값을 받지 않으시겠다며 호방하게 웃으셨다.

건은 유연이 왜 이곳을 선택했는지 금방 알 수 있었다. 그녀는 의식하지 못하는 것 같았지만, 오랜 시간 잠들었던 수호부들이 많은 걸 경험하고 누릴 수 있게 해 주려 했다. 이건 머리로 계산해서 행할 수 있는 것들이 아니었다. 천성이겠지. 책임감 강하고 선한 본성이 제 눈을 사로잡은 것일 테다.

건은 허겁지겁 떡볶이와 어묵을 해치우는 청송의 입가를 닦아 준 뒤 돌아온 유연을 올려다보았다.

"이제 속이 시원해?"

건의 질문에 입술을 깨문 그녀가 배시시 웃으며 의자를 꺼내 마주 앉는다. 그러고는 새빨간 떡볶이를 포크로 콕 찍어 내밀었다.

"분식 안 좋아하세요?"

"오늘부터 좋아해 보려고."

"드셔 보긴 했고요?"

"내가 그렇게 곱게만 자란 건 아니라서."

"떡볶이도 요즘은 천 원짜리 간식거리가 아니거든요?"

건은 어깨를 으쓱 올린 뒤 그녀가 내민 떡볶이를 한입에 넣었다. 매콤달콤한 양념과 쫀득한 떡이 끈적하게 입안을 채운다. 분명 엄지를 치켜들 만한 맛이었지만, 건은 한시라도 빨리 그녀를 데리고 이곳에서 나가고 싶었다.

평범한 데이트를 제안한 그였지만, 생각보다 너무 많은 눈이 그녀를 향해 있었다. 먹잇감을 노리는 듯한 사람들의 눈빛이 신경 쓰여 미칠 것 같았다. 그래도 또 맛은 있던지라, 접시에 담긴 떡볶이를 유연이 먹여 주는 대로 쏙쏙 입에 넣었다.

"맛있죠."

"응."

"아무리 불행한 사람도, 맛있는 음식을 먹을 때만큼은 잠시나마 행복해진대요."

"맞는 말인 거 같아."

"저하는 평생 제가 행복하게 해 드릴게요."

입술 가장자리에 묻은 빨간 양념을 혀로 핥던 건의 표정이 굳었다. 그러자 어묵 국물을 그의 앞에 슬쩍 밀어준 그녀가 시선을 내리뜨며 말을 잇는다.

"저는 내세울 거 없는 평범한 사람이에요. 그래서 사실, 가끔은 이렇게 사랑받아도 될지 의문이 들기도 했어요. 그런데 전 저하가 좋아요. 궐도 좋고, 저를 둘러싼 이 세상이 좋아요. 그래서 행복해졌어요. 제가 행복한 만큼, 저하도 행복하게 해 드릴게요. 제게 기회를 주세요."

건은 할 말을 잊은 사람처럼 멍하니 유연을 바라보았다. 놀란 얼굴로 마른침만 삼키는 건 함께 자리한 이들 모두 마찬가지. 세자가 기를 쓰고 데이트를 계획한 목적을 알던 이들은 웃음을 참지 못한 채 입술을 우물댔다.

"조유연."

"지난번엔 저하가 프러포즈했잖아요. 그러니까 이번엔 제가 해야죠. 속 끓여서 미안해요. 나랑 결혼해 줄래요?"

건은 영혼이 빠져나간 듯 두 눈을 지그시 감으며 주먹을 말아 쥐었다. 답하지 않는 건을 보며 묘한 긴장감을 느끼던 그녀가 '네?'라고 물으며 대답을 재촉했다. 그러자 누군가 박수를 치기 시작했다. 좁은 분식집 안에 하나둘 박수 소리가 번지고, 짓궂은 환호가 쏟아진다.

건은 양손으로 얼굴을 감싼 채 고개를 들지 못했다. 어묵 꼬치를 하나씩 든 이들이 세자의 뒤를 지나치며 한마디씩 거든다.

'축하드립니다.'

'사내가 화끈하게 대답하셔야죠.'

'드디어 첫사랑과 혼인하시네요. 세자 저하는 다 가지셨습니다.'

'저라면 무조건 OK 할 텐데, 왜 고민하세요?'

'와, 마마가 세상에서 제일 멋지십니다.'

라며 건을 약 올렸다.

"떡볶이 먹으면서 눈물이 날 뻔한 건 처음이야."

손가락을 벌려 그 틈으로 눈을 뜬 건이 그녀를 지그시 응시하다가, 불쑥 주먹으로 상을 쳤다. 쾅, 소릴 내며 그릇이 튄다. 귀 끝부터 온몸이 새빨개진 그의 쩌렁쩌렁한 목소리가 분식집을 가득 채웠다.

"아니! 이거, 무효야. 아니지, 그게 아니라 결혼은 당연히 너하고 할 거야. 하고 싶어, 내 일생의 바람이라고! 그런데…… 내가 하려고 했어. 내가 고백하려 했다고. 뻔하게 반지 주면서 남들처럼 풍선이랑 꽃으로 잔뜩 꾸민 침대에서 로맨틱하게 프러포즈하려고 했는데……!"

숨도 쉬지 않고 쏟아 낸 남자의 숨이 거칠다. 건이 가슴을 들썩이더니 또다시 얼굴을 감싸며 의자에 주저앉았다.

"네 프러포즈를 어떻게 이겨. 너무 강하잖아."

놀란 두 눈을 깜빡이던 유연이 헛웃음을 터트리며 일어나 그에게 다가갔다. 그러곤 양팔을 뻗어 건의 목덜미를 끌어안고 얼굴을 가린 손등에 입술을 눌렀다.

"그래서 나랑 결혼해 준다고요?"

그녀가 한마디씩 할 때마다 그는 가슴이 지끈거렸다. 온몸이 떨리도록 기뻐해 본 게 대체 얼마 만인지.

건은 제 손등에 입 맞추는 그녀의 뺨을 감싸며 그대로 입술을 눌렀다. 정말로 입술만 꾹 눌렀다가 뗀, 정직한 입맞춤에 그녀의 입가에 웃음이 배어났다.

"내가 무릎 꿇고 빌 판이야. 나하고…… 결혼해 달라고."

그의 눈동자는 유난히 검은색을 띠었다. 그러다가 힘을 느낄 때마다 황금색으로 변하는 그 순간이 유연은 지독하게 근사하다고 생각했다.

유연은 침대 끝에 앉아 그의 머리카락을 부드럽게 쓸어 넘겨 보았다. 그러자 바닥에 한쪽 무릎을 꿇은 채 고개를 든 그가 싱긋 미소 지으며 그녀를 가만히 응시했다. 창문 너머 은은한 빛을 내는 남산 타워와 그림자에 둘러싸인 팔각정이 그림처럼 드리웠다.

이 남자가 원래 이렇게 사랑스러웠나?

유연은 쌍꺼풀이 옅게 져 우묵하게 팬 눈매와 직선으로 뻗은 눈썹. 그런데도 부드럽게 말려 올라간 입꼬리를 느릿하게 문질렀다. 그러다가 숫눈처럼 뽀얀 다리에 입 맞추는 그의 머리 츰을 끌어안았다.

은밀하게 새겨지는 숨결에 솜털이 곤두서고 이따금 진저리가 쳐진다. 그녀는 건의 머리카락 틈으로 손가락을 밀어 넣으며 몸을 웅크렸다.

프러포즈의 기회를 빼앗겼다는 것이 못내 아쉬운지, 오늘따라 건은 집요하고 짓궂었다. 하지만 싫지 않았다. 그녀 역시 마찬가지로, 아무런 방해 없이 그와의 시간을 보내고 싶었다. 어떠한 대화도 나누지 않고, 그저 체온을 나누며 꼭 끌어안은 채, 덧없는 시간을 흘려보내고 싶었다.

"이거…… 언제 준비했어요?"

"우리가 분식집에 있는 동안, 우혁이 사람들을 썼어."

"꽃밭에 누워 있는 것 같아서 좋긴 한데……."

"좋으면 좋은 거지. 좋긴 한데라니."

"그게, 좀 부끄러워요. 몸에서 꽃향기가 나잖아요. 막 꽃잎이 붙기도 하고요."

유연은 가슴 위에 들러붙은 하얀 꽃잎을 떼어 내며 배시시 웃었다. 대체 어떤 프러포즈를 하려고 한 건지, 방 전체가 하얀 풍선과 흐드러지게 피어난 하얀 꽃 천지였다. 온갖 종류의 꽃을 모아 놓은 덕에 가만히 있어도 피부 속으로 농후한 향이 스며드는 기분이었다.

불그스름해진 그녀의 뺨에 입 맞춘 그가 천천히 상체를 눌러왔다. 유연은 오싹하고 아득한 느낌에 밭은 숨을 내뱉으며 그의 목덜미를 끌어안았다. 발끝에서부터 차오르는 환희와 따뜻함이 가슴속을 채운다.

"그래도 반지는 안 샀어요."

유연은 한숨 같은 웃음을 내뱉으며 발끝을 세웠다. 그러자 그녀의 정수리를 감싸 안으며 몸을 웅크린 그가 귓바퀴를 잘근 깨문다.

"반지마저 샀으면 큰일 날 뻔했어."

"왜요? 그래도 고백받으니 좋았죠? 얼굴에 막 쓰여 있던데, 좋다고."

"미치는지 알았지. 이렇게 좋아도 되나 싶어서."

상체를 조금 세운 그가 선명한 미소를 머금은 얼굴로 말을 이었다.

"영원의 티끌이라도 붙들고 싶었어. 그 정도로 좋았다는 소리야."

그의 팔을 움켜쥔 손가락 마디마디가 하얗게 질렸다. 그러자 유연을 내려다보던 그의 눈빛이 일순 짙어지다 고혹적인 빛을 띠었다.

"그러니까 눈 감아, 유연아."

유연은 다시 입을 맞춰 온 그에게서 저와 같은 민트 향을 느낀다.

경복궁이 아닌 예쁘고 높은 곳. 쾌감을 이기지 못해 바르작거리는 그녀의 품이 따뜻하다. 열에 달떠 어쩔 줄 몰라 하는 얼굴도 사랑스러웠다. 건은 그런 유연의 뺨에 입 맞추며 오래도록 그녀의 품 안에 머물렀다.

서연아가 내민 종이를 내려다보는 최준일의 눈에 체념이 깃든다. 아버지 최우식이 선고를 앞둔 상황, 서연아 쪽에서 이렇게 나올 거란 건 예상했던 일이었다.

"내 도장은 찍었으니, 자기만 찍으면 돼. 어른들도 설득했으니까 우리만 해결하면 끝나."

서연아는 이혼 서류를 내미는 순간에도 산뜻하고 담담했다. 친일파로 낙인찍혀 NV 호텔이 폐업에 가까운 수순을 밟는 지금, 손을 잡고 헤쳐 나가도 모자랄 판이었다. 하지만 최준일은 이미 지칠 대로 지친 상황이었다.

"놓고 가. 옷 갈아입어야 해."

넥타이를 느슨하게 만든 준일이 드레스 셔츠 단추를 하나씩 풀며 말했다. 그러자 생긋 미소 지은 서연아가 옆에 놓인 핸드백을 집어 들곤 자리에서 일어났다.

"호텔 생활은 어때?"

"뭐가."

"좀 말랐네? 식사는 제대로 해?"

"그게 왜 궁금한데."

"설아 아가씨 말인데, 파리에서 연락이 왔어. 임신했대."

준일은 그럴 줄 알았다는 표정으로 눈을 지그시 감았다.

"들어보니까 매니저랑 좀 오래된 사이인 거 같더라. 그래서 피아노를 계속할지, 한국에 돌아와서 육아할지 고민이래."

"그걸 너한테 말해?"

"응. 무심한 오빠보다는 내가 낫다고 생각했나 보지."

한숨을 내쉰 준일이 서연아를 돌아보았다. 그러자 눈이 새빨개진 여자가 입술을 비죽거리며 카드를 꺼내 내려놓는다. 혼인 신고서를 작성하는 날 준일이 준 블랙카드였다.

자존심이 무너진 사람처럼 주먹을 말아 쥔 서연아가 시선을 피하며 말했다.

"켄이치 이마무리가 깨어났어. 차라리 콱 죽어 버렸으면 좋았을 것……. 내가 그 새끼한테 먹인 금액만 30억이야. 검찰 조사 시작하면, 광화문에서 깽판 치고 조유연 죽이려 한 거 나라고 증언하겠지. 그러고도 남을 새끼거든……. 그러니까 여기까지만 하자. 빨리 도장 찍어. 시간 아까우니까.”

가만히 서연아를 쳐다보던 준일은 서슴없이 도장을 꺼내 찍은 뒤 종이를 넘겼다. 그러자 그것을 받아 들어 봉투에 넣은 서연아가 눈물이 그렁그렁한 얼굴로 뒤도 돌아보지 않고 방을 나갔다.

“으아악!”

분이 차오른 준일은 호텔 내의 집기들을 집어 던졌다. 와장창 깨져 버린 전등갓이 바닥을 구른다. 그럼에도 분이 풀리지 않아 운동복으로 갈아입은 뒤 피트니스 클럽이 있는 3층으로 내려갔다.

준일을 알아본 직원이 자연스럽게 로커 키를 건넨다. 그런데 오늘따라 분위기가 이상했다. 최고 속도로 뛰어야 이 뻗치는 기운이 풀릴 것 같아서, 트레드밀에 오른 그는 거울에 비친 한 사람을 발견하곤 주먹을 말아 쥐었다.

“회원님, 죄송합니다만 퍼스널 트레이닝 구역은 사용하실 수 없습니다. 프레지덴셜 스위트룸 고객님께서 체크인하신 관계로, 오늘은 공용구역의 기구만 사용해 주시길 바랍니다.”

마치 죽을죄를 진 사람처럼 호텔 직원은 몇 번이고 고개를 숙인 뒤 물러났다. 그런 직원에게 그저 고개만 까딱인 준일은 클럽 안으로 들어서는 세자 이건을 노려보며 숨을 내뱉었다. 몸에 붙은 검정 셔츠에 트랙팬츠를 입은 이건은 존재 자체로 넘보지 못할 위압감을 뿜어냈다.

막 퍼스널 트레이닝 구역의 문을 열고 들어가던 세자가 멈추어 선다. 그러곤 시선을 느낀 듯, 준일의 방향으로 고개를 틀었다. 그 서

늘하고 새카만 눈과 마주한 준일은 목구멍이 타들어 가는 감각을 느
꼈다.

그것은 견뎌 내기 힘든 열패감이었다.

더 캐슬

VOL. 3　　　　　The Castle

CHAPTER **21**

가례

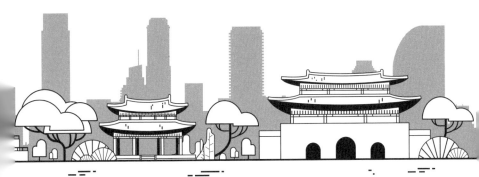

21

가례

"마음에 안 드는 인간이다."

트레드밀에 오른 건의 곁으로 김궐이 불쑥 튀어나와 말했다. 이제는 아무 때고 불쑥불쑥 나타나도 이상하게 느껴지지 않았다. 사람의 적응력이란.

건은 트레드밀의 속도를 올리며 가소롭다는 듯 웃었다.

"나도 마음에 안 들어."

"주인을 속였다."

"어떻게 속였는데."

건은 유리 벽 너머 운동 기구를 사용 중인 최준일을 보며 두 눈을 가늘게 접었다. 그러자 심드렁한 표정으로 무게가 나가는 아령들을 툭툭 건드려 보던 궐이 신기한 기구를 들여다본다.

"주인에게 저 자신이 첫사랑이라고 했다. 게다가 이미 서로를 연모하고 있었다며, 기억 잃은 주인을 능멸하였다."

순간 트레드밀 위에서 삐끗하며 균형을 잃은 건이 급히 사이드 바를 잡으며 두 눈을 부라렸다.

"뭐라고?"

"말 그대로다. 고약한 거짓말쟁이다."

"유연이한테 첫사랑이 본인이라 했다?"

궐은 고개를 끄덕이며 다가와 제법 속도가 높은 트레드밀을 보며 호오, 하는 소릴 낸다.

"그런데 귀멸자야, 이 밤에 왜 체조를 하느냐."

"야식을 먹어야 하거든. 배 나오는 꼴은 못 봐."

"허허, 고작 몇 그릇에 배가 나온단 말이냐?"

김궐이 자신의 배를 내려다보며 혀를 차는 동안, 건은 감히 자신의 첫사랑을 빼앗아 가려 했던 최준일에게 저주를 퍼부으며 이를 갈았다. 첫사랑이란 것이 알고 보면 별것 아닌 것 같아도, 누군가에게는 중요한 일이었다.

서화제약이 가루가 되는 꼴을 보고야 말겠다며 이글이글 타오르는 눈빛을 한 건의 앞으로 셔츠를 벗은 궐이 불쑥 시야를 막아선다.

"나도 해 보련다."

"뭘. 빨리 옷 안 입어? 사내놈이 어디서 훌떡훌떡 벗고 그래?"

"왜, 문제 있느냐. 너도 땀을 닦는다며 훌떡훌떡 밑단을 들쳐 올리지 않았느냐."

"하, 그게 이거랑 같아?"

황당한 건이 직원을 부르더니 궐에게 맞는 운동복을 부탁했다. 이어 직원을 따라 탈의실로 걸어 들어간 궐이 어색한 얼굴로 운동복을 갖춰 입고 걸어 나온다. 하지만 김궐은 건이 있는 곳이 아닌, 최준일이 운동하는 곳으로 향했다.

'뭐야. 왜 거기로 가.'

-내 일전에 이놈의 열 손가락을 부러트려 버렸지. 기억하는지 확인하려고 한다.

'열 손가락을 부러트린 게 너였나.'

-주둥이를 반으로 갈라 버리지 않은 걸 다행으로 알아야 한다.

쯧, 누가 호랑이 아니랄까 봐 성깔하고는. 하지만 말리고 싶은 마음은 들지 않았다.

건은 벤치 프레스에 앉아 흥미로운 표정으로 김궐을 지켜보았다. 이곳에서 최준일을 만나게 될 줄 몰랐고, 눈이 마주쳤을 때 느낀 건 선연한 짜증이었다. 두 사람을 지켜보던 건의 입가로 웃음이 흩어졌다.

김궐을 본 최준일은 태연하게 다른 기구로 자릴 옮겼지만, 꼬리 달린 사내놈이 그 뒤를 쫓는다. 그러곤 최준일의 앞에서 태연한 얼굴로 운동 기구를 제멋대로 사용하기 시작했다. 김궐에게 무게 추란, 쓸모없는 쇳덩이에 불과했다. 너무도 거뜬히 최고 무게를 들어 올리는 김궐을 넋 나간 얼굴로 지켜보던 준일의 낯빛이 까맣게 죽는다.

최준일은 결국 목에 건 타월로 땀을 닦으며, 소리 없이 퇴장했다.

"하여튼 유치한 놈 같으니."

건은 웃음이 배어 나온 입가를 가린 채 쿡쿡대며 어깨를 떨었다. 김궐이 이렇게 뻔뻔했나? 처음엔 털 세운 고양이처럼 예민하게 굴더니, 이젠 정말로 인간이 다 되었단 말이 절로 나왔다. 질투도 하고, 복수도 할 줄 알고, 유치한 신경전도 벌이는.

최준일이 사라져 버린 자리를 의기양양하게 쳐다보던 궐이 가슴을 쭉 편다. 그러곤 건의 방향으로 돌아서더니 씩 웃었다. 건은 입가를 문지르던 손으로 엄지를 들어 보였다. 손 많이 가는 친구가 하나

생긴 기분이다. 나쁘지 않은 기분이었다.

어슬렁거리며 다가온 퀼이 키득키득 웃는 얼굴로 건과 마주 앉는다. 건은 자신과 닮은 퀼을 보며 어깨를 두드렸다.

"잘했다. 내일 아침에 조식 먹으러 와. 뷔페야, 배불리 먹어."

뷔페란 말에 퀼의 눈이 번쩍 뜨인다. 개안이라도 한 사람처럼 반짝거렸다.

"귀멸자야, 요즘 많이 착해졌구나. 혼례를 올리는 것이 그리도 기쁘냐."

"그래. 너도 반려를 찾지 그래."

그 말에 입꼬릴 씩 올린 퀼이 일어나 새카만 창밖을 내려다보았다. 불 밝힌 호텔 풀장이 한눈에 내려다보이는 곳에 서서 잠잠한 눈빛으로 어딘가를 응시했다.

"아니, 나는 주인만 있으면 된다. 주인의 아이가, 새로운 주인이 되겠지. 어쩌면 귀안을 가진 다른 여인이 나타날 수도 있다. 나는 영원하지만, 인간은 영원하지 못한다. 하지만 내가 주인의 이름을 기억하는 한, 주인은 영원할 것이다."

그렇게 말한 퀼이 고개를 돌리곤 씩 웃을 때였다. 우물쭈물하며 찾아온 직원이 죽을죄라도 지은 얼굴로 두 사람을 보며 허리를 90도로 숙였다.

"죄송합니다, 고객님. 피트니스 클럽의 마감 시간 5분 전이어서요. 죄송합니다."

"아닙니다. 지금…… 나가죠."

두 남자는 결국 제대로 된 땀도 흘려 보지 못한 채 피트니스 클럽을 나와야 했다.

건은 풀장에 가겠다며 연기처럼 사라져 버린 퀄을 뒤로하곤, 승강기를 타고 객실로 올라갔다. 영원히 기억된다는 말이 이토록 가슴을 묵직하게 만드는 것인지 새삼 깨달았다. 역사의 무게는 그만큼 가볍지 않았다.

카드를 대고 문을 열자, 막 룸서비스가 도착한 건지 따뜻한 음식들을 앞에 둔 그녀가 와인병을 든 채 생글생글 웃고 있었다.

"이 좋은 와인이 서비스래요, 빨리 오세요! 역시 돈이 좋다니까?"

건은 능숙하게 코르크를 여는 그녀에게로 성큼성큼 다가갔다.

커다란 소파에 앉은 유연의 앞엔 룸서비스 메뉴판에 있던 모든 고기 요리가 놓여 있었다.

"이걸 다 먹을 거야?"

"아까 떡볶이 몇 개 안 먹었어요."

"하여간 위대해."

"와, 그게 언제 적 농담이에요?"

"내가 좀 옛날 사람이라."

건은 인사처럼 그녀의 입술에 키스했다. 그러자 발그레한 얼굴로 키스를 받은 그녀가 입맛을 다시며 그의 목덜미를 끌어안았다.

"왜요? 운동하고 온다더니, 땀이 하나도 안 났네?"

"조유연."

"네?"

"너 첫사랑이 누구라고?"

첫사랑? 다 알면서 왜 또 묻는담?

유연은 헛웃음을 흘리며 그의 양 뺨을 감쌌다.

"왜 갑자기 물어요? 나 놀리려고?"

"아니."

양 뺨을 감싼 그녀로 인해 입술을 불퉁하게 내민 그가 음식이 차려진 테이블로 손을 뻗는다. 그는 자연스럽게 디저트 접시를 당겨와 그녀 앞에 내밀었다.

유연은 영문을 모르겠다는 얼굴로 그와 디저트 접시를 번갈아 보았다. 그러다가 작게 탄식하며 접시 위에 놓인 유리알 같은 디저트 속, 반짝이는 반지를 발견했다.

"이거……."

"뻔하고 훤히 들여다보이는, 내 프러포즈의 화룡점정."

"반지를 꺼내려면 어떻게 해야 하는데요?"

"나 조유연의 첫사랑은 이건입니다. 저는 이건 말고는 누구도 사랑해 본 적 없어요. 이렇게 말하면 반지가 나올 거야."

입술을 꾹 다문 그녀는 웃음을 참느라 어깨를 들썩이며 그가 내민 접시를 받았다.

"내 첫사랑은 세자 저하고, 내 끝 사랑은 이건이에요. 사랑해요. 그러니까, 반짝이는 거 빨리 줘요."

그럴 줄 알았다는 듯 피식 웃은 그는 그녀의 입술을 잘근 깨물며 손으로 투명한 과자를 톡 깨었다. 바스스 흩어지는 설탕 파편 속에 심플한 다이아몬드가 박힌 얇은 반지 하나가 그녀의 손가락에 끼워진다. 유연은 가루 때문에 끈적이면서도 간질간질한 감각을 느끼며 행복하게 웃었다.

입술에 사탕가루라도 묻혀 놓은 듯 달콤하게 빨아들이던 그가 그녀의 손을 깍지 끼워 잡는다. 둘은 넓은 소파 위에 같은 방향으로 털썩 엎어지며 웃음을 터트렸다. 누가 먼저랄 것도 없이 끈적이는 손으로 서로를 어루만지고, 깊게 스며들었다.

"야식 먹으려 했는데."

그녀의 말에 여전히 사탕가루로 끈적한 손가락을 핥은 그가 고개를 젓는다.

"식으면 어때. 다시 데워달라고 할게."

"그거 갑질인 거 알죠? 세자 저하씩이나 돼서 백성들에게 갑질하면 안 되죠."

"우리 유연이, 벌써 왕후마마 노릇을 하는 거야?"

"아뇨, 남편 관리요. 제가 알아보니까 우리 저하 요즘…… 팬클럽 관리도 하지 않으시고 막……."

잔소리가 이어질 찰나, 건은 그녀의 몸에 올라타 얄미운 입술을 틀어막았다. 이토록 완벽한 날, 질투는 어울리지 않는다. 한 치의 거짓 없는 우리 사랑은 견고했으며, 굳건할 테니까.

마음을 내보이고 욕심내어 가지려 한 것을 후회하지 않는다. 오히려 너무 늦은 건 아닌지, 좀 더 일찍 이 손을 내밀지 않은 것이 한처럼 가슴에 박혔다.

"유연아."

숨이 막혔는지 새빨간 얼굴을 한 그녀가 마른침을 삼키며 고개를 끄덕인다. 서로를 향한 두 사람의 눈에는 진심이 가득했다.

"사랑해."

경복궁 전체가 들썩였다.

봄이 움트는 3월. 가지마다 매달린 꽃송이들이 만개를 기다리고, 궐 내의 궁인들은 전에 없이 밀려드는 업무에 정신을 차리기 힘들었다.

가례가 코앞이었다. 가례와 동시에 즉위식까지 거행하고 나면, 경복궁의 주인이 한차례 바뀌게 된다. 그날은 역사의 한 페이지를 차지할, 영광의 하루가 될 것이다.

가례에 입을 예복을 벌써 수십 벌 피팅한 유연이 한복 더미 위로 풀썩 주저앉았다. 속치마 차림의 그녀를 혀를 차며 내려다본 서 상 궁이 몸에 좋다는 한약을 가져와 내민다.

"마마님, 체력이 이리 약하셔서 쓰겠습니까? 수호부들이 말썽 부 리느라 힘을 빼앗기시는 거라면, 제가 엄하게 한마디 하겠습니다."

"제조상궁, 그런 거 아닙니다. 주세요, 몸에 좋은 거 먹고 힘낼 테 니까."

싱긋 웃어 보인 서 상궁은 꿀꺽꿀꺽 한약을 들이켜는 유연의 입에 사탕 하나를 쏙 넣어 준 뒤 손을 내밀었다. 유연은 서 상궁의 손을 잡고 일어났다. 아직 가례에 입어야 할 예복이 산처럼 쌓여 있었다.

그때였다. 어디선가 불쑥 나타난 치웅이 거울 앞에 선 유연의 뒤로 다가오더니 그 손을 불쑥 잡았다.

"네 도움이 필요하다. 어서 가자."

"네?"

"수정전으로 갈 것이야."

"어어, 언니!"

불시에 치웅에게 끌려가게 된 유연의 뒤로 파랗게 질린 궁인들이 우르르 뒤따른다. 성큼성큼 걷는 치웅과 질질 끌려가는 유연, 그리고 잰걸음으로 따라붙는 궁인들까지. 그들의 걸음은 곧장 수정전으로 이어졌다.

유연은 수정전 앞에 서서 숨을 크게 들이켰다. 수정전은 여전히 그녀에게 좋지 않은 기억으로 남아 있는 곳이었다. 하지만 이제 익숙해져야겠지. 그래야만 한다.

"무슨 일이에요?"

수정전 안으로 들어선 치웅은 놀란 RSA 직원들을 뒤로하고 지하로 통하는 문 앞에 섰다.

"이 안에…… 잠신한 놈이 하나 있다. 그런데 이놈이 제법 힘을 잘 숨기더구나. 혹시라도 놈이 환동이라도 하는 날엔, 지난번과 같은 일이 벌어질 것이야."

유연은 치웅이 말한 지난날을 기억하곤 고개를 끄덕였다. 가벼운 한복 치마에 쓰개치마를 어깨에 걸친 그녀가 손을 대자, 수정전의 문이 열린다. 이어 무거운 기운이 스멀스멀 기어 나와 피부를 얇게 베어 냈다.

"찾아 주어라."

마른침을 삼킨 그녀는 어둠 속을 빤히 응시하며 걸음을 내디뎠다. 그녀가 걸음을 옮길 때마다 무거운 기운이 반으로 갈라지고, 그 틈을 몽글몽글하고 부드러운 기운이 차지했다.

뭘까? 잠신을 했다기엔, 지나치게 자신의 기운을 드러낸 이매였다.

"혹시, 세자 저하께 말씀드렸나요?"

"귀멸자? 흠, 아마 지금쯤……."

똥줄 타게 뛰어오고 있을 거라는 치웅의 말끝이 흐려진다.

긴 통로, 오랏줄에 묶인 액자들이 줄지어 걸린 어딘가에서 부드럽고 보송보송한 무언가가 확 튀어나와 그녀의 품 안에 폭 안겼다.

"어어!"

놀란 유연은 제 품에 안긴 작은 털 뭉치를 떼어 냈다.

"어?"

-삐!

"어어?"

-삐이-!

"너!"

-삐이이이.

까만 털 뭉치 같은 녀석은, 트럭 사고를 당했을 때 제일 먼저 튀어 나와 앞을 막아섰던 꼬맹이였다. 도깨비인지, 먼지인지. 몸을 웅크 린 까만 강아지인지 알 수 없는 존재였지만, 유연은 그림에서 튀어 나온 도깨비가 조금도 두렵지 않았다.

커다랗고 까만 눈을 깜빡이던 녀석이 삐삐-. 거리며 품 안으로 폭 파고든다.

"조유연! 치웅, 너!"

이어 가쁜 숨을 몰아쉬며 뛰어온 건이 그녀를 돌려세웠다. 유연은 고개를 든 채 새빨갛게 충혈된 눈으로 환하게 웃었다.

"오늘도, 너무 좋아요. 저하."

수정궁이 발칵 뒤집혔다. 건은 유연의 품에 안긴 정체불명의 존재 를 보며 기가 막힌 듯 탄식했다.

"이게 뭐야."

그녀의 품에 꼭 안긴 녀석은 시루떡만 한 털 뭉치였다. 건을 보자마자 겁에 질려 털을 바짝 곤두세우고 몸을 웅크린 놈은, 언뜻 까만 먼지처럼 보이기도 했다.

"안 돼요."

유연은 녀석을 쿡 찌르려는 그에게서 홱 돌아섰다. 다짜고짜 안 된단 말에 건이 발끈했다.

아직 아무 짓도 안 했거든?

"뭐가 안 된다는 거야. 대체 치웅, 넌 여기에 왜 유연이를 데려와!"

불똥이 튄 치웅이 귓구멍을 긁적이며 어깨를 으쓱 올렸다.

"나야 갑자기 수정전에 잠신한 녀석이 궁금해서지. 내가 다가가면 기가 막히게 힘을 숨겼던 놈이야. 이런 놈이 환동하면, 최상급 이매는 상대도 안 된다고."

"하, 힘을 숨긴다? 화매처럼?"

"아니. 이놈의 힘은 더 순수해. 완벽하게 자연적으로 생겨난 힘이야. 이매라고."

건은 유연의 앞에 서서 손을 내밀었다. 조금 전 하는 이야기를 다 듣지 않았느냐는 표정으로 몇 번 손을 내밀었지만, 유연은 단호했다.

"애는 위험하지 않아요, 저하."

"그건 지금 네가 곁에 있어서 그런 거지. 이매는 언제 본성을 드러낼지 몰라."

"그래도! 이, 이렇게 귀여운 애를 소멸이라도 시키시려고요? 게다가 애…… 그날 저 구해 준 애 맞아요."

"널 구해?"

"네, 그 날이요."

건은 새삼스러운 표정으로 녀석과 눈을 맞췄다. 유연이 말하는 그 날이 언제인지 알고 있었다. 그녀가 잘못되고, 세상이 무너질 듯 힘들었던 그날. 건은 마지못한 듯 궐이와 청송, 그리고 망량을 모두 불렀다. 하지만 수정전에 부리나케 달려온 이는 궐과 망량뿐이었다.

-귀멸자야, 나는 숙이와 장기를 두는 중이다. 잠시 다녀오면 한 수 물러 줘야 한다. 내 그럴 수는 없지. 무슨 일인지 몰라도, 형님들과 잘해 보아라.

'숙이?'

-그래, 주상 말이다. 너는 네 아비의 존함도 까먹었느냐?

'내 아버지를 숙이라 부르는 놈은 너뿐이야, 청송.'

-장! 장이다, 숙아! 끊어라, 귀멸자야!

끊으라니. 마치 통화라도 하는 듯한 태도에 건은, '이놈도 인간이 다 됐군.'이라며 중얼거렸다. 그러는 사이 궐이와 망량까지 합류한 수호부가 먼지 덩어리를 에워싼 채 놈을 압박하고 있었다.

"말은 할 줄 아는가."

-삐!

"허허, 이거 참 재밌는 일이구나."

-삐이!

"형태를 바꾸는 힘을 갖고 있느냐."

-삐이이!

자신 있게 대답한 녀석이 풀쩍 뛰어오르더니, 허공에서 형태를 바꾸기 시작했다. 유연은 멍하니 밀가루 반죽처럼 변하는 녀석을 올려다보며 건의 팔을 힘주어 잡았다.

폴짝-.

어느덧 형태를 다 만든 녀석이 바닥으로 뛰어내린다. 녀석을 에워싼 수호부들의 표정이 볼만하게 일그러졌다. 금방 녀석의 정체를 알게 된 건 헛웃음을 지으며 고개를 끄덕였다.

"해치."

-삐!

마치 이름을 불러 준 것이 행복하다는 듯 작은 푸들만 한 해치가 깡충거리며 뛰어다닌다. 검은 몸통에 반질반질한 비늘로 덮인 몸. 머리 위에는 하나의 작은 뿔이 나 있었고, 꼬리는 복슬복슬한 털이 풍성하다. 게다가 녀석의 겨드랑이 사이엔 날개를 닮은 깃털이 나 있었다.

앙증맞은 송곳니를 삐죽 내민 녀석이 꼬리를 살랑살랑 흔들며 유연의 주위를 뱅뱅 돌았다. 녀석이 움직일 때마다 목에 달린 방울이 달랑거리며 소릴 낸다.

"해치······ 라고요?"

"그래, 영락없이 해치야. 모양을 봐. 눈은 또 왜 이렇게 커?"

"해치가 이렇게 귀여운 애라고요?"

"왜, 경복궁 앞에 있는 해치가 무서워?"

"아니, 그건 아니지만······."

바닥에 쪼그려 앉은 그녀가 손을 내밀자, 토끼처럼 뛰어온 해치가 품 안에 폭 안겼다. 악신을 쫓고 액운을 막는 녀석이, 강아지처럼 꼬랑지를 살랑살랑 흔들며 유연의 품에서 내려오려 하지 않는다.

"주인아, 이놈은 수호부가 아니다."

궐이의 말에, 부채를 펴 살살 흔든 망량이 말을 보탠다.

"정확히는 주인에게 길들여진 이매구나. 이런 건 아주 오랜만에 봐."

"나도."

치웅이 손을 뻗자, 고개를 유연의 겨드랑이 사이에 파묻은 해치가 바들바들 떨었다. 그 모습에 치웅이 실소하며 녀석의 꼬랑지를 잡는다.

"겁쟁이 녀석이구나. 네 이놈! 이래서 주인의 곁에 있을 자격이나 있겠느냐?"

–삐!

발끈한 해치가 삐삐 울며 치웅의 손을 확 물려 한다. 쪼그만 녀석이 털을 세우고 경계하는 모습에 유연은 결국 웃음을 터트렸다.

"저하, 키우게 해 주세요."

"뭐?"

"저 지금까지 뭐 바란 적 한 번도 없는 거 아시죠? 그러니까…… 해치 키우게 해 주세요. 제가 키울게요. 이렇게 귀여운 애를 어떻게 내보내요? 아직 밖은 엄동설한이라고요!"

아니, 완연한 봄이라고 말하고 싶었지만 그랬다간 유연이 울어 버릴 거 같아서 건은 입을 꾹 다물었다. 그러곤 해치를 살피며 녀석의 머리 위로 손을 뻗었다. 그러자 겁에 질려 발발 떨던 녀석이 눈을 치켜뜨더니 건이 머리를 쓰다듬게 그냥 두는 것이 아닌가?

수호부들에게 보였던 것과는 또 다른 반응에 건의 한숨은 깊어졌다.

"일단…… 며칠 두고 보자고. 키울지 말지는, 그때 결정해."

"얘를 안 키우면 어떻게 하는데요?"

"유연아. 얼굴에 속지 마. 이 녀석은 이매야. 화매이기라도 하면 주인의 말에 복종하지만, 놈은 아니야. 언제 돌변할지 모르는 일이니, 두고 보자."

그녀는 마지못한 듯 고개를 끄덕였다. 그러곤 해치를 품에 안은 채 에워싼 수호부들을 향해 돌아섰다.

"나, 지나갈래."

"기다리거라."

성큼성큼 걸어가던 유연의 앞을 가로막은 자는 망량이었다. 부채를 흔들던 망량이 상체를 불쑥 숙이더니 해치와 눈을 맞춘다. 망량의 눈동자가 희게 변하고, 해치의 눈은 붉은색으로 빛났다. 영락없이 이매의 눈동자였다. 하지만 유연은 해치에게서 어떠한 나쁜 기운도 전달받지 못했다.

"오호."

작게 감탄한 망량이 부채를 탁 접자, 구름이 뭉게뭉게 일어나더니 그 안에서 검은 흑표범 한 마리가 어슬렁어슬렁 걸어 나온다. 위풍당당하게 걸음을 내딛던 흑표범이 해치의 앞에 얌전히 앉았다. 해치는 으르렁거리지도, 겁에 질린 표정도 아니었다. 오히려 겁에 질린건 흑표범이었다.

엉덩이를 들썩이며 도망치고 싶어 하는 흑표범의 머릴 쓰다듬은 망량이 해치의 방울을 톡 건드리자, 요란한 방울 소리가 수정전 전체를 쩌렁쩌렁 울린다. 마치 파동이 번져 나가듯 수정전 벽을 타고 오른 소리가 어느 순간 뚝 멎었다.

"네놈들도 보았느냐?"

망량은 얼굴에서 미소를 지우지 않았다. 김궐과 치웅은 반쯤 넋이 나간 채였고, 건은 주위를 둘러보며 헛웃음을 흘렸다.

"수정전에 봉인된 힘을 전달해 준 것이냐."

건의 질문에 망량이 고개를 끄덕이며 화매를 부르자, 흑표범이 기다렸다는 듯 도망쳤다. 상태를 보아하니 힘을 빼앗기는 것이 두려워 겁먹었던 것이었다.

"이 정도면, 주인에게도 도움이 될 듯싶은데 말이다."

"유연이의 힘을 쓰지 않아도 된다…… 이 뜻이냐."

"그렇지. 이매의 힘을 뽑아내어 우리에게 주었다. 주인을 지키고 자 하는 마음이 만들어 낸 또 다른 힘인 것이지."

수정전 내에 잠시 잠깐 침묵이 내려앉았다. 유연은 마치 심사를 기다리는 기분으로 수호부들과 하나하나 눈을 맞추었다.

"유연이의 힘을 쓰지 않아도 된다면, 난 거절할 이유가 없지."

건은 유연의 품에 안긴 해치의 머릴 가볍게 쓰다듬었다. 오히려 그에겐 꼭 필요했던 존재였다. 유연의 힘이 아무리 강하다 해도, 언 젠가는 그 힘도 바닥을 보일 때가 올 것이다.

큰 전투가 일어날 때마다 기절하거나 어지럼증에 힘들어하던 그 녀를 생각하면, 해치는 은인이나 다름없었다. 게다가 해치는 이매 다. 수호부가 아니기에, 존재 자체만으로 유연의 힘을 가져다가 쓰 지 않았다.

"복덩이구나."

"복이라고 부르자, 복아!"

"개껌을 사러 다녀오마."

마치 멈췄던 시간이 흐르듯 수호부들은 너도나도 해치를 복이라 부르며 기쁨에 겨워 어쩔 줄을 몰라 했다. 유연의 힘을 꺼내 쓸 때마 다 속이 문드러지던 녀석들에게 해치는 정말로 복덩이였다.

"정말…… 정말 키워도 된다는 거야?"

"당연하다 뿐이냐! 절대로 떨어지지 마라. 알았지?"

"진짜지?"

"내 당장 개껌부터……."

유연은 해치를 끌어안고 웃었다. 말랑말랑한 발바닥을 만지며 촉촉한 콧등에 입을 맞추자 격렬하게 꼬랑지를 흔드는 해치의 목에서 달랑달랑 종소리가 난다.

"가례를 올리기 전에 나타나서 다행이군."

건은 유연의 품에서 복이를 대뜸 데려가더니, 품에 안고 상체를 숙였다. 이어 유연의 입술에 쪽 입 맞추곤 두 눈을 가늘게 뜬다.

"그래도 그렇지, 암수 구분도 안 된 놈에게 입 맞추면 안 돼. 일단, 이 입술엔 나만 할게."

"저하, 너무 오글거려요."

"응, 더 해 줘? 이 아름다운 입술은 내……."

"꺅, 안 들려!"

고개를 절레절레 저은 그녀가 복이를 빼앗아 수정전 계단을 뛰어 올랐다. 수호부들과 남은 건은 복이가 튀어나온 그림을 톡 건드리곤, 직접 그것을 들고 일월오악도 뒤로 들어갔다.

중요한 그림들을 모아 놓은 선반 위에 복이의 액자를 올린 그의 얼굴에 봄 같은 미소가 피어났다. 누구의 선물인지 몰라도, 최고의 결혼 선물이었다. 영원의 티끌만이라도 붙들고 싶었던 제 소원을 들어준 것 같아서.

건은 병풍에 대고 큰절을 올렸다.

제법 빌라 생활에 익숙해진 혜란은 다시 경복궁으로 거처를 옮겨 왔다.

빌라도 정말 좋았지만, 경복궁은 그 어떤 건축물에 비할 수 없을 만큼 아름다웠다. 원래대로라면 친정은 외부에 따로 마련했어야 하지만, 어머니와 13년간 떨어져 있어야 했던 세자빈을 위해 이숙이 직접 준비한 곳이었다.

집경당 북쪽, 향원정을 품은 풍경이 그림처럼 펼쳐진다. 그리고 대각선으로는 건축 대상을 받은 예화가, 남쪽으로는 곧 두 사람이 묵게 될 강녕전과 교태전이 있었다.

과거의 왕과 왕비는 다른 거처를 사용했지만, 둘은 한 곳에서 함께 지내기로 하였다. 나중에 서로의 잠버릇이 마음에 들지 않아 부득이하게 침대를 분리하는 일이 생길지라도, 지금은 한시도 떨어져 있고 싶지 않았다.

"와…… 제가 직접 만들었지만, 이렇게 잘 어울리실 줄 몰랐습니다."

붉은 적의가 풍성하게 몸을 감싸고, 머리 위에는 대수를 올렸다. 장잠과 봉황꽂이, 금으로 만든 가란잠에 앞머릴 고정하는 용잠과 후봉잠까지. 완벽하게 국혼을 위해 준비된 전통 대례복을 입은 유연은 완벽한 왕후의 모습을 갖추었다.

원래대로라면 왕세자빈이 입어야 하는 아청색 원단에 36개의 원적문을 배치한 대례복을 입어야 하지만, 세자는 혼례 직전 왕위에 오른다. 그러므로 유연은 왕비의 차림을 해야 했다.

유연은 몸 전체가 무거워 걸음을 내딛는 것도 힘들었다. 적의 일습을 입기 전, 속곳과 저고리, 당의, 대란치마, 전행웃치마를 입고 비단으로 만든 적말과 적석을 신는다. 그 위에 적의와 같은 모양의 별의를 걸친 뒤, 마지막으로 대홍단으로 만든 적의를 걸치면 끝. 하지만 각개의 무게가 보통이 아닌지라, 그녀의 등줄기로 식은땀이 주르륵 흘렀다. 게다가 엄청난 무게의 패옥으로 장식한 뒤부터는 서 있는 것 자체가 기적처럼 느껴질 정도였다.

"마마님, 괜찮으시지요?"

"네, 괜찮습니다. 그런데 복이를 데려오시겠어요?"

유연의 부탁에 지켜보던 서 상궁이 단호하게 고개를 저었다.

"복이 녀석이 어찌나 오줌을 갈기고 다니는지, 나 원. 하여, 안 됩니다. 상의원에서 관리하는 비단들은 모두 보통의 옷감이 아닙니다. 아무리 복이라도, 이곳에는 들일 수 없습니다."

"그럼, 식 올리기 전에 딱 한 번만 머리를 쓰다듬게 해 주세요."

"그 정도는 해 드리겠나이다."

유연은 약속받은 뒤에야 환해진 얼굴로 거울을 보았다. 고개를 틀자, 몽우리 져 있던 봄꽃들이 팝콘 같은 꽃잎을 터트리기 시작한다. 살구꽃이 만발한, 우리가 손꼽아 기다렸던 그 계절이 도래했다.

바람이 불 때마다 꽃잎이 나풀나풀 날아든다. 가례가 열리는 경복궁 전각 곳곳이 하얗게 물들었다. 근정전 앞 월대 위에 일월오악도 병풍이 중앙에 펼쳐지고, 관복을 입은 궁인들이 모두 모였다.

정석대로라면 3일에 걸쳐 식을 진행해야 했다. 하지만 10년 전부터 왕실은 행사를 간소화하기 시작했다.

유연이 있는 함화당에 상궁들의 외침이 고고하게 울린다.

"왕비마마께 첫 절을 올립니다."

서 상궁을 주축으로 한 상궁들이 유연의 앞에 사배를 올렸다. 조유연을 왕비로 인정하겠다는 첫 절이었다. 유연은 그들의 절을 받는 것이 어색하고 낯간지러워 두 뺨을 빨갛게 붉혔다.

"잘 부탁드립니다."

"마마, 소인 이제 마마의 사람입니다."

"고맙습니다, 상궁 마마님."

"이제, 편히 서 상궁이라 부르시지요."

아직은 찬바람 섞인 바람이 불어왔지만, 경복궁은 뜨거웠다. 방송을 통해 국혼례가 실시간으로 생중계되는 중이었고, 방문을 허락받은 사람들은 근정전 앞을 가득 채웠다.

가마에 오른 유연은 긴장으로 속이 울렁거렸다. 이러다가 혼절이라도 하는 거 아니냐며 작은 창으로 유연의 상태를 살피던 서 상궁이 청심환을 내민다.

"태의께서 지으신 겁니다. 씹어 삼키세요."

"이 쓴 걸요?"

"몸에 좋은 약은 당연히 쓴 법입니다."

"그래도…… 이건 너무 써요. 게다가 냄새도."

"냄새가 무엇이 상관입니까?"

"혼례 끝에 혹시라도……."

"입맞춤이라도 할까 봐요? 걱정 마십시오. 국혼에는 그런 낯부끄러운 일은 없을 겁니다."

서 상궁은 단호하게 결론지으며 재차 청심환을 내밀었다. 유연은 결국 그걸 받아 오물오물 씹어 삼켰다. 코를 막고 몇 번을 물로 입을 헹궈 삼켜도 입안에서 한약 냄새가 풀풀 난다. 그래도 중간에 너무 긴장해 기절하는 것보다는 나을 거라고 생각한 유연은 어느덧 대전 앞에 다다랐다.

창밖 풍경이 낯설다. 소풍이라도 나온 것처럼 모여든 사람들이 유연의 이름을 부르며 환호하고 있었다. 마치 방한한 스타라도 된 것처럼. 그 소리에 귀가 먹먹할 정도였다. 부끄럽기도 하고, 부담스럽기도 한. 그래서인지 아주 오래전 건이 했던 말이 떠올랐다.

'세자빈이라는 자리에 오르는 것. 왕실의 일원이 된다는 건, 그리 호락호락한 일이 아닙니다. 보통의 책임감이나 사명감으로 오를 수 있는 자리가 아니에요. 얻는 건 열정 페이보다 박하고 온갖 수모를 당하기도 합니다. 왕실의 화려함은 잠시뿐이며 명예는 글쎄요……. 과연 조유연 씨가 그런 세자빈의 자리에 어울린다고 생각하십니까?'

그때는 아니라고 생각했다. 아니, 한 번도 생각해 본 적 없던 일이었고 제게는 일어나지 않을 일이기도 했다. 하지만 결국 현실이 되었다. 세자빈이 아닌 중전이 되어야 했고, 나랏일을 하진 않겠지만 왕실의 내명부를 관리해야 했다.

매일 서 상궁을 비롯해 다양한 선생들과 수업하고 있음에도 불구하고 제대로 할 수 있을지 겁나기도 했다. 그래도…… 이제 와 포기할 수는 없잖은가? 하는 일이 힘들다 해서, 다른 행복 전체를 포기할 수는 없었다.

"마마, 내리십시오."

서 상궁의 말에 가마가 열린다. 유연은 부축을 받아 가마에서 내려섰다. 어깨를 누르는 묵직함을 이겨내고 상체를 세우자, 주위에서 우레와 같은 함성이 터져 나왔다. 가슴이 울렁인다. 왕실악단에서 연주하는 경건한 악기 소리가 쾌청한 하늘을 수놓았다.

유연은 정면을 응시하며 한 걸음씩 내디뎠다. 한복을 곱게 차려 입은 엄마의 얼굴을 지나, 예를 갖춰 허리를 숙인 사람들이 하나둘 보인다. 천방지축이던 청송의 의젓한 모습 하며, 복이를 품에 안은 궐이와 우혁의 팔짱을 낀 치웅, 뿌듯한 표정의 망량 옆에는 이태가 있었다. 어색한 표정으로 웃어 보인 이태는 옆에 서 있던 여자의 손을 꼭 붙들었다. 유연은 그 여인이 이태의 모친이자 군부인이라는 것을 깨달았다.

반대편으로는 사랑하는 친구들이 있었다. 기쁨에 겨운 민주가 눈물을 펑펑 흘리며 연신 손수건으로 눈가를 찍는다.

신기한 일이었다. 그들과 시선을 맞출 때마다 마치 과거를 지르밟으며 한 걸음씩 전진하는 기분이 들었다. 과거에서 현재, 그리고 미래로 내딛는 걸음에 두려움은 없다.

유연이 먼저 단 위에 올라 절을 올리고, 면류관을 쓰고 구장복을 걸친 건이 오른쪽에서 나타났다. 환호성과 감탄사를 금치 못했던 그녀의 등장과는 달리, 세자가 등장하자 그 자체만으로도 압도적인 위압감이 사람들을 긴장시켰다.

경건하면서도 묵직한 분위기. 흔들리는 면류관의 옥구슬 너머 건의 눈빛은 직선으로 유연을 향해 있었다. 사람을 날카롭게 훑어 내리는, 사냥을 앞둔 포식자와도 같은 그 눈빛은 그녀가 사랑하는 그의 일부였다.

고개를 들지 말라는 서 상궁의 경고에도, 자꾸만 시선이 가는 걸 막을 수 없었다.

'너무 멋있단 말이에요. 제 남편 될 사람이요.'

당당하게 걸음을 내딛는 그 모습이, 제가 기억하는 건의 모습과 정확하게 일치했다. 신입생 환영사를 전달하기 위해 단상에 오르던 때보다도 훨씬 근사해진 그 모습에 숨이 막히도록 떨렸다.

일정 거리에서 멈춰선 건의 입꼬리가 비스듬히 올라갔다. 온갖 복잡한 절차가 이어졌지만 두 사람의 시선은 서로에게서 떼어지지 않았다. 그러다가 처음으로 마주 서게 된 순간, 봉황 한 쌍을 앞에 두고 건이 손을 든다. 모든 제례악이 멎고, 사람들의 소음이 끊겨졌다. 이어 성큼 다가온 그가 놀란 유연을 내려다보며 물었다.

"키스해도 되나."

그녀는 새빨간 입술을 다문 채 고개를 저었다. 예상치 못한 말에 식은땀이 줄줄 흐르고, 서 상궁은 기절할 듯한 얼굴이 되어 사방에 도움의 눈빛을 보냈다.

"정말?"

정말로 안 되냐고 묻는 말에, 유연이 들릴 듯 말 듯 작게 속삭였다.

"한약을 먹었어요. 안 돼요. 냄새 때문에 수치사 할지도 몰라요."

"그게 무슨 상관이야."

"서 상궁님이 그러셨어요, 국혼례에 입맞춤은 없다고."

그러자 한쪽 눈썹을 삐딱하게 올린 건이 서 상궁을 보며 어깨를 으쓱 올린다.

"지금부터 만들면 되겠네."

"저하!"

"이렇게 예쁜데 어떻게 참으라는 거야. 지금……. 하, 미치겠네."

하지만 그는 처음으로 자신의 인내심에 한 번 더 기회를 주기로 했다. 지금 여기서 키스하고 싶지만, 그랬다가는 유연이 적잖이 곤혹스러워질 거라는 무언의 압박이 그의 충동을 눌렀다.

"좋아, 난 잘 배운 성인이니까. 그래, 이 정도는 참아야지."

"설마, 그거 혼잣말이에요?"

유연의 말에 건이 힘겹게 입꼬릴 말아 올리며 웃는다.

"응. 혼잣말이야, 모른 척해. 그래, 가례야 언젠가는 끝나겠지. 응, 얼마 남지 않았어. 그럼 조유연이랑 키스할 수 있을 거야. 한약 냄새 난다며 밀어내기만 해 봐. 아주 울어 버릴 테니까. 그런데 원래 이렇게 시간이 느리게 가나? 왜 1분은 60초고, 1시간은 60분이지?"

그녀에게만 들릴 듯 말 듯하게 속삭인 그로 인해 유연은 결국 웃음을 터트렸다. 그제야 다시 시작된 가례. 잠시의 해프닝이 짓누르 듯 찾아왔던 압박감을 걷어 냈다.

어쩌면 제가 너무 긴장한 것 같아서 일부러 그랬을지 모른다. 이건은, 제 일이라면 본인의 일보다도 더 잘 아는 남자였으니까.

그녀의 웃음소리처럼 두 사람의 머리 위로 꽃잎이 흩날렸다. 궐내에 심어진 살구나무에 꽃이 폈을 때 혼인하고 싶다고 말했던 그녀의 바람이 이루어졌다.

건은 제 인생에서 가장 아름다웠던 순간을 꼽으라면, 주저 없이 오늘을 말할 수 있을 것 같았다.

"부부, 맞절!"

시원한 외침과 함께 두 사람이 서로를 향해 허리를 숙였다. 축복의 환호가 쏟아지는 순간이었다.

면류관의 구슬이 흔들린다. 7시간 동안 이어진 가례를 마치고, 신방으로 지정된 창경궁으로 이동하는 데 걸린 시간은 10초였다. 또다시 차를 타고 창경궁으로 이동하는 것은 에너지 낭비일 뿐이라며 건은 청송을 불렀다.

유연은 눈앞에 펼쳐진 경춘전의 풍경을 발견하곤 환하게 웃었다. 경춘전의 경춘은, 햇볕 따뜻한 봄이란 뜻이다. 지금의 계절에 가장 잘 맞는 곳이었고, 창경궁에서 가장 해가 잘 드는 곳이기도 했다. 게다가 뒤로 후원이 이어진 함양문이 있었기에, 경치 또한 볼만하였다.

"자, 잠깐만요!"

뒷걸음질 친 유연이 난처한 표정으로 건의 가슴팍을 짚었다. 그러자 코웃음 친 그가 밖을 턱 끝으로 가리키며 고개를 젓는다.

"궁인들이 우릴 찾으려면 한 시간은 넘게 걸릴 거야. 어찌나 예법을 중시하는지."

"그래도 아직 초저녁이라고요!"

"초저녁이면 어때. 첫날밤인데."

헛웃음을 지은 그녀는 건의 면류관을 벗긴 뒤 홱 돌아앉았다. 그러자 머리카락에 꽂힌 비녀들을 차례차례 뽑은 그가 대수머리를 벗긴다. 가체가 내려가자마자 유연은 살 것 같은 표정을 지었다.

"아직이야."

유연을 뒤에서 끌어안듯 한 그가 적의를 벗기고 그 안에 입은 저고리의 옷고름을 풀어 주었다. 걸친 옷들을 하나하나 벗겨 바닥에 떨어트린 그는 하얀 속치마 차림의 그녀의 어깨에 입술을 눌렀다. 그 부드러운 감촉에 절로 숨이 찬다.

길고 긴 가례는 두 사람에게 천국과 지옥을 동시에 선사하였다. 이어 그가 그녀를 돌려 앉히곤 말했다.

"나도 벗겨 줘."

그러곤 한쪽 무릎을 세워 앉으며 팔을 걸친다. 이미 흐트러진 겉옷 안으로 몇 겹의 한복이 보였다. 유연은 무릎걸음으로 다가가 나른하게 웃고 있는 그의 옷고름을 풀기 시작했다. 한 꺼풀씩 벗겨질수록, 사극 드라마에 나오는 주인공이 된 듯한 기분을 느꼈다.

"이거 은근 야해요."

"벨트 푸는 것보다, 옷고름 푸는 게 더 야한 법이거든."

"정말 그런 거 같기도 하고……."

"그래서 이렇게 느려?"

짓궂게 속삭인 그가 그녀의 입술을 슬쩍 핥았다. 그러곤 가느다란 허리를 감싸더니 그대로 금침 위로 무너졌다.

둘은 웃음을 터트리며 서로를 꼭 끌어안았다. 여전히 벗어야 할 옷들이 남아 있었지만, 지금은 이 온기와 다정한 숨소리가 더욱 필요했다.

인생의 축이 바뀌었다. 누군가에게는 별것 아닌 순간이겠지만, 둘에게는 그 어떤 때보다 가슴 벅찬 날이었다. 이제는 두 사람이 알지 못하던 때가 잘 떠오르지 않을 만큼 서로가 당연해져서 이름을 부르는 것만으로도 가슴이 뜨거웠다.

그녀를 끌어안은 그가 이마와 뺨, 붉은 립스틱을 칠한 입술에 차례로 입 맞춘다. 건은 립스틱이 묻은 입술로 그녀의 하얀 목덜미와 쇄골을 따라 자국을 남겼다. 울긋불긋한 꽃이 피어 버린 피부에 그의 잇자국이 더해진다.

건은 말없이 그녀의 목덜미에 얼굴을 파묻은 채 나른한 숨을 내뱉었다.

"첫날밤, 좋은데?"

나직한 그의 말에 유연이 머리카락 사이로 손을 넣으며 고개를 끄덕였다.

"저도요."

"유연아, 네가 너무 좋아."

"그렇게 좋으면 어떻게 해요. 하루라도 없으면 못 살겠어요?"

부러 놀리듯 내뱉은 질문에 심각한 표정의 그가 고개를 든다.

"당연한 거 아니야? 어디 가려고? 설마 기러기 아빠 하라는 건 아니지? 난 못해. 미래에도 네 옆에 딱 붙어 있을 거야."

능청스럽게 받아친 그가 다시금 그녀의 목덜미에 입술을 누른다.

"게다가 우리 유연이, 가능하겠어?"

"뭐가요?"

"감당할 수 있겠냐는 소리야. 내가 첫날밤을 좀, 많이 기다렸거든."

어리둥절해 있던 그녀의 뺨이 순식간에 달아오른다. 헛바람을 들이켠 그녀가 도망치려는 듯 발버둥 쳤지만, 그는 꽉 끌어안은 채 입술을 삼켰다. 부끄러우면서도 달콤했다. 너무 달아서, 캐러멜을 깨물어 먹은 것처럼 머릿속이 어질어질하다.

건은 그녀의 팔을 잡아 제 목덜미를 두르게 한 뒤, 속치마를 한 움큼 잡으며 속삭였다.

"소리 내지 마. 듣는 귀가 늘어날 테니까. 알았지?"

뜨거운 물이 찰랑거리는 욕조에 몸을 담근 건이 유연의 목덜미에 입을 맞추며 짓궂게 웃었다.

"얼마나 긴장했으면, 다리에 쥐가 나?"

"듣는 귀가 늘어날 거라는데 안 놀랄 사람이 어디 있어요? 설마, 드라마에서처럼 앞에서 다 듣고 있는 거 아니죠?"

"예전에는 참관인도 있었다던데. 우리도 참관까진 아니지만 귀로 듣고 보고해야 하는 궁인이 있지."

"미쳤어, 미쳤어. 거짓말이죠?"

"자, 이제 나의 비가 되었으니 조선왕조실록 원부를 보여 줄 때가 되었나."

그는 짐짓 진지한 투로 말했지만, 얼굴엔 장난기가 가득했다. 유연은 큰 눈을 깜빡거리다가, 그가 농담을 던진 걸 깨닫고는 벌떡 몸을 일으키려 했다. 하지만 허릴 잡아 마주 보며 앉힌 그가 종아리를 움켜쥐더니 살살 주무르며 귓불을 깨문다.

"어딜 나가게. 여기서 나가면, 술상 보는 나인과 마주칠걸?"

이제는 터질 듯 얼굴을 붉힌 그녀가 울 것 같은 표정으로 두 눈을 치켜뜬다.

"계속 이래야 하는 거 아니죠?"

"왜, 그렇다고 하면 이 혼인을 무를 거야?"

"저하!"

유연은 부드럽게 휜 그의 눈매를 얄밉게 노려보다가 결국 자포자기하듯 한숨을 내쉬었다.

"장난 좀 치지 마세요. 점점 짓궂어지시는 거 같아요."

"들떠서 그래."

"뭐가요?"

"첫날밤이."

이미 실오라기 하나 걸치지 않았건만, 뒤늦은 두려움이 밀려들었다. 유연은 역삼각형으로 벌어진 그의 어깨 근육을 만지작거리다가 단단한 가슴팍을 짚었다. 그러자 작게 탄식한 그가 젖은 머리카락을 쓸어 넘긴다.

"간지러운데."

"좀 참으세요. 만져 보고 싶었어요. 진짜 단단해 보여서."

"운동을 게을리하면 안 되겠군."

그가 젖은 입술을 혀로 핥으며 나른하게 고개를 젖힌다. 유연은 남자의 몸을 처음 보는 사람처럼 굴곡진 몸을 따라 시선을 내렸다. 그러다가 불쑥 뒷덜미가 잡혔다. 그녀의 가느다란 목덜미를 움켜쥔 그가 상체를 숙이더니 입술을 포개 온다.

부딪친 입술 새로 옅은 피 맛이 느껴질 만큼 거친 키스가 퍼부어졌다. 고개를 기울여 각도를 바꿀 때마다 깊어지는 입맞춤에 숨이 벅차다.

두 사람이 움직일 때마다 욕조를 채운 물이 출렁거리며 바닥으로 넘쳐흘렀다. 희뿌연 수증기로 가득한 욕실. 열기를 더해 갈수록 그녀의 눈가가 빨갛게 충혈되고, 머릿속이 아득해졌다.

"내 몸만 좋은 거 아니지?"

건의 말에 웃음을 터트린 그녀가 생경한 압박감에 놀라며 고개를 저었다.

"아니라고요. 왜 자꾸 그런 소릴……."

"전적이 있잖아. 언제는 내 몸만 좋다며?"

"그거야 당연히 장난이죠! 저하는요? 제 얼굴만 좋아요?"

"아, 내가 널 어디까지 좋아하는지를 말 안 했나?"

건이 유연의 발긋한 뺨을 어루만지며 나른한 미소 띤 얼굴로 속삭였다. 귓속으로 파고든 다디단 음성에 그녀의 갈색 눈동자에 행복이 들어찬다. 한마디, 한마디 이어 갈수록 행복은 미소가 되었고, 기어이 웃음으로 변해 터져 나왔다.

"밤새도록 말할 수 있어. 어디 한번 들어 볼래?"

건은 웃음을 멈추지 못하는 그녀를 번쩍 안아 들고 욕조를 나섰다. 물이 뚝뚝 떨어지는 몸에 커다란 타월을 두르자, 얼굴만 빼꼼히 내민 그녀가 생글생글 웃는다. 그의 말대로 신방에는 이미 갖은 안주가 가득 차려진 술상이 놓여 있었고, 마구잡이로 벗어 둔 옷들은 가지런히 정리된 뒤였다.

유연은 입술을 꾹 깨물곤 웃음소리를 참았다. 어쩌면 그의 말이 장난이 아닐지도 모른다는 생각이 들어서였다.

금침 위에 조심스럽게 그녀를 눕히며 몸을 겹쳐 온 그가 꽉 깨문 아랫입술을 핥으며 발끝으로 시트를 민다.

"사랑해."

그녀는 고개를 끄덕이며 그의 목덜미를 감싸 안았다.

"저도요."

간지럽게 살갗을 스치는 입술과 숨결, 신방에 번지는 침구 소리가 봄바람이 불어 드는 소리에 조밀하게 섞여 든다.

「대한민국 30대 왕, 이건. 즉위 이후, 곧장 신혼여행. 일정은 미공

개로 진행.」

「사랑에 빠진 이건. 그리고 중전에게 빠진 대한민국.」

「상왕 이숙, 금일 오전 제주도로.」

「창덕궁 괴담에 대해 아십니까? 창덕궁에 일제 강점기때 방사된
짐승들이 지낸다는 제보가…….」

경복궁 교태전 뒤 아미산에 커다란 게이트가 생겼다. 그 안에서
걸어 나온 사람은 다름 아닌 건과 유연이었다.

헛웃음을 지으며 밖으로 나온 둘은 게이트가 닫히자마자 차가운
레몬 소르베를 한 스푼 떴다. 아직은 밤공기가 차다. 식사 전에 간식
부터 먹은 걸 알면 서 상궁이 얼마나 잔소리를 퍼부을지 알기에, 두
사람은 아미산 중간에 자리를 잡았다.

"거기서 마주칠 줄 몰랐어요."

"파리에 있다는 소린 들은 것 같아."

"세상 좁아요, 그죠?"

조금 전, 그들이 다녀온 곳은 파리에 있는 유명한 젤라토 전문점
이었다. 시작은 새콤달콤한 것이 먹고 싶다는 유연의 바람이었다.
SNS를 뒤져 세상에서 가장 맛있는 아이스크림이 무엇인지 검색했
고, 제일 많은 이들이 선택한 곳이 건의 목적지였다.

파리, 샹젤리제 거리의 젤라토 전문점. 둘은 청송의 힘을 이용해
문을 열고, 아이스크림 가게 안으로 들어갔다. 문제는 주문까지 제
대로 마친 뒤에 발생했다.

'조유연…… 네가 왜 여기 있어?'

등 뒤에서 들려온 목소리의 주인공은 최설아였다. 송재익의 손을 꼭 붙든 채 아이스크림 가게 안으로 들어온 최설아가, 곁에 서 있는 건을 보더니 잡고 있던 손을 확 뿌리쳤다.

'그, 그게 아니라!'

'아이 가졌다며. 축하해, 설아야.'

'아니, 네가 왜 저하랑 여기에…….'

'아, 음…… 신혼여행?'

최설아는 안중에도 없이 직원이 내어준 아이스크림을 받아든 건이 유연의 어깨를 감싸 안았다. 그러곤 뺨에 입 맞추며, 어서 가자고 속삭였다. 그 모습에 최설아의 낯빛이 새파랗게 질리더니 손 흔들며 밖으로 나서는 두 사람을 따라 뛰어나왔다. 하지만 문밖으로 나섬과 동시에 청송이 게이트를 열었다. 그 안으로 쑥 빨려 들어가는 두 사람을 보며 최설아는 비명을 내질렀다.

얼마나 놀랐을지는 안 봐도 뻔한 일. 그러잖아도 세계 곳곳에서 왕과 왕비를 목격했다는 설이 온라인을 타고 퍼지는 중이었다. 북경, 홍콩, 파리, 뉴욕, 태국, 스페인. 하물며 남극의 오로라 핫 스팟에서도 두 사람을 보았다는 목격담이 잇따랐다.

새콤달콤한 소르베를 떠 주는 대로 한입 삼킨 그녀가 진지한 투로 중얼거렸다.

"이제 해외여행은 자제해야겠어요. 특히, 사람들 많은 곳은요. 그래도 가 보고 싶었던 곳은 거의 다 다녀왔으니까 이제 원이 없을 것 같아요. 한 10년은 해외여행 안 해도 되지 않을까요?"

10년이란 말에 창백하게 질린 그가 인상을 쓴다.

"설마, 휴가를 10년 동안 쓰지 말란 건 아니지? 요즘 김 실장도 그렇고 중전 없이는 일이 안 될 지경이던데?"

"전하가 너무 무섭게 구셔서 그래요."

"내가 뭘."

투덜거리며 일어난 그가 얼어붙은 입술을 핥더니 그녀에게 손을 내밀었다. 새콤하고 단 것으로 입을 채웠으니 마지막 일정을 수행할 차례였다. 유연은 그가 내민 손을 잡으며 몸을 일으켰다. 그녀의 얼굴에 기대감이 가득 차오른다.

"청송."

유연의 부름에 잔뜩 상기된 청송의 목소리가 아미산을 울린다.

-준비가 다 되었습니다, 누이. 열까요?

"응, 부탁해."

유연은 건의 손을 꼭 잡았다. 이어 눈앞이 일그러지는가 싶더니 불쑥 반가운 공간이 펼쳐졌다. 어둠이 내려앉은 긴 복도, 서늘함이 감도는 공간에는 옅은 물감 냄새와 종이 냄새. 그리고 오랜만에 맡아 보는 학교의 냄새가 났다.

두 사람은 씩 웃으며 그 안으로 걸음을 내디뎠다. 차가운 학교 복도에 발이 닿는 순간, 등 뒤에서 사라져 버린 게이트. 유연은 새삼 눈물이 날 것 같은 표정으로 주위를 둘러보았다.

"오랜만이네."

건의 목소리가 어둠이 내리깔린 복도를 울린다. 얇은 유리창 너머 가로등 불빛이 스며들고 있었다.

"바로, 이 자리였어요. 우리가 처음 대화를 나눈 자리요."

유연은 어느 액자 앞에 섰다. 벽에 걸린 그림은 바뀌었지만, 학교는 그대로였다.

건은 이곳에서 그녀를 보았고, 반했다. 유연은 이곳에서 짝사랑하던 그와 만났고, 처음으로 말을 섞었다. 하지만 서로 멀어져야만 했던 장소이기도 했다.

"만약, 내가 이곳에서 참지 못하고 네게 입 맞췄다면."

혼잣말처럼 중얼거린 그가 싱긋 웃더니 그녀의 뺨에 입술을 눌렀다.

"실은, 이러고 싶었거든."

그러자 고개를 살짝 튼 그녀가 입술을 오물거리더니 까치발을 든다.

"저는 이렇게 하고 싶었어요."

숨결이 입술에 닿는 순간, 그는 기다렸다는 듯 눈을 감았다. 눈을 감는 순간, 마치 그 여름으로 되돌아간 기분이 들었다.

뜨거웠던 햇살, 한여름, 땀에 젖은 이마와 예쁜 미소. 찡그린 얼굴마저도 예뻤던 그녀가 곁에 있다.

"야하긴. 어려서부터 참 야했어, 우리 유연이는."

"아니 뭘 또 그렇게 받아들인담?"

"청송."

짧은 입맞춤이 마음에 들지 않았는지 인상을 찌푸린 그가 그림이 걸려 있던 벽으로 그녀를 밀어붙이며 음험하게 속삭였다.

"당장, 침전문을 열어."

여전히, 세상은 봄이었다.

3개월 뒤, 광화문.

"흠……."

가슴 앞으로 팔짱을 낀 유연이 고개를 들었다. 높은 해치상 위에, 녹아내리듯 잠든 복이를 부르기 위해서였다.

"복아, 이리 와."

유연의 말에 귀를 쫑긋 세운 복이가 털을 바르르 털더니 그 높은 곳에서 폴짝 뛰어내린다. 유연은 복이의 머릴 쓰다듬으며 자그마한 뿔에 입 맞췄다.

"자꾸 이런 데서 자면 안 된다고 했지? 무서운 사람이 너 잡아가면 어쩌려고."

-삐!

"하긴. 우리 복이가 좀 무섭긴 하지. 잡혀갈 일은 없겠다, 복이는."

유연의 뒤를 지키던 내금위들은 귀여운 중전의 모습에 웃음을 꾹 참으며 뒤따라 궁 안으로 들어갔다.

유연이 복이를 데리고 향한 곳은 예화였다. 건물 안으로 들어간 유연을 맞으러 나온 팀장들이 반갑게 인사한다. 그녀는 건에게 예화의 경영권을 승계받기 직전이었다. 건이 RSA의 일에 집중하기 위해서라는 이유로, 유연은 대담하게 예화를 요구했다.

"지금 곧장 지하 수장고로 내려가셔야 합니다. 컨테이너가 도착했습니다."

"네, 지금 바로 갈게요."

"어휴, 복이 팔자가 상팔자라더니. 복이는 좋겠네?"

"말도 마세요. 얼마나 제멋대로인지 몰라요. 지금도 광화문에 가서 찾아왔다니까요?"

승현과 유연은 수다 아닌 수다를 떨며 지하 7층으로 내려갔다. 그곳엔 이미 RSA의 직원들이 내려와 대기 중이었다.

우혁이 유연을 발견하곤 반갑게 인사하자, 미리 와 있던 건이 장갑을 꺼내며 유연을 돌아본다. 유연의 품에 안긴 복이의 머릴 쓰다듬은 건은 마치 인간에게 하듯 물었다.

"오늘도 잘 할 수 있지?"

ㅡ삐이!

꼬리를 바짝 세운 복이를 안아 든 유연이 컨테이너 앞에 섰다. 소름 끼치는 기운으로 가득한 컨테이너 안. 컨테이너에 봉인되어 도착하는 이매들은 RSA의 힘으로는 봉인할 수 없는 상급 이매가 대부분이었다. 하지만 8마리의 이매는 유연의 힘을 느끼자마자 꼬리를 내리고 슬그머니 기어 나왔다.

제 발로 액자 안으로 들어가 몸을 숨긴 이매를 골라낸 유연이 나머지 두 마리를 보며 한숨을 내쉬었다.

"저 두 녀석은 말 들을 생각이 없어요. 완전히 악의에 잠식된 녀석들이라, 절차대로 진행해야 할 것 같아요."

"그럼, 김궐 나와."

건의 부름에 어디선가 불쑥 궐이 튀어나왔다. 막 식사를 하려던 중이었는지 커다란 밥통을 안고 나타난 궐이 컨테이너를 보며 이를 간다.

"이놈들이, 하필 식사 시간을 방해했구나."

"뭐 먹으려 했는데."

"전주비빔밥이다."

"쯧, 며칠은 나물 구경하기 글렀군."

장난스러운 건의 말에 눈썹을 삐딱하게 올린 궐이 밥을 한입 크게 떠 넣고는 수장고 앞에 선다.

"문이나 열어라."

"복아."

둘은 동시에 말했다. 유연이 복이의 머릴 쓰다듬으며 바닥에 내려 주자, 털을 곤두세운 복이의 눈이 새빨갛게 빛나기 시작했다. RSA 직원들은 언제 봐도 신기한 이 광경을 눈으로 보면서도 믿기 힘들었다.

복이의 방울 소리가 요란해질수록, 이매들의 힘이 그 안으로 쑥 빨려 들어간다. 바람 빠진 풍선처럼 힘을 잃은 이매들은 넋을 놓은 채 수장고 안으로 던져졌다.

이어 복이가 꼬리로 바닥을 탁 때림과 동시에 그 힘은 고스란히 이건과 김궐에게 폭포처럼 쏟아 부어졌다. 머리 꼭대기까지 넘실대는 힘을 느낀 건과 궐의 입가에 만족스러운 미소가 맺힌다. 이어 두 사람의 눈이 같은 색으로 빛나기 시작했다.

"자, 그럼…… 사고 치고 올라온 것들 얼굴이나 좀 볼까?"

두 사람에게 손을 흔들어 보인 유연은 복이의 머릴 쓰다듬은 뒤 다시 품에 안았다. 유연이 돌아서자 지켜보던 이들이 정중하게 예의를 갖춘다.

그러니까 13년 전.

나는 대한민국에서 가장 유명한 남자에게 첫눈에 반했다.

정확히 말하자면, 대한민국 제30대 왕이 된.

나의 남편, 이건에게.

> 외전으로 이어집니다.

segue.

이어서

a due.

외전

외전 Ⅰ

존재의 이유

 궁궐 내에만 작게 울려 퍼지는 파루(罷漏) 소리에 검은 털이 가볍게 흔들린다.

 귀를 쫑긋 세운 궐이 팔을 쭉 뻗어 기지개를 켜고 두툼한 콧등을 씰룩거렸다. 거대한 덩치의 호랑이가 몸을 움직이자 대청이 흔들리고 구름이 넓게 퍼진다.

 궐은 쾌청한 하늘을 무심하게 올려다본 뒤 몸을 한 번 털었다. 그러곤 어슬렁거리며 청송이 열어 둔 문을 지나 경복궁으로 들어섰다. 범의 모습을 알아보는 이는 이건과 유연뿐이었다.

 궐은 부지런하게 움직이는 사람들을 눈에 담으며 궁궐을 산책했다. 간편한 차림의 궁인들에게서 봄 향기가 난다. 아마 냉이와 달래, 봄나물을 잔뜩 품에 안고 수라간을 향하는 나인에게서 나는 향일 것이다. 오늘 아침상에 오를 반찬들을 떠올린 호랑이는 기분이 좋아졌다.

 ―오늘은 봄동이 올라오겠구나. 입맛이 깔깔했는데 잘 되었다.

 콧노래가 절로 나와 혼잣말을 중얼대자, 술을 익히던 망량이 혀를 찼다.

"네놈이 언제 입맛이 없었느냐?"

-시끄럽다. 봄을 타는지, 옛 생각이 자꾸 나서 그런다.

"주인이 바뀐 지가 언젠데."

-누가 뭐라더냐? 그냥 불현듯 생각이 나는 것뿐이다. 딱 이맘때 아니었는가.

망량은 대답이 없었고, 궐은 고개를 들어 하늘을 응시했다. 봄을 맞은 궁궐은 과거와 같으면서도 달랐다. 담장 너머 푸른 산이 보이는 대신, 먹구름 색의 거대한 건물들이 위용을 뽐냈다.

처음엔 퍽 마음에 들지 않았다. 300년 만에 잠에서 깬 순간, 이 세상이 너무도 변하여 세상이 망가진 줄로만 알았다. 하지만 참으로 간사하게도 쇳덩이가 날고 달리는 것에 금방 적응했다. 적응하고 나니, 바뀌어 버린 세상은 즐겁고 신기한 일투성이였다.

그럼에도 궐의 머릿속엔 불쑥불쑥 떠오를 것이다. 그날의 봄, 열셋의 어린 소녀였던 주인을 처음 만난 날이.

"넌…… 누구니?"

눈이 크고 까만, 말간 눈빛을 가진 소녀가 내게 말을 걸었다. 그는 털이 북슬북슬하게 자란 앞발을 내려다보며 인상을 찌푸렸다.

-이름을 받지 못하였다.

잠이 덜 깨서인지, 오랜만에 강한 힘을 받아서인지 정신이 하나도 없었다. 하지만 본능적으로 눈앞의 소녀가 저의 새로운 주인이라는 것을 알 수 있었다.

소녀의 작은 체구에서 피어오르는 순수한 기운은 경이로울 만치 맑고 투명하였다. 그는 노란 눈을 굴려 깨어난 궁궐을 천천히 둘러보았다. 조금도 변하지 않은 피의 냄새로 가득한 곳에, 봄나물 향기가 솔솔 피어났다.

-너는 나의 주인이구나.

그의 말에 이미 짐작하고 있었다는 듯, 소녀는 담담히 미소 지었다. 그날은 인경왕후 김 씨가 천연두로 승하한 뒤, 소녀가 계비에 오른 날이었다.

"내가 네 주인이라면, 이름을 지어 주어도 될까?"

영민하였던 소녀는 고 작은 입술을 오물거리며 생각에 잠겼다. 하지만 거대한 범에게 어울리는 이름을 영 고르기 어려웠는지 깊은 고심에 빠져들었다.

그는 천천히 기다려 보기로 하였다. 오랜만에 깨어나서인지 기분이 나른하고 모든 것이 성가셨다. 게다가 시끄럽고 요란한 왕실은 주객전도가 되어 시끄러운 풍파로 가득했다. 하여, 더더욱 신경 쓰고 싶지 않았다.

소녀의 힘이 워낙에 강하여 이매들은 궐에 접근하지 못하였지만, 수호부들의 걱정은 최고조에 달한 때였다. 하여, 이상하였다. 주인의 힘이 이토록 강할진대, 궁궐은 어찌하여 이리도 혼란스러운 것인지.

-그것이 모두, 객이 주인이 되려 하기 때문이다.

-어찌해야 하는가, 영감.

-우리가 어쩔 도리가 있는가. 귀멸자와 주인의 힘이 맞지 않으니 결

국은 한쪽으로 기울어지겠지. 우린 그저 순리를 따르는 수밖에 없다.

그때는 그 또한 무심했다. 주인의 힘이 이리도 강하니, 아무런 걱정이 없을 줄 알았다. 하지만 그것은 큰 착각이었다.

"궐이다. 네 이름을 정했다. 이토록 크고 강한 힘을 가진 범이니, 궐이란 이름이 잘 어울리겠어."

어느 날, 소녀가 자신을 불러 앉히곤 그리 말하였다. 그래서 그는 처음으로 소녀에게 인간의 모습을 보였다. 소녀는 순간 놀란 듯 보였으나, 다정하게 머릴 쓰다듬으며 걱정스럽게 속삭였다.

"궐아, 네 아주 근사하긴 하다만…… 색목인의 낙인이 무섭구나. 그러니 조심하자꾸나. 나는 범의 모습도 아주 좋다."

ㅡ그럼, 내 이름은 '궐'인가.

"그래, 궐아. 내 궁궐 생활이 무료하였는데 잘되었다. 나의 벗이 되어 주렴."

우스웠다. 아무리 주인일지라도, 인간인 주제에 수호부에게 벗이 되어 달라니. 하지만 기분이 나쁘지는 않았다. 소녀가 자신의 이름을 부를 때마다, 혹은 궁인들과 대화할 때 '궐'이란 단어가 나올 때마다 눈을 맞추고 웃었다. 소녀의 웃음에는 향기가 가득하였다.

무료하고 지루한 궁궐 생활이 계속될 줄 알았다. 이매들은 수호부의 상대가 되지 않았고, 주인의 힘은 바닥을 보인 적이 없었다. 그러나 그 평온은 오래가지 않았다.

"궐아…… 미안하다. 내 너를 두고 궐을 떠나야 할 것 같구나."

소녀는 그저 도리를 다하려 했을 뿐이라 하였다. 하지만 제 마음 같지 않은 세상이 되었다며 아프게 웃었다.

궐은 그날 소녀의 뺨을 어루만져 보았다. 소녀는 조금 놀랐지만,

가만가만 등을 다독이는 손길에 눈물을 조금 보였을 뿐이다. 그날, 소녀의 힘이 바닥을 드러냈음을 알게 되었다.

소녀는 결국 자신의 힘이 바닥을 드러낼 때까지 귀멸자의 도움을 받지 못하였다. 그래서 소녀를 따라 궁궐을 나섰다. 그의 첫 외출이자, 생애 첫 반항이었다. 수호부들은 귈에게 궁궐을 떠나선 안 된다며 만류하였지만, 소녀를 혼자 보낼 수는 없었다.

초가삼간은 아니었지만, 폐비나 다름없는 소녀의 곁을 지키는 것은 슬픈 일이었다. 사람들의 눈총을 받으며 죄인인 양 살아가는 소녀를 귈은 살리고 싶었다.

소녀가 어떠한 잘못을 저질러 미움을 받았는지는 모른다. 알고 싶지도 않았다. 자신의 주인이었기에, 편협한 믿음이라 손가락질받아도 상관없었다. 그저, 지키고 싶은 나약한 존재였을 뿐이다.

"귈이가 좀 이상해요."

유연은 강녕전 앞마당에 엎어져 잠든 호랑이를 보며 건에게 말했다. 그러자 서류에서 눈을 뗀 그가 피식 웃었다.

"봄 타나 보지."

"봄이요?"

"응. 나도 봄 타거든. 날 닮은 놈이니, 봄 생각이 날 거야."

유연은 다리 위에 앉은 복이의 머릴 쓰다듬었다. 그러자 '히융히융'이라든지, '끼웅끼웅'거리는 소릴 내며 배를 발라당 뒤집었다. 하지만 복이의 귀여움은 둘째치고, 유연은 귈이 걱정되었다. 나른한

고양이처럼 굵기는 하지만, 저렇게 만사 제쳐 놓고 잠만 잘 녀석은
아니었다.

"그렇게 걱정이 돼?"

다가온 건이 그녀의 하얀 목덜미에 입 맞추며 물었다. 그 숨결이
간지러워 어깨를 움츠린 그녀가 고개를 끄덕인다.

"원래 저럴 애가 아니잖아요. 아침부터 궐이가 좋아하는 수육에
봄동 김치도 했고, 봄나물까지 잔뜩 무쳐 나왔는데 밥을 세 공기밖
에 안 먹었단 말이에요."

"가마솥으로 한 솥을 먹어야 하는 놈이니, 뭐…… 그렇기도 하겠네."

"어젯밤엔 두 솥 먹었어요."

진지하게 뇌까리는 유연의 말에 건은 웃음을 터트렸다. 그러며 잠
든 복이를 작은 쿠션 위로 옮긴 뒤 그녀의 손을 잡았다.

"봄 타는 놈 그냥 두고, 나랑 산책할까?"

"어디 가려고요? 곧 점심시간 끝나요. 그리고 저는 예화로 복귀해
야 하고요."

"일은 적당히 하지 그래?"

"결국 제 일이잖아요. 일은 미루면 안 되는 거고요."

"일 좀 미룬다고 예화가 망하거나 왕실의 권위가 추락하진 않지."

유연은 뭔가 바라는 것이 분명한 건의 얼굴을 빤히 보다가 웃음을
터트렸다.

남들이 신혼을 보내야 하는 시기에, 두 사람은 짧은 여행을 끝으
로 업무의 늪에 빠져들었다. 그래서 밤이 아닌 이상 둘만의 시간을
보낼 수 없었다. 그렇다고 우혁의 일을 늘릴 수도 없는지라, 참고 참
았던 그녀는 결국 미뤄 왔던 부탁을 하기로 했다.

"저도 도와줄 사람을 구해 주세요."

뒤에 서 있던 건은 소파 테이블에 마주 앉으며 그녀를 무릎 사이에 가두었다.

"도와줄 사람이라면, 비서를 원해?"

"네, 비서면 더 좋죠. 그런데 비서까지는 좀 거창하고…… 업무적인 일에 사적인 일을 더 해서 총괄적으로 도와줄 분이 있었으면 좋겠어요."

"매니저가 필요한 거군."

"네. 제가 비서일 땐 몰랐는데, 괜히 비서 일이 많은 게 아니더라고요."

그는 고개를 몇 번 끄덕였다. 그러곤 우혁에게 전화를 걸어 '면접을 준비해.'라고 말한 뒤 끊었다. 스피커 너머 황당해하는 우혁의 목소리가 생생하게 들려오는 기분이다.

"이 실장님도 연애 좀 하게 돼요. 백업 비서 붙여 드리세요."

"자꾸 그러면 왕실 복지가 바닥인 거로 보이는데."

"이 실장님은 전하만큼 바쁘시잖아요."

저보다 이우혁을 더 신경 쓰는 게 마음에 들지 않았는지 상체를 세운 그가 무릎으로 소파를 찍으며 입술을 포개 왔다. 부드럽게 섞이고, 탐스럽게 삼켜진다. 어리광 같은 입맞춤이었다.

느릿하게 소파에 눕혀진 그녀의 허리 뒤로 들어온 손끝이 간지럽히듯 움직인다. 그에 발끝에서부터 저릿하고 뜨거운 감각이 번져 오르기 시작했다.

"커튼 칠까?"

농담처럼 들리지만, 농담이 아닐 것이다. 마른침을 삼킨 그녀가 창문 방향으로 고개를 틀 때였다.

-고기를 먹어야겠다.

창밖으로 시커먼 호랑이의 황금색 두 눈이 불쑥 나타났다.

"꺅!"

"김궐!"

두 사람이 동시에 소리치자 듣기 싫다는 듯 기지개를 켠 궐이 투레질했다.

-귀멸자야, 오랜만에 소고기는 어떠하냐. 오늘은 조금만 먹도록 하지.

"진심이야? 소식하시겠다고?"

둘은 헛웃음을 흘리며 일어났다. 그러자 검은 연기와 함께 인간으로 변한 궐이 창문을 훌쩍 뛰어넘더니 복이를 안아 들었다.

"내 봄이 되니 입맛이 없어."

그러며 궐이는 입맛을 다셨다. 궐이의 품에 안긴 복이가 움찔 놀라더니 뛰어내리려 발버둥을 친다. 못마땅한 듯 콧잔등을 찌푸린 궐이 복이를 내려놓더니 두 사람의 맞은편 소파에 앉았다.

"태기는 아직인가? 그리 금실이 좋은데 왜 아직 태기가 없지?"

"야! 와, 김궐. 선 넘네?"

"이해해라, 주인아. 내 지금 제정신이 아니다."

"어, 그래. 제정신이 아닌 거 확실한 거 같아. 너 어디 가서 그런 소리 하지 마. 얘는 태기가 뭐니, 태기가."

"하면…… 속궁합이 별로인가?"

"야!"

얼굴을 새빨갛게 붉힌 유연이 귀를 막으며 고개를 절레절레 저었다. 궐은 소파 위에 풀썩 누워 양손을 가슴 위로 가지런히 올렸다.

그 모습을 지켜보던 건이 일어나며 소파 밖으로 빠져나온 궐이의 다리를 툭툭 건드렸다.

"따라와."

"어디로."

"따라오면 알아."

"나를 납치하려고?"

"싫어?"

궐은 건을 올려다보며 호기심 어린 눈빛을 감추지 못했다. 궁금하긴 하다만, 어쩐지 맛있는 거 사 준다며 꼬시는 사람을 따라가는 기분이었다.

사탕으로 꾀는 놈이 제일 나쁜 놈이라던데.

"싫으면 마. 나야 편하고 좋지."

건의 느긋한 태도에 결국 김궐이 백기를 들었다. 의심을 감추지 못하며 일어난 궐이 건의 옆에 슬그머니 다가선다. 웃음을 꾹 참은 건이 유연에게 한쪽 눈을 찡긋하며 김궐의 어깨에 어깨동무한다.

"고양이 간식 주러 다녀올 테니까, 여기서 한 걸음도 움직이지 마. 알았지?"

"간식이요?"

그녀의 말에 동감하듯 김궐의 눈이 동그래졌다.

"단것이냐."

건은 그러며 술이 더 좋다고 구시렁거리는 김궐의 뒷머릴 한숨을 쉬며 쓰다듬었다.

"가자, 고양아. 네 입맛에 딱 맞는 걸 보여 줄 테니."

건이 궐을 데려간 곳은 동궁전 내에 있는 서가였다. 볕이 잘 드는 반월창 너머 작은 연못이 보이는 곳은, 유연과 처음으로 입 맞춘 곳이기도 했다.

김궐은 책으로 가득한 주위를 둘러보며 못마땅한 표정을 숨기지 못했다.

"설마, 이곳에 있는 책을 읽으라는 건 아니었으면 좋겠다."

제법 돌려 말할 줄 알게 된 궐을 돌아본 건이 서가 한쪽을 가리켰다. 그곳엔 넓고 푹신한 6인용 소파와 함께 벽 한쪽을 가득 채운 스크린이 설치되어 있었다.

"네놈한테 책을 읽으라고는 안 해. 그러니 여기 앉아."

궐이는 주위를 둘러보며 커다란 소파에 털썩 앉았다. 어지간히 만사가 귀찮은지 반쯤 누워 버린 궐이의 발아래로 어느새 복이가 따라와 꼬리를 흔든다.

"안아 준다 할 때는 싫다고 하더니, 꿩 대신 닭이더냐."

여기서 꿩이란 유연이었고, 닭은 본인이었다. 궐의 심드렁한 말에 복이는 짧은 다리로 낑낑대며 궐의 무릎에 올라오려 했다. 콩떡만 한 녀석이 올라오려 아등바등하는 모습에 궐은 어쩔 수 없다는 듯 커다란 손으로 자그마한 강아지 같은 복이를 안아 들었다.

"대한민국은 K 콘텐츠의 천국이야. 그래서 몇 가지 찾아봤더니, 생각보다 엄청난 것들이 나오더군."

"K 콘텐츠라면, 내 얼마 전 인간의 모습을 한 도깨비가 나오는 드라마를 보았다. 허, 거참. 가슴에 칼을 꽂고 다니는 희한한 도깨비였다."

진지하게 고개를 주억이는 궐을 보며 건은 입술을 꾹 다문 채 웃었다. 언뜻 머릿속에 익숙한 그림이 스쳐 지나갔다.

"아, 그래. 유명한 도깨비가 있긴 하지."

아직 드라마에 대해 잘 모르는 궐은 종종 드라마 속 이야기를 현실로 착각하곤 했다. 아이처럼 순진하기도, 가끔은 세상 이치에 통달한 노인 같기도 했다. 그래서 건이 준비한 건 권선징악을 주제로 한 사극이었다. 제목은 무려, 장희빈. 실제 역사와는 조금 차이가 있지만, 이전 주인에게 각별한 애정이 있는 김궐에겐 최고의 콘텐츠가 될 예정이었다.

"60분 가까이 되는 드라마가 무려 60편이야. 다 볼 때쯤이면 여름이 되어 있겠지. 내용은 네가 직접 확인해. 간식은 쑥개떡과 식혜를 넣어줄 거고, 네가 원하는 만큼 이곳에 있어. 저녁엔 네 말대로 오랜만에 바비큐를 준비하라고 할 테니까."

화면을 튼 뒤 리모컨을 쥐여 주는 건을 멍하니 올려다보는 궐이의 얼굴에 발긋한 홍조가 깃든다. 감격스러운 듯 눈을 빛낸 김궐이 손에 쥔 리모컨으로 시선을 옮기더니, 비장한 얼굴로 고개를 끄덕였다.

"귀멸자야…… 정말로 참사람이 되었구나. 네가 이토록 나를 걱정하고 있는지 몰랐다. 내, 너의 성정을 깊이 오해하고 있었다. 고맙다, 귀멸자야."

당장에라도 눈물을 뚝뚝 떨어트릴 듯, 호박색 눈동자가 반짝반짝 빛난다. 건은 황당한 웃음을 흘리며 복이의 머리를 쓰다듬었다. 그러자 눈을 감고 손길을 만끽하던 복이가 궐이의 눈치를 보더니 겨드랑이 사이로 고개를 쓱 집어넣는다. 궐이는 그런 복이가 귀찮지도 않은지 그저 엉덩이를 톡톡 두드릴 뿐이었다.

건은 그런 둘을 보며 흥미로운 표정을 지었다. 둘은 엄연히 말해 종이 다른 놈들이었다. 복이는 이매가 해치로 변한 종이었고, 김귈은 범의 기운을 가진 수호부였다. 개와 고양이라고 해야 할까. 아무리 세상이 변해 개와 고양이가 공존할 수 있는 때가 왔다고는 해도, 건의 눈에는 신기할 따름이었다.

"그런데 복이는 암놈이냐, 수놈이냐."

건의 질문에 경복궁 전경이 뜬 스크린에서 눈을 뗀 귈이 대답했다.

"아직 모른다. 녀석은 수호부라고 하기도, 이매라고 할 수도 없는 신묘한 놈이거든."

"그럼 성별이 없다는 건가?"

"아니. 아직…… 정해지지 않았다는 것이지. 때가 되면 크게 앓고, 본모습을 갖게 될 것이다. 평생 작은 모습으로 살 수도 있고."

"그렇군. 작은 모습으로 지내는 것이 더 나을지도 모르겠어. 내 아내는 작고 아기자기한 걸 좋아하거든."

"복이가 결정할 문제다. 하지만 녀석이 암놈이라면 여기서 더 커지지는 않겠지."

귈이는 다정하게 복이의 머릴 쓰다듬었다. 그 사이 귈이의 겨드랑이 사이에 폭 안겨 잠든 복이의 귀 끝이 쫑긋거린다. 건은 커다란 범의 품을 파고든 작은 강아지 한 마리를 떠올려 보았다.

"전하, 생과방에서 나왔습니다."

서가 밖에서 들려온 목소리에 건이 직접 문을 열었다. 이어 나인들이 커다란 쟁반을 들고 줄줄이 서가 안으로 들어왔다. 온갖 떡과 간식들로 가득 채운 쟁반을 귈이 앞에 늘어놓곤, 살얼음을 띄운 식혜까지 항아리째 가져와 먹기 좋게 배치했다.

궐이는 물론이거니와 복이까지 침을 뚝뚝 흘리며 구슬처럼 커다란 눈을 깜빡였다. 똑같은 표정으로 간식을 보며 입맛을 다시는 두 마리의 짐승을 지켜보던 건은 걸려 온 전화를 받으며 밖으로 나갔다.

궐이가 생과방 나인을 보며 마른침을 꿀꺽 삼켰다.

"혹, 다 먹으면 또 가져다줄 수 있는가? 내 며칠 식욕이 없어 식사를 멀리하였더니 배가 고프다."

-삐!

그 말에 동감한다는 듯 복이가 고개를 쭉 빼고 우렁차게 운다. 식사를 멀리했단 궐이의 말에 생과방 나인은 헛웃음을 지으며 고개를 깊게 숙였다.

"물론입니다. 떡은 계속 찌고 있으니, 마음껏 드셔도 됩니다. 이제 철이 지나 봄나물도 끝물이라 다양한 종류로 만들고 있습니다."

"하면, 수정과는 없는가?"

"있습니다. 수정과도 가져다드릴까요?"

"그래 주면 고맙네."

나인은 복이를 꼭 안은 궐이에게 예를 갖춘 뒤 빈 쟁반을 들고 서가를 나갔다. 쑥개떡을 뚝 잘라 복이의 입에 넣어 준 궐이는 이어 화면에 뜬 세 글자의 제목을 보며 주먹을 꼭 말아 쥐었다.

〈장희빈〉

원래 팔은 안으로 굽는 법이라고 하였다. 하물며 주인으로 인정한 여인이다. 진실이 어떠하든, 주인을 슬프게 한 인간을 곱게 봐주고 싶지는 않았다.

내 어찌 망했는지, 두 눈 똑바로 뜨고 보아 주마.

"체하지 말고 꼭꼭 씹어 먹어라. 떡 먹다가 체하면 답이 없다는 걸 잊지 말고."

–삐이!

퀼이는 심기일전한 얼굴로 자세를 잡고 화면에 집중했다. 그러면 서 개떡 두 개를 입에 넣고 우물우물 씹었다. 쌉싸래하면서도 달콤 한 봄 향기가 그의 입안에 확 퍼진다. 식혜와 수정과를 부르는 봄의 맛이었다.

"저 같은 비서가 필요하신 거라면, 한 명 추천해 드릴 수 있습니다."

고민에 빠진 건의 구세주는 역시 우혁이였다. 그에 생각에 잠겨 있던 그가 고개를 든다.

"누구."

"홍보실에 있는 정세경이라는 직원입니다. 개인적으로 알고 지내 는 후배인데, 일 처리 확실하고 꼼꼼한데다가 잔소리가 심한 편이죠."

"홍보실 정세경 씨?"

의아해하는 건의 앞에 우혁이 이력서 한 장을 내밀었다. 나이는 유연과 동갑이었고, 중산층의 평범한 가정을 가진 사람이었다. 게다 가 제일 좋은 점은 여자라는 것. 가끔은 중전과 24시간 함께해야 하 는 직업 특성상, 건에게 정세경이란 존재는 완벽했다.

"음, 직접 면접을 볼 테니 연락해."

"……의심도 안 하고 곧바로 면접입니까?"

"네가 추천하는 사람이잖아. 안 봐도 뻔하지."

한숨을 내쉰 우혁이 고개를 끄덕인 뒤 돌아설 때였다. 편전의 문이 벌컥 열리더니 치웅이 뛰어 들어왔다.

"이봐! 당장에 서쪽 인천항으로……!"

소리부터 대뜸 지른 치웅이 놀란 얼굴을 한다. 그러곤 홱 돌아서더니 도망치듯 편전을 뛰어나갔다. 탁, 하고 닫히는 문. 두 남자는 멍하니 치웅이 사라진 자릴 바라보았다.

"어떻게 된 거야. 왜…… 피하는 것 같지?"

그래, 누가 봐도 저건 우혁을 피해 도망치는 모습이 분명했다.

건이 다리를 꼬며 삐딱한 눈빛으로 우혁을 올려다보았다. 그러자 담담히 시선을 내리깐 우혁이 책상에 올려 둔 태블릿을 집어 들며 말한다.

"고백했습니다."

순간, 건은 어이없는 표정으로 헛웃음을 지었다.

"뭐라? 고백을 해?"

"예. 저도 압니다, 인간이 아니란 걸. 그래서 욕심을 부렸습니다. 어떤 모습이어도 좋으니 곁에 있어 달라고 했습니다."

우혁은 뻔뻔하게 말을 이어 나갔지만, 표정 안에 숨겨진 슬픔과 답답함이 고스란히 느껴졌다.

"그래서."

"당연히 답을 듣지 못했죠. 남는 자의 슬픔 같은 거, 저는 겪어 보지 않았습니다. 그래서 치웅 님께 상처를 주었습니다. 고백하지 말 걸 그랬습니다. 그저 가벼운 마음으로, 함께 눈 뜰 수 있다는 것에 만족할 것을."

"이우혁."

이런 우혁의 모습은 처음인지라 건은 적잖이 당황했다. 누군가에게 진심인 이우혁이라니. 지금까지 여자 보기를 돌같이 한 것도 모자라, 오히려 일이 더 중요하다며 귀찮아하기까지 했던 녀석이었다. 게다가 감정 기복 또한 크지 않아 이런 고민을 하고 있을 거라고는 상상도 하지 못하였다.

　걱정으로 가득한 건의 얼굴을 보며 우혁이 웃었다.

　"걱정하지 마십시오. 현실을 직시했을 뿐입니다. 게다가 저는 이 마음을 거둘 생각 없습니다. 단지, 티 내지 않기로 마음먹었을 뿐이죠. 제가 나중에 노인이 되었을 때, 치웅 님을 다시 보게 되면 기분이 이상할 겁니다. 그러니 지금이 딱…… 좋습니다."

　건은 어떠한 말도 해 주지 못했다. 그 역시 연애에 도가 튼 사람이 아니었거니와 우혁의 표정은 같잖은 위로를 건넬 만한 상태가 아니었다.

　어쩐지 눈물을 터트릴 것 같은 친구의 모습에 건이 몸을 일으켰으나, 우혁은 꾸벅 인사한 뒤 편전을 나섰다. 이제 완전한 봄, 아니 초여름이라고 해도 이상하지 않을 날씨였다. 손 그늘을 만들어 해를 가린 우혁은 홍보실에 근무 중인 정세경을 찾아 걸음을 내디뎠다.

　건에게 말한 대로, 치웅을 부담스럽게 할 생각은 아니었다. 그저 마음을 고백하면 그대로 돌려받을 거라 기대했던 제가 천치였다. 치웅은 그저 장난을 쳤을 뿐이다. 영생이나 다름없는 삶, 잠시의 무료함을 견뎌내기 위한 상대였을 뿐. 제 죽음을 목도할 때 느낄 그녀의 감정 같은 건 조금도 고려하지 않았다.

　담담히 걸음을 내딛던 우혁은 능소화 봉우리가 맺힌 담장 앞에 서 있는 치웅을 발견했다. 안절부절못하며 서성이던 그녀가 고개를 든다. 두 사람의 시선이 맞붙었다. 며칠 전까지만 해도 거리낌 없이 입 맞추고 체온을 나누었던 상대였지만, 모든 걸 망쳐 버린 건 자신이었다.

치웅은 제법 청바지와 셔츠가 잘 어울렸다. 그래서 사람이 아니라고 우기는 것이 더욱 억지처럼 느껴지는.

우혁은 자연스럽게 시선을 옮겼다. 그러며 세경에게 전화를 걸었다.

[어? 선배!]

"혹시, 홍보실 나와서 중전마마 개인비서 될 생각 있어?"

[……너무 훅 들어오시는 거 아니에요? 갑자기요?]

"마마께서 급히 필요하다 하셔서 널 추천했거든. 만약 생각 없으면…….."

[생각이 없긴요! 그럼, 선배랑 같은 부서에 소속 되는 거예요?]

들뜬 세경의 목소리에 우혁이 부드럽게 웃었다. 얇은 금테 안경 너머 깊은 눈매가 부드럽게 휜다. 발끝으로 새싹이 빼곡하게 올라온 잔디를 꾹 누르던 그의 앞에 그림자가 진다.

[아니, 아니, 만나서 얘기해요. 지금 내려갈게요!]

세경은 대답도 듣지 않고 전화를 끊었다.

우혁은 그림자를 만든 치웅을 마주 보았다. 입술을 꾹 다문 채 곤란한 표정을 한 치웅의 뺨이 빨갛다. 우혁은 저 때문에 고민했을 그녀에게 미안한 마음이 들었다.

"인천항에 문제가 생긴 거라면 RSA 박 팀장을 보내겠습니다. 오늘도 고생하셨습니다, 치웅 님."

"너……."

입술을 깨문 치웅이 한숨을 쉬며 머릴 헤집는다. 답답해하는 모습에 우혁은 마음이 좋지 않았다.

"걱정 마십시오. 지난번엔 실언한 겁니다. 저는 치웅 님을 좋아합니다. 김궐 씨도, 망량 영감님도 좋아하고 청송은 더욱 좋습니다. 그런 의미였습니다. 많은 친구가 생긴 것에 들떴나 봅니다."

"……친구?"

"예, 친구."

우혁이 싱긋 웃을 때였다.

"선배!"

계단을 뛰어 내려온 세경이 함박웃음을 지으며 우혁을 불렀다. 치웅에게 꾸벅 인사한 뒤 돌아선 우혁은 세경에게 다가갔다. 그러자 봄볕 같은 미소를 띤 세경이 우혁의 팔짱을 대뜸 끼워 잡으며 팔짝팔짝 뛰었다.

그 모습을 지켜보던 치웅의 눈빛이 까맣게 죽었다. 말아 쥔 주먹이 떨리고, 꽃가루 알레르기라도 생긴 사람처럼 콧물이 훌쩍 흘렀다.

"인간 주제에……."

유연의 휴대 전화벨이 울림과 동시에 집무실 문도 함께 열렸다. 앉아 있던 유연은 멍한 얼굴로 문을 열고 들어온 치웅을 맞았다.

"전하, 지금 치웅 언니가 오셨는데……. 화가 많이 나 보여요. 만나서 얘기해요. 15분 뒤에 갈 테니까."

전화를 걸어온 사람은 건이었다. 건은 '답답한 일이 늘었군.'이라고 말하며 끊었다.

아, 역시 뭔가 있나?

유연은 평소답지 않게 말도 없이 소파에 털썩 앉는 치웅을 유심히 관찰했다. 원래대로라면, 집무실에 뛰어 들어오자마자 목덜미를 끌어안고 오늘 하루 있었던 일을 수다 떨듯 늘어놨을 치웅이었다. 그런데 오늘은 얌전하다 못해 크고 까만 눈에 분노가 넘실댔다.

유연은 냉장고에서 치웅이 좋아하는 오렌지 주스를 꺼내 다가갔다.

"언니, 무슨 일이에요?"

"인간은 왜 이리 가벼운 거지?"

기다렸다는 듯 툭 토해 낸 치웅의 말에 그녀는 헛웃음을 지었다. 건이 말한 답답한 일이 어쩌면 우혁과의 연애사 때문일지도 모른다는 생각이 들었다.

"언제 무거웠던 적 있나요? 그런데 왜 그러시는데요? 이 실장님이랑 무슨 일 있으셨어요?"

"날 좋아한다 할 때는 언제고, 친구라며 선을 긋는 건 뭔데?"

"선을 그어요? 이 실장님이요?"

"그래, 실언이란다. 날 좋아하는 건 망량 영감탱이를 좋아하는 것과도 같다더군. 그게 말이 돼? 하, 인간 주제에 감히 나를 능멸했다."

치웅은 주먹으로 소파 팔걸이를 내리쳤다. 그러자 단단해 보였던 스틸 프레임이 엿가락 휘어지듯 쑥 들어간다. 그 모습에 입을 벙긋거리던 유연이 오렌지 주스를 내어 주며 맞은편에 앉았다.

"언니, 이 실장님이 좋아한다고 해 놓고 말을 바꿔서 화가 나신 거예요?"

"내게는 친구라 해 놓곤, 인간 여인과 시시덕대더군."

"에이, 실장님이 그러실 리가요. 아마 직원이었겠죠. 원래 친절하시잖아요."

"그놈은 친절하지 않다. 아주…… 뭐랄까, 속을 숨긴 놈이야. 그 멀끔하고 순진해 보이는 얼굴은 다 가짜라고! 흥, 주인아. 넌 모를 걸? 그놈의 안경을 벗겨 본 적이 없을 테니."

귀 끝을 빨갛게 붉힌 치웅이 오렌지 주스를 벌컥벌컥 들이켜며 열을 식힌다.

유연은 다른 여자와 시시덕대는 우혁을 상상해 보았지만, 도무지 이미지가 떠오르지 않았다. 일단, 이우혁과 시시덕대기란 단어 자체는 너무도 어울리지 않는 형태였다. 그래도 알 수 있는 건, 두 사람이 사랑싸움을 했다는 것. 싸움까지는 아니더라도, 모르는 사이 서로에게 치명타를 날렸다는 것이었다.

"아마, 다른 이유가 있었을 거예요. 저도 이 실장님을 잘 알지는 못하지만, 번복하는 이유가 있겠죠. 언니는 사람 마음을 잘 들여다보잖아요. 우혁 실장님 마음도 들여다보면 안 돼요?"

"싫다."

"왜요? 그럼 오해 같은 거 없을 텐데."

주스의 마지막 한 방울을 입안에 톡 털어 넣은 치웅이 답지 않게 머뭇거리며 대답을 망설였다. 치웅도 깊게 생각해 본 적 없었다. 하지만 싫었다. 만약, 우혁의 머릿속에 제 생각과는 다른 생각이 들어 있다면 몹시 슬플 것 같아서였다.

치웅은 순간 혼란이 왔다. 어차피 인간은 영생을 살지 못한다. 영원이란 시간을 산다는 건 저주나 다름없었기에 정해진 생을 사는 인간이 부러웠다. 하여, 가벼운 마음이길 바라기도 하였다. 주인이 아닌 이상 제게는 모든 것이 유희거리일 뿐이었으니까. 그러나 어느 날인가부터 인간 한 명이 신경 쓰이기 시작하였다. 제가 처음으로 소중하게 여겼던 과거의 얼굴과 닮은 인간이.

혹여 그의 환생인가 싶어 천계를 뒤져 볼까도 하였지만, 성격이 조금도 닮지 않은 점으로 보아 이우혁은 그의 환생이 아니었다.

'훨씬 더 귀엽고, 훨씬 더 키도 큰 데다가, 훨씬 착…….'

치웅은 이어지던 생각을 뚝 멈추었다. 자각이란 무서운 감정이다. 이왕이면 끝까지 모른 척하고 싶었던 마음이 비처럼 쏟아져 가슴 깊은 곳의 메마른 땅을 적셨다.

"주인아."

먹먹한 눈빛으로 생각에 잠겨 있던 치웅이 고개를 들었다.

"네, 언니."

"만일 네 반려와 영원히 함께할 수 없다면…… 넌 어찌하겠느냐."

무거운 질문에 유연은 멋쩍은 미소를 지으며 대답했다.

"글쎄요. 영원이라는 단어 자체를 생각해 본 적 없어요. 그런데 궐이가 그랬대요. 누군가 기억하는 한, 그 상대는 영생을 얻은 것이나 다름없다고요. 혹시 모르죠, 제가 전생에도 수호부들의 주인이었을지. 기억하면 돼요. 슬픈 것도, 기쁜 것도. 가슴이 아프다고, 사랑하지 않을 수는 없잖아요. 전 전하를 사랑하지 않는다고 생각하는 게 더 아파요. 아직…… 혼자 남아 보지 않아서 그런가 봐요."

"……그렇구나."

치웅은 천천히 고개를 끄덕였다. 유연의 말이 정답은 아니었지만, 그 말이 이해되기도 했다. 아무리 자신이라도 인간의 전생까지 들여다볼 수 있었던 건 아니었다. 그런 의미에서 유연의 답은 제법 괜찮은 답이었다. 사랑하지 않는다고 생각하는 것이, 헤어짐을 기약하는 것보다 더욱 힘들고 슬프다는 것. 제가 지금 느끼는 불편함을 정확하게 짚은 답이었다.

치웅은 답답함을 조금 덜어 낸 표정으로 피식 웃었다.

"혹, 나와 서쪽에 다녀올 시간이 되느냐? RSA인지 하는 놈들에게 맡기기엔 힘이 제법 세더구나."

그 말에 유연이 시간을 확인하며 일어섰다.

"그럼 잠시만요. 전하부터 뵙고, 청송이한테 문 열어 달라고 하면 안 될까요?"

"왜, 너도 바쁘냐."

"제가 너무 바빠서 사람을 구해 달라고 했거든요. 지금 그분 얼굴만 뵙고 가면 될 것 같아요."

"그럼 같이 가자. 가만히 있으려니 몸이 근질거려 죽겠으니까."

유연은 그렇게 하라며 대수롭지 않게 웃었다. 이런저런 대화를 나누며 예화를 나선 두 여자는 봄에서 초여름으로 넘어가는 궁궐을 걸었다. 추운 걸 싫어하는 치웅은 봄이 좋다고 했다. 물론, 여름도 나쁘지 않지만 가장 좋아하는 계절을 꼽으라면 꽃이 만개하는 봄이라고.

어느새 건이 업무를 보는 편전에 다다른 유연은 앞을 지키던 장은호와 반갑게 인사를 나눈 뒤 문을 열었다.

"아, 왔어?"

"안녕하십니까!"

"마마님."

그러자 세 명의 목소리가 동시에 들려왔다.

유연은 상석에 앉은 건과 양쪽 대각선 자리를 차지한 두 사람을 번갈아 보았다. 한 명은 당연히 이우혁이었고, 반대편의 한 명은 건이 말한 비서 후보 1이었다.

"안녕하세요, 조유연입니다."

유연은 곧장 세경에게 다가가 악수를 청했다. 그러자 숨을 참은 여자가 손을 맞잡더니 얼굴을 빨갛게 붉힌다.

"정세경입니다. 마마님을 모시고 싶어서, 이렇게 찾아뵙게 되었습니다."

긴장이 역력한 얼굴로 일어나 90도로 인사하는 여자의 얼굴은 나이보다 어려 보였고 말투는 싹싹했다. 성격은 겪어 보지 않아서 모르겠지만, 첫인상부터 합격점을 받은 여자였다.

유연은 흥분한 표정으로 제게서 눈을 떼지 못하는 세경이 마음에 들었다. 그런 의미로 환하게 웃으며 건을 보는데, 코끝을 쓱 문지른 그가 우혁을 눈짓했다. 유연은 차곡차곡 들어찬 불안을 누르며 우혁과 치웅을 번갈아 보았다.

'아, 이런.'

세경을 보는 치웅의 눈빛이 어둡게 가라앉는다. 그런 치웅을 보는 우혁의 얼굴엔 말로는 못 할 감정이 가득했고, 세경은 아무것도 모르는 순수한 표정이었다.

세 사람 사이에 낀 유연을 보던 건이 다가와 손을 잡는다. 그러곤 세경을 보며 부드럽게 미소 지었다.

"내 아내를 잘 부탁합니다. 오늘 인천항에 나타난 이매를 마무리하는 건, 우리 둘이 하죠. 세 사람은 이곳에 있든…… 다른 곳으로 가든, 알아서 마무리하는 거로."

그렇게 말한 건이 속으로 청송을 부르자, 기다렸다는 듯 게이트가 열렸다. 유연은 건의 손을 잡고 유난히 바람이 거센 게이트 너머로 걸음을 옮겼다. 그 모습을 지켜보던 세경이 놀라 기절할 듯한 표정으로 딸꾹질을 시작한다. 돌아본 유연이 생긋 웃자, 이마를 짚은 세경이 허릴 90도로 숙였다.

"다녀오세요, 중전마마!"

이어 게이트가 닫히고 흥분을 감추지 못한 표정의 세경이 우혁에게 뛰어왔다.

"선배, 보셨어요? 와, 대박이에요. 진짜…… 우리 마마님 너무 근사해요."

그에 우혁이 고개를 내저으며 치웅을 본다.

"마마님도 근사하지만, 더 근사한 분이 계셔. 자, 마마님도 허락하신 거 같은데 업무에 관해 배워야지."

열심히 고개를 끄덕인 세경은 그제야 치웅의 존재를 자각하곤 놀란 얼굴로 인사했다.

"안녕하세요. 마마님의 경호원 맞으시죠? 잘 부탁드립니다! 정세경입니다."

"그래."

"와…… 근데, 키도 크시고 진짜 멋지시다."

150cm를 조금 넘긴 세경은 고개를 한껏 치켜들며 엄지를 들었다. 아담하고 귀여운 초식 동물 같은 여자다.

치웅은 세경에게 부드럽게 웃어 보인 뒤 우혁을 쳐다보았다. 눈이 마주친다. 저 인간은 항상 자신을 향해 서 있었다. 저 눈동자가 작고 사랑스러운 여자를 향할 때 느꼈던 가슴속의 따끔함이 불쾌하고 낯설다.

"그럼, 나도 인천항으로 가볼 테니 일해라."

"치웅 님은 가지 마십시오."

돌아서려던 치웅은 자신을 잡은 우혁의 손을 내려다보았다. 그러자 세경에게 눈짓한 우혁이 안경을 벗으며 인상을 쓴다.

"묘하게 제게 기분 나쁘신 일이 있으신 거 같은데, 아까 했던 대화를 마무리하죠."

치웅은 색이 옅은 우혁의 눈동자를 빤히 응시했다. 가슴속에 열화와 같은 불길이 인다. 이유를 모를 불이었다.

"친구끼리는 술을 한잔하며 대화를 나누더라. 어때, 나랑 술 한잔할래?"

건의 손등에서 붉은 피가 주룩 흘렀다. 난동을 부리던 이매가 날린 파이프가 날아와 만든 상처였다. 건의 몸에 상처가 남과 동시에, 유연은 확 분노가 치밀었다. 그래서 저도 모르게 힘을 써 버렸다.

유연이 배운 건 일종의 언령술이었다. 이매를 복종시키고 무릎 꿇리는 언령의 힘이 이매를 혼란하게 만든 순간, 건이 사인검으로 놈을 베어 냈다.

이매를 해치우는 건 순식간이었지만, 흥분한 놈이 날뛰며 엉망으로 만든 항구를 정리해야 했다. RSA 유니폼을 입은 직원들이 출동해 사건 현장 정리를 돕는 동안, 건은 그녀와 가까운 벤치에 앉았다.

"제가 치료할 거예요. 말리지 마세요."

눈이 새빨개진 유연이 그의 손등에 입술을 누른다. 건은 통증이 잦아드는 걸 느끼며 한숨을 내쉬었다. 알려주고 싶지 않았던 능력이었건만, 유연은 본능적으로 힘을 통제했다.

"약 바르면 낫는 상처는 그냥 둬. 네 힘 쓰고 싶지 않으니까."

"복이 덕분에 힘쓰는 일 거의 없잖아요. 이 정도는 아무렇지 않아요."

"이왕 치료해 줄 거면, 둘이 있을 때가 좋은데."

능청스럽게 받아친 건이 그녀의 뺨에 입술을 비빈다. 그러곤 꼭 끌어안아 주자, 엉겨 온 유연이 나직하게 중얼거렸다.

"치웅 언니가 영원에 관해 물어보더라고요. 아마 이 실장님이랑 무슨 일이 있었던 것 같은데…… 대놓고 묻지 못하겠어요."

"우혁이 고백을 했고, 치웅이 답을 하지 않은 상황이야."

"거기에 정세경 씨가 끼어든 거고요? 세경 씨가 우혁 실장님을 좋아해요?"

"모르지."

"흠…… 세경 씨 괜찮은 사람 같던데."

눈을 맞춘 둘은 동감이라는 듯 고개를 끄덕였다.

"우리가 할 수 있는 건 없어. 치웅은 인간이 아니잖아."

"그래도 이 실장님을 진심으로 좋아하는 거 같았어요."

"둘의 일이야. 우린 그저 결정을 존중하고 응원해 주면 돼."

조금 전까지만 해도 세차게 들썩이던 파도는 잠잠해졌다. 이매가 내뿜는 힘에 해일이 일어날 뻔한 상황. 항구는 언제 그랬냐는 듯 말간 하늘을 드러냈다.

"그런데…… 귈이는 어떻게 한 거예요?"

"아, 김귈."

건은 피식 웃으며 김귈 사용법에 대해 유연에게 알려 주었다. 그에 웃음을 터트린 유연의 앞으로 RSA의 박 팀장이 뛰어오더니 파랗게 질린 얼굴로 말한다.

"이런 걸 주웠습니다, 마마님. 전하."

건은 강녕전과 연결된 문을 열었다. 양쪽으로 열리는 네모반듯한 창호지 문 너머, 좁고 긴 공간이 이어졌다. 그 끝은 어둠이었으며 다다른 이가 없는 이공간이었다.

이곳은 왕이 아닌 자는 출입할 수 없는 비밀 공간이나 다름없었다. 물론, 이건도 보위에 오르기 전까지는 단 한 번도 들어와 본 적이 없었다.

건은 천천히 서고를 둘러보며 원하던 책 한 권을 꺼냈다. 그것은 영루에 관한 역대 왕들의 경험담이 적힌, 일종의 백서였다.

강녕전으로 돌아온 그는 의자를 빼내 앉아 인천에서 회수한 영루를 꺼냈다. 이것은 인천항을 엉망으로 만든 이매에게서 회수한 영루였다. 하지만 평범한 것들과 달리 영루의 표면엔 기이한 글자가 새겨져 있었다.

투명한 물방울처럼 생긴 영루 표면에 각인된 붉은색의 한자는 아마도 환(換). 하지만 획이 묘하게 비틀린 글자는 사실, 정확한 뜻을 알 수 없는 형태이기도 했다.

"영루에 각인을 새길 만큼 간 큰 인간이 있을 줄은 몰랐군."

건의 말에 호출된 망량이 살살 부채질을 하며 천 위에 놓인 영루를 살폈다.

"처음 보는 것이냐?"

"당연히 모르지."

"인간이 심은 것이라 생각하나 보지?"

책장을 넘기던 건은 책상 앞에 알짱대며 싱글거리는 망량을 노려보았다.

"이게 뭔지 알고 있나 보군."

"알다마다. 물론 어떤 자의 소행인지는 모른다. 단, 이 영루가 뜻하는 바는 아주 잘 알지."

농담 섞인 망량의 말에 건은 테이블 위를 톡톡 두드렸다. 불쾌함을 감추지 못하는 건을 보며 망량이 혀를 찬다.

"너무 날 세우지 마라. 이건 말이다, 아직 주인의 힘을 의심하는 녀석의 소행이거든."

착, 하고 부채를 편 망량이 소파에 앉으며 도포 자락을 단정히 접었다.

"유연의 힘을 의심한다는 게 무슨 소리야."

"오만하고 고집이 센 놈이다. 인간들 중에도 꼭 초 치는 놈들이 있지 않은가? 우리와는 다른 생각을 갖고, 무엇이든 불신하며 음모론을 펼치는. 이놈도 그런 류다. 단, 이런 놈이 한번 믿음을 갖게 되면 그 또한 진저리 쳐질 정도로 신뢰가 깊어지지."

"그럼 아내의 힘을 의심해서 영루를 이용해 이매를 풀었다는 건가?"

"그래. 아마, 이제 시작일 것이야. 이놈이 물꼬를 텄으니, 여기저기서 주인의 힘을 시험하려 들 게다."

젠장할.

건은 이마를 짚으며 한숨을 내쉬었다. 망량의 말을 정리해 보자면, 돌아와야 할 수호부들이 주인의 힘을 간 보고 있다는 뜻이었다.

"예전에도 이런 일이 있었나?"

"글쎄. 옛 주인들은 사실 좀 정이 안 갔거든. 내 놈들의 마음을 이해한다. 녀석들은 아직 주인을 겪어 보지 못했으니 의심하고 불신하는 것 아니겠느냐."

대수롭지 않게 말한 망량은 부채질을 하며 영루 위에 손을 올렸다. 그러자 망량의 흰자위가 순간 검게 물들었다가 다시 정상으로 돌아왔다. 하지만 여전히 녀석이 누구인지는 알 수 없었다. 힘의 형태가 불분명하다고 해야 할까. 물에서 태어난 이매지만, 영루에선 물의 힘이 느껴지지 않았다.

"놈들이 굳이 유연을 시험해 가면서까지 돌아오려는 이유. 그걸 알아야겠군."

건은 책을 들고 일어났다. 언제나처럼 답은 가까이에 있을 것이다.

강녕전을 나서다 말고 멈춰 선 건이 묘한 표정의 망량을 돌아보며 물었다.

"그런데 두견주는 잘 익었나?"

"왜, 한잔할 생각 있느냐?"

"조만간 소헌군이 군부인을 모시고 한국으로 들어올 거거든. 이참에 제대로 된 제를 치러 주려고 해. 그때 두견주를 열지."

"음, 나야 이견이 없다. 좋다, 내 잘 익은 술을 꺼내 오마."

말 끝나기 무섭게 망량이 연기가 되어 사라졌다.

강녕전을 나선 건이 향한 곳은 불 켜진 예화의 사무 구역이었다. 그곳엔 오늘도 야근을 자처한 아내가 있었다.

"이 실장은?"

건의 질문에 앞을 지키던 장은호가 설명했다.

"오늘은 반차 내시고 외출하셨습니다."

"외출?"

"예."

"혼자 나갔습니까?"

"아뇨, 치웅 님과 함께 나가셨습니다."

"장세경 씨는?"

"1시간 전, 예화로 합류하셨습니다."

듣던 중 반가운 소식에 건의 마음이 편해졌다. 건은 장은호와 함께 예화로 들어섰다.

로비에는 특별 전시관을 만들기 위해 찾은 인부들이 분주하게 드나드는 중이었다. 와중, 홍보용 포스터와 대형 현수막을 살피던 직원들이 건을 발견하곤 공손하게 예를 갖춘다.

"케드락? 하, 환수하는 데 성공하셨습니까?"

건은 보랏빛이 도는 현수막을 내려다보며 물었다.

"예, 아! 보고가 늦었습니다. 중전마마께서 직접 보고하신다고 하셔서……"

"서프라이즈라도 하려고 했나?"

"전하께서 공들이시던 프로젝트잖습니까. 3일 전 환수에 성공했습니다."

케드락은 도굴꾼이자 예술품 도둑으로 전 세계를 돌며 온갖 것들을 훔쳐 왔다. 하지만 어느 순간 종적을 감추었고, 미국의 어느 단체가 케드락이 숨긴 물건들을 회수하는 데 성공하였다고 한다.

문제는 세계 각국의 국보급 문화재들도 그 안에 속해 있었다는 점이었다. 왕실은 제일 먼저 반환 요청을 했지만, 계약된 전시가 끝난 뒤에나 반환이 가능하다는 답변만이 돌아올 뿐이었다.

그런데 유연이 제가 마무리하지 못한 일을 매듭지었다. 건은 기쁜 마음에 미소를 숨기지 않았다.

"아내는 지금 어디에 있습니까."

청송은 책에 파묻힐 듯 구는 유연을 보며 안쓰러운 표정으로 말했다.

"누이, 수호부의 수는 헤아릴 수도 없고 누이가 그들을 모두 외우는 건 불가능합니다. 그러니 너무 힘들어하지 마시고, 이만 좀 쉬시지요."

"응, 알았어. 조금만 더."

"이러다 몸 상하십니다. 예?"

"에이, 나 건강 체질이야. 그냥 자존심이 좀 상해서 그래. 아까 그 이매 말이야. 내 말을 거부하는 느낌이 들더라고. 꼭 반항아 같다고 해야 할까? 뭔가 날 하찮게 보는 그런 느낌?"

"그럴 리가요! 세상에 어떤 놈이 주인을!"

"아냐, 너도 봤어야 해. 게다가 영루에 글씨도 쓰여 있었어. 청송아, 걱정하지 마. 내가 다른 건 몰라도 암기력 하난 끝내주니까."

유연이 생긋 웃으며 백과사전같이 생긴 책장을 넘길 때였다. 짧은 노크 소리와 함께 문이 열렸다.

"청송이 말이 맞아. 축배를 들어도 모자랄 판에, 일을 해?"

저벅저벅 걸어 들어온 건이 기쁨을 감추지 않으며 청송의 머릴 쓰다듬었다. 그러자 머리가 헝클어진다며 불만을 터트린 청송이 순간 연기로 변했다. 유연은 어쩔 수 없다는 표정으로 식어 버린 커피잔을 들었다.

"보셨어요?"

"응, 봤어. 대체 어떻게 한 거야? 적어도 3년은 더 기다려야 할 줄 알았는데."

"음, 친분을 활용했어요. 제너럴 대표 아내가 한국인이거든요. 작품 때문에 좀 알고 지낸 사인데, 지난번에 결혼 선물을 주고 싶다고 하기에 요구했죠."

별일 아니라는 듯 생글생글 웃는 모습이 얄미우면서도 사랑스럽다. 건은 그 태연한 태도에 픽, 하고 웃음을 터트렸다.

"제너럴 입장에선 큰 결정한 거야. 1차로 도굴당한 물건을 케드락이 훔친 거였거든. 인터폴도 놈의 정체를 몰랐고, 놈은 물건을 현금화한 적도 없었어. 그래서 거의 포기하고 있던 유물들이야."

"궁금해요. 대체 뭐였어요? 서류를 아무리 뒤져 봐도 반환될 물건에 대한 정보가 없어요."

"칼."

건은 책상에 비스듬히 걸터앉아 손으로 힘을 끌어모았다. 그러자 자연스럽게 형태를 갖춘 사인검이 소환되었다.

언제 보아도 신기한 광경이었다. 그가 소환한 사인검은 외부에서 판매되는 평범한 검과는 형질부터가 달랐다. 분명 철로 만든 무기임은 분명하지만, 이 안에 든 것은 이매도, 수호부도 아닌 이질적인 기운이었다.

만져 보고 싶었지만, 닿으면 베일 것이 분명했기에 유연은 눈만 반짝였다.

"이런 검과 방패, 각종 무기들이 돌아올 거야. 그중에는 힘이 깃든

놈들도……."

말을 이어 나가던 건은 순간, 머릿속을 스치는 생각에 실소를 흘렸다.

아니겠지.

분명, 망량은 주인을 시험하는 녀석이라 하였다. 수호부의 주인은 대대로 귀안을 가진 여인이었으니, 이번에도 유연이 놈의 주인이어야 한다. 하지만 망량이 말한 놈이 검이라면…… 돌아오고 싶지 않아 버티고 버티다, 피치 못할 이유로 돌아오는 중이라면.

"날 시험하는 거였군."

싸늘한 뇌까림에 유연이 고개를 갸웃 기울인다.

"네?"

하지만 건은 유연에게만은 상냥하고 다정한 얼굴로 웃었다.

"아니, 혼잣말이야."

"에이, 뭐예요."

"좋다는 말이었어."

그렇게 말한 그는 주머니에 넣어 온 영루를 유연의 앞에 내려놓았다. 글자가 새겨진 영루를 보는 유연의 눈매가 가늘어진다. 여전히 정체를 알 수 없는 물건이었다.

"이 답을 찾은 것 같으니, 이제 그만 퇴근하지. 내일부터는 바빠질 거야, 유연아."

유연은 가까워지는 그의 얼굴을 빤히 보며 웃음을 참았다. 커다랗고 따뜻한 손으로 귓불을 만지작거리다가 가느다란 목을 가볍게 감싸 쥔다. 손끝이 맥이 뛰는 피부를 지그시 누를 때, 유연은 저도 모르게 감시 카메라를 흘깃 살폈다.

"왜 카메라 방향을 살펴? 뭐 하려고."

능청스러운 건의 말에 인상 쓴 그녀가 간지럽히는 손을 떼어 내며 그의 허리춤을 끌어안았다.

"하고 싶은 게 있긴 한데……."

그가 말해 보라는 듯, 눈썹을 비스듬히 치켜올렸다. 그에 유연이 입술을 축이며 그에게 속삭였다.

"치웅 언니가 잠깐 와 달라고 했는데, 우리…… 합석할까요?"

고개를 푹 숙인 우혁을 보는 치웅의 입술 새로 한숨이 새어 나왔다. 옆에는 빈 소주병이 널려 있었고, 파란색 플라스틱 테이블엔 갖은 안주들이 가득했다.

치웅은 물컵 가득 소주를 따라 꼴깍 마시며 말했다.

"쯧, 벌써 항복한 것이야? 술 약하구나, 너."

그러자 쌍꺼풀진 눈에 힘을 준 우혁이 고개를 젓는다.

"치웅 님이 센 겁니다. 저 술 약하지 않습니다아……."

"맛이 갔군."

"맛이 가다뇨! 아닙니다. 치웅 님 때문이잖아요……. 대체 왜 남자의 마음을 갖고 노시는데요!"

버럭 소리친 우혁이 고개를 든다. 안경 너머의 눈빛이 까맣게 흔들리고 있었다.

치웅은 유연에게 도움을 청하길 잘했단 생각을 했다. 술 취한 남자가 이렇게 귀여워 보이는 건 반칙 아닌가? 게다가 상대는 인간이다. 더 이상 휘둘리고 싶지는 않았다. 그러나 다른 한편으로는 저놈이 자신만을 바라봐 주기를 바라기도 했다. 이우혁의 모든 감각이 저를 향하기를, 욕심냈다.

멍청하게도…….

"정신 차려. 확 잡아먹기 전에. 기억하지? 나 곰인 거. 너 정도는 한 입 거리야. 그리고 나는 널 갖고 논 적 없다."

"하, 잡아먹어요? 그럼 잡아먹어 보세요."

벌떡 일어난 우혁으로 인해 플라스틱 의자가 바닥으로 엎어졌다. 우혁은 자신의 얼굴을 치웅의 앞으로 불쑥 내밀었다.

당황한 치웅이 미간을 구기며 우혁의 얼굴을 꾹 눌러 밀어낼 때였다. 그녀의 가느다란 손목이 잡히더니, 취기가 잔뜩 오른 눈빛이 가까워진다.

제법 많은 사람들이 자릴 채운 실내 포장마차 안. 치웅은 닿을 듯 가까워진 우혁의 입술을 보며 마른침을 삼켰다.

"잡아먹어 보시라고요오……."

"후회, 할 텐데."

"하…… 그럼 차라리 눈에 보이지 마시든가. 좋아하는 여자가 자꾸 이런 표정으로 쳐다보면, 어떻게 참으란 말인지."

뭐?

생각을 이어 나갈 새도 없이 입술이 붙었다. 종이컵이 바닥으로 떨어지고, 테이블이 한쪽으로 갸우뚱 기운다.

푹신하고 부드러운 입술이 떼어진 순간, 치웅은 대각선에 서 있는 유연과 이건을 발견했다. 두 사람 다 당황한 표정으로 술에 취한 우혁을 내려다보며 어색한 미소를 짓는다.

"저희가, 방해한 건 아니죠······?"

갑작스러운 이건과 유연의 방문에 술집이 발칵 뒤집혔다. 모자까지 꾹꾹 눌러쓰고 마스크로 얼굴의 반 이상을 가렸음에도 특유의 오라는 숨겨지지 않았다.

조금 전까지만 해도 멀쩡하게 입 맞추던 우혁은 어처구니없게도 두 사람이 도착함과 동시에 기절하듯 잠들었다. 얼떨떨한 표정의 치웅을 내려다보던 건이 뒤를 지키던 장은호에게 부탁했다.

"궁으로 가야 할 것 같습니다. 이 실장 좀 부축하죠."

"예."

좌익위였던 장은호는 이건이 보위에 오르던 날 내금위장의 자리로 이동했다. 기존의 내금위장은 상왕 이숙과 함께 제주도의 별궁으로 내려가 함께 나이 들어 가겠다며 선뜻 자리를 넘겼다.

가뜩이나 요즘 들어 위태로워 보였던 우혁의 무너진 모습에 장은호는 쓸쓸함이 밀려들었다. 항상 담담하고 무엇이든 만능으로 해결해 오던, 왕실의 실세라 불리던 이우혁이다. 그런 우혁도 사랑 앞에선 평범한 사내일 뿐이었다.

"내가 업는 것이 어떠냐."

치웅이 술이 남은 잔을 내려놓으며 일어났다. 성인 남성을 업겠다는 말에 장은호가 만류했다.

"제가 업는 편이 나을 겁니다. 치웅 님께 업혔단 거 알게 되시면, 이 실장님 기절하실지도 모르고요."

"그러냐. 그럼 부탁한다. 은근히 술이 약하구나."

장은호는 걱정하지 말라며 우혁을 가뿐하게 들어 업었다. 우혁이 안정감 있게 업히는 걸 본 뒤에야 치웅은 안도했다.

제게 입 맞추자마자 실신하는 것은 또 어떤 경우란 말인가. 게다가 건과 유연에게 그 모습을 보였다는 것이 못내 신경 쓰였다. 이 또한 제게는 없을 줄 알았던 감정이었다. 어째서 인간의 시선을 살피고, 부끄러운 마음이 드는 것인지.

"일단 이곳에서 나가죠. 손님들께 방해가 되는 것 같으니."

유연은 직접 술값을 계산한 뒤, 악수를 청하는 사람들과 일일이 손을 맞잡아 주었다. 그제야 뒤따라온 호위들이 유연의 곁을 에워싼다. 다소 소란이 일었지만, 오래가지는 않았다.

이제는 두꺼운 점퍼를 입지 않아도 찬바람이 스며들지 않는 밤, 계절을 향기로 기억한다는 건 꽤나 감상적인 방법이었다. 그리고 이맘때 계절의 향기는 100년 전이나, 1,000년 전이나 다를 게 없다.

은호에게 업혀 차에 오르는 우혁을 따라 나가려던 치웅은 앞을 막아서는 건을 올려다보았다. 보위에 올라 주상이 되더니, 세자 때와는 사뭇 바뀐 분위기의 그가 굳은 얼굴로 치웅을 내려다보고 있었다.

"무슨 말이 하고 싶은 것이냐."

딱딱하게 굳은 얼굴의 그가 경고하듯 말했다.

"치웅, 너는 물론이고 다른 수호부들 또한 인간이 아니다. 다른 놈들은 그 사실을 아주 잘 알고 있는 것 같다만, 왜 넌 모르는 기분이 들까."

"······내가 왜 모른다고 생각하지?"

"네가 그 사실을 잘 알고 있다면, 이우혁에게 이런 꼴을 보이진 않았겠지. 네게는 이우혁이 1일지도 모르지만, 저놈에게 넌 9나 10일 가능성이 커. 넌 남을 테고, 저놈은 떠나겠지. 네 불안을 알아. 나 역시 비슷한 불안을 느껴 본 적 있지만, 너만큼 간절하진 않았을 거다. 하지만······ 친구로서, 저놈을 아끼는 한 명의 인간으로서. 잔인한 짓은 하지 마.”

잔인한 짓, 잔인한 말.

다정하고 상냥하여 더욱 잔인해지는 표정이 무엇인지 알고 있다. 치웅은 건의 말을 이해하면서도, 이해하고 싶지 않은 이중적인 마음을 느꼈다.

“넌 여전히 성격이 별로구나.”

입술 끝을 비틀어 올린 치웅은 앞을 막아선 건을 밀어내려 했다. 하지만 건을 밀어낸 건 유연이었다.

“무슨 말을 그렇게 해요!”

씩씩대며 버럭 화를 내는 유연의 반응에 당황한 건의 눈이 커다래졌다. 조금 전 그녀가 밀쳐낸 가슴팍을 짚으며 억울함을 토로했다.

“내가 뭘!”

“못되게 말했잖아요! 전하가 뭘 안다고, 함부로 잔인하다고 해요?”

치웅의 손을 꽉 붙든 유연의 눈시울이 금세 붉어졌다.

건은 그녀가 눈물을 이용하는 여자가 아니란 걸 알고 있었다. 참고, 또 참아서 속이 까맣게 타들어 갈 때까지 눈물을 보이지 않으려 한다는 것도.

“내 말이 틀렸나?”

하지만 이번엔 그도 물러설 수는 없었다. 우혁은 평생을 함께한 친구였고, 고난을 함께 나눈 동료였다. 그래서 인간을 유희거리로밖에 생각하지 않는 존재에게 휘둘리는 모습을 더는 보고 싶지 않았다.

“말해 봐. 내가 틀렸냐고 물었습니다. 중전.”

서늘한 건의 태도에 유연이 입술을 깨물더니 담담히 고개를 치켜들었다.

"틀렸어요. 친구를 걱정하는 마음은 이해하지만, 두 사람의 일이에요. 이건 경영이나 정치가 아니라, 연애사라고요. 우리 둘 사이에 누가 끼어들어 왈가왈부하면, 어떨 것 같아요? 난 전하가 너무 좋은데, 가까운 누군가 전하를 힘들게 하지 말라면서 물러나라고 하면, 퍽이나 기분 좋겠네요."

건은 차마 반박하지 못한 채 헛웃음만을 흘렸다. 그녀의 말 또한 틀린 건 없다. 답을 내릴 수 없는 주제를 두고 각자의 말을 하는 것뿐. 그것을 그녀도 알고 있는지, 유연은 더 이상 말 섞지 않고 건을 지나쳐 차에 올랐다.

"유연아!"

두 사람이 다투는 모습에 당황한 치웅이 그녀를 불렀지만, 이번에도 건이 치웅을 막았다.

"내 말, 허투루 듣지 마. 떨어지라든가, 마음을 접으란 말이 아니야. 저놈의 마음을 가벼이 여기지 말아 달라는 부탁이다. 말이 심했어."

"……하, 되었다. 인간들이란……. 넌 어서 가서 주인을 감싸 주어라. 내게는 화내도 좋다만, 유연이는 아무 죄 없지 않은가."

한숨 쉰 건은 유연이 탄 차에 오르려는 기사를 발견하곤 걸음을 내디뎠다. 그러곤 급히 기사 대신 직접 운전석 문을 열었다.

"내가 운전하지. 치웅과 이우혁 데리고 돌아가. 호위 차량은 한 대로 축소하고."

"예, 예. 알겠습니다."

왕이 직접 운전을 한다는 건, 지극히 사적으로 움직이겠다는 뜻. 운전석에 오른 건은 황당해하는 유연을 돌아보았다.

"거기 계속 탈 거야?"

그러자 여전히 뾰족한 눈빛으로 노려보던 그녀가 슬그머니 내리더니 조수석 문을 연다.

"직접 운전하시게요?"

"이런 기분으로는 집에 못 가. 풀어야겠어."

"어떻게 풀 건데요?"

건은 조수석에 올라탄 그녀를 보며 한숨을 내쉬었다. 곁에 그녀가 있고, 유연의 표정을 보아하니 금방 화해할 수 있을 것 같았다. 하지만 이 조급하고 묘한 초조함은 무엇으로부터 기인한 것인지 알 수 없었다.

생각하던 건은 그녀의 안전벨트를 당겨 채워 준 뒤 뺨 근처에 입술을 댔다.

"둘만 있을 수 있는 곳으로 갈 거야. 대화도 나누고, 생각도 하고, 예쁜 얼굴도 마음껏 보고."

능청스러운 건의 대답에 유연은 정면을 응시하던 눈길을 그에게 옮겼다. 그러자 건반을 두드리듯 초조하게 등받이를 두드리던 그는 미세하게 휘어 올라가는 그녀의 입 모양을 발견했다.

분명 얄밉고 화가 나는 상황이었다. 그런데 정신을 차렸을 땐, 그녀의 얼굴을 감싸 쥔 채 키스를 퍼붓는 자신이 있었다.

놀란 그녀의 속눈썹이 떨린다. 시선을 내리깐 그는 유연의 허리와 손목을 감싸 쥐고 움켜쥔 채 입술을 삼켰다. 탐식하듯 집어삼키고, 뜨거운 숨결을 공유했다. 술은 한 방울도 마시지 않았지만, 이토록 뜨거운 이유는 조금 전 나눈 설전 때문일 것이다.

건은 그녀가 주먹으로 어깨를 때린 뒤에야 맞붙은 입술을 떼어 냈다. 빨갛게 달아오른 뺨과 촉촉하게 젖어 드는 눈을 보자 몸속 어딘가에 쌓아 둔 둑이 와르르 무너졌다.

"내 인내심이 이렇게 쓰레기였나 싶은데…… 이게 또 나쁘지 않네."

건은 다시금 그녀의 입술을 파고들었다. 어둠과 가로등, 봄바람과 사람들의 수런거림 등등 모든 것이 위험했지만 멈출 수 없었다. 연인이자 아내인 그녀는 왜 화를 내도 이렇게 사랑스러운 것인지.

"미안해, 유연아. 화내지 않을게. 그러니까 그렇게 노려보지 마. 심장 아프니까."

그녀의 뺨을 다정하게 어루만지며 속삭이자, '빨리 운전이나 해요.'라며 속삭이는 소리에 가슴이 간질거렸다. 누군가의 말마따나 결혼은 미친 짓이다. 정말이지, 끝내주는 미친 짓이었다.

움직이는 차창 밖을 응시하던 치웅은 제 어깨에 툭 떨어지는 머리를 받혔다. 그러곤 조심스럽게 무릎으로 내렸다. 그러자 술에 취해 미동도 없던 우혁이 그녀의 다리를 꼭 끌어안는다.

운전대를 잡은 장은호가 룸 미러를 흘깃 살피더니 센스 있게 라디오를 틀었다. 치웅은 가사가 없는 노래를 좋아했다. 정확히는 악기의 선율을 사랑하였다. 인간이 아니라 하여 풍류를 모르지 않는다.

귀에 익지 않았음에도 듣기 좋은 선율을 흥얼거리며 우혁의 안경을 벗겼다. 오뚝한 콧날 옆에 안경 코 자국이 선명하게 남은 것이 또 귀여웠다.

–그래, 잔인하지……. 놈의 말이 맞다.

성격은 나쁘지만 틀린 말을 하지 않는 귀멸자의 말은 상처에 뿌린

340

소금 같았다. 머리카락을 쓰다듬을 때마다 상처가 따끔거린다.

-어찌해야 할까, 너를.

하지만 우혁은 여전히 잠에서 깨어나지 않았다. 치웅은 그의 귓불을 만지작거리며 창밖으로 시선을 돌렸다.

세상은 많이 변하였다. 주인이 이 세상을 떠난다면, 다시 또 잠에 들겠지. 그러다가 오랜 시간이 지나 눈을 뜨게 되면, 세상은 지금과는 또 다른 모습일 것이다.

어쩌면 영영 눈뜨지 못할 수도 있었다. 유연도 300년 만에 나타난 주인 아니었던가. 지금으로부터 300년이 지나면, 당연히 이우혁은 세상에 없는 존재다. 하지만 자신은 이 모습 그대로 눈을 뜨고 세상에 나오겠지.

-내 어디가 좋다고……. 그저 장난이었는데. 네가 날 진저리치며 밀어내야 정상 아니냐. 내 이토록 널 괴롭히는데도, 왜 내가 좋단 말이야.

그래 놓고 어리고 어여쁜 여인과 시시덕대는 모습을 보이는 건, 또 무슨 일이란 말인가.

치웅은 이것이 질투라는 것을 처음으로 깨달았다. 과거 투기에 눈이 멀어 패악을 일삼던 이들의 마음을 조금이나마 이해할 수 있을 것 같았다. 내 것이었으면 좋겠다만, 내 것으로 만들 수 없을 때…… 이런 마음이 드는구나.

치웅은 저도 모르게 그의 귀를 꽉 움켜쥐었다. 그러자 움찔한 우혁이 눈을 뜬다. 안경을 벗어서인지 인상을 찌푸린 그가 상체를 일으켰다.

"내가 좋아하는 것도 문제가 됩니까."

나직하고 싸늘한 말에 놀란 치웅이 고개를 세차게 저었다.

"그런 말이 아니다. 그저…… 나 같은 것이 어디가 좋은가 해서."

"치웅 님이 어떠셔서요."

"인간도 아니고, 여성스럽지도 않다. 나는…… 죽음과 가깝지 않은가."

"어여쁘십니다. 아름다우세요. 강하고, 멋집니다. 꼿꼿한 성격에 거짓말도 못하고, 솔직한데 무례하지 않아요. 그래서 좋아합니다."

단도직입적인 우혁의 말에 치웅은 입술만 벙긋거리며 눈을 깜빡였다.

술에 취한 거겠지. 술에 취하였으니, 이토록 낯간지러운 말을 거리낌 없이 할 수 있을 것이다.

치웅은 한숨 쉬듯 웃으며 우혁의 뺨을 쓰다듬어 보았다. 그러자 눈을 감은 그가 손바닥에 뺨을 비비며 강아지처럼 품 안으로 파고든다.

치웅은 품에 안겨 온 우혁의 뒷머릴 쓰다듬었다.

"나도 널 좋아한다. 하지만…… 이 마음이 커질까 봐 두렵다."

그녀의 착 가라앉은 속삭임에, 우혁의 몸이 떨렸다.

"풍선입니까? 커진다고 터지지 않습니다……. 그런데 한 번만, 더 말해 주세요."

우혁의 고개가 들린다. 치웅은 우혁의 갈색 눈동자에 들어찬 감정이 너무도 벅차고 뜨거웠다. 누군가에게 이렇게 깊은 마음을 전해 받은 적은 처음이었다. 자신은 항상 주는 쪽이었고, 받는 이는 감읍하며 신처럼 떠받들거나 어려워할 뿐이었다. 그런데 이우혁은 다르다. 제게 주지 못해 안달하는 사람처럼, 너무나 쉽게 마음을 드러냈다.

"네가…… 좋다."

치웅의 입술 끝이 부드럽게 호선을 그린다. 우혁은 넋 나간 얼굴로 치웅의 얼굴을 조심스럽게 감쌌다. 그러곤 솜털이 보송보송한 뺨을 어루만지며, 중얼거렸다.

"그런데 왜 웁니까. 좋은데, 나는 또 왜 눈물이 날까요."

"그러게. 우리 둘 다, 천치인가 보다."

"제 생각도 그런 것 같습니다. 눈물, 핥아 봐도 됩니까?"

"하, 그런 취향이었나?"

"모릅니다. 치웅 님 앞에선 모든 것이 처음이라, 저도 당황스러울 뿐이라서요."

뺨을 어루만지던 손끝에 힘이 들어가더니, 천천히 입술이 맞붙었다. 어느새 멈춰선 창밖으로 궁궐의 높다란 담장이 보인다. 눈치 빠른 장은호는 이미 차에서 내린 뒤였고, 두 사람의 입맞춤은 점점 깊어졌다.

봄, 밤이 깊어 간다.

외전 Ⅱ

호랑이 사냥

훌쩍.

눈이 빨개진 귈이는 티슈를 툭툭 뽑아 코를 팽 풀고 눈물을 훔쳤다. 시간이 얼마나 흘렀는지도 알 수 없을 만큼 드라마에 몰두해 버렸다.

이따금 궁인들이 들어와 식사를 챙겨 주거나, 복이를 데리고 나가 산책을 시켜 주곤 했다. 하지만 김귈은 3일 내내 한 발자국도 움직이지 않은 채 그 자리에서 드라마를 시청했다.

하필 길기도 무지막지하게 길었다. 밤고구마와 뻑뻑하게 삶은 달걀을 동시에 먹는 것 같던 초반을 지나, 톡 쏘는 막걸리를 들이켠 듯한 시원함이 쏟아지는 구간에서는 더욱 눈을 뗄 수 없었다.

결국 드라마의 마지막 화까지 시청한 뒤에야 몸을 일으킨 김귈은 서가를 나와 쾌청한 대청마루에 앉았다. 그러자 어디선가 튀어나온 복이가 뛰어와 무릎 위에 오른다.

"어딜 다녀온 것이냐. 나 혼자 두고."

—삐!

"네 녀석이 어서 인간이 되어야 말이 통할진대."

-삐이잇!

"무어라 하는지는 모르겠지만, 오냐오냐 알았다. 쓰다듬어 주마."

궐이는 비비적거리는 복이의 머릴 다정하게 쓰다듬었다. 오라고 할 때는 끼끼대며 품에서 빠져나가더니, 막상 손대지 않으면 쓰다듬으라며 머릴 들이민다.

청개구리 같은 녀석 같으니.

궐이는 부드럽게 웃으며 새벽빛이 드리운 주위를 둘러보았다. 창백한 새벽빛에 잠긴 궁궐의 모습은 신비하면서도, 말로 표현하기 힘든 기세를 품고 있었다.

파루가 울리기 전까지는 누구도 밖으로 나오지 않을 테니 궐은 유유자적 궁궐을 거닐었다. 변한 듯, 변하지 않은 곳. 눈에 익은 길을 따라 걷던 궐은 예화에서 흘러나오는 이질적인 기운을 느꼈다. 분명 수호부와 같은 냄새를 풍기지만 질적으로 다른 무언가가 예화 전체를 감싼 상태였다.

"복아, 너도 보이느냐?"

궐이는 얼굴에서 여유를 지운 채 넘실대는 푸른 기운을 노려보았다.

-삐!

뭘 안다고 복이가 붉은 안광을 피워 내며 예화의 건물을 노려보더니 털을 세운다. 복이도 반응하는 것으로 보아, 녀석은 사념을 가진 기운이었다.

궐이는 단번에 힘을 증폭시켜 범으로 변하였다. 응축되어 있던 시커먼 연기가 터져 나가며 거대한 범이 된 김궐의 호박색 눈이 빛난다. 머리 위를 내리누르는 힘에 기가 죽은 복이가 꼬리를 내리고 허공을 맴돌던 사귀들은 자취를 감추었다.

거친 콧김을 내뿜으며 예화를 노려보던 퀄이 전광석화처럼 건물 안으로 뛰어 들어갔다. 퀄 안에 사사로운 것은 발 들일 수 없다. 하나 이토록 기세등등하게 존재를 드러내는 것엔 분명 어떠한 연유가 있을 터.

계단을 한달음에 뛰어 내려가 지하에 다다른 퀄은 이조문 앞에 선 무언가를 발견했다. 네 개의 발, 두툼한 코와 길고 거친 수염. 그리고 희끄무레한 털이 물속에 잠긴 것처럼 살랑살랑 흔들린다. 정수리에서부터 꼬리까지 이어진 잿빛 무늬가 심상치 않은 놈은 영락없이 하얀 호랑이였다.

-네놈은 무엇이냐. 무엇인데 함부로 기운을 드러내는 것이냐.

퀄이는 두꺼운 꼬랑지를 아래로 축 늘어트린 채 흔드는 놈을 노려보며 물었다. 그러자 이조문에 몸을 비벼 자신의 채취를 남긴 녀석이 콧방귀를 뀌며 돌아본다.

-이 근처에서 비린내가 난다 했더니, 검은 고양이가 살고 있었구나.

허, 검은 고양이? 퀄이는 기가 차 입꼬리를 씰룩거렸다. 마치 제가 누구인지 안다는 투에 투지가 치솟았다.

-당장 네놈이 누구인지 이실직고하라! 감히 이곳이 어디라고 함부로 냄새를 풍기고 다니느냐?

-이곳이 어디긴. 이곳의 주인은 처음부터 나였다. 네놈들이 모시는 귀멸자가 아니라.

도도하게 턱 끝을 치켜든 백호가 느긋한 걸음으로 다가왔다. 퀄은 어처구니없는 마음에 힘을 퍼부었지만, 놈은 조금의 타격도 받지 않는 듯 유유했다.

-그깟 힘, 아무리 쏟아부어 봤자 내게는 통하지 않아. 우린 동류
아니었나?

동류라니. 아무리 같은 범의 형태를 하고 있다 할지라도 근본이
다른 법이거늘.

-보아하니 이매는 아닌 듯하구나. 하면, 너는 누구냐. 나는 궐이다.

-알고 있다. 네놈이 나타났다며 수호부들이 어찌나 시끄럽게 굴
던지.

-수호부들?

놈의 흰 수염이 씰룩거렸다. 궐은 미간을 구기며 성큼 다가갔다.
그러자 피하지 않고 그와 눈을 맞춘 백호가 이죽거리듯 말한다.

-고작 인간 따위를 주인이랍시고 모시다니. 수호부란 놈들이 자
존심도 없느냐??

고작 인간 따위라는 말에 궐의 분노가 서서히 피어오르기 시작했
다. 감히 유연을, 제가 인정한 귀멸자를. 또한 제가 보아 온 인간들
을 고작 인간 따위라 부르는 놈의 면상을 갈기갈기 찢어 버리고 싶
은 화가 들끓는다.

-네놈은 터진 주둥이라고 마음껏 떠드는구나. 이왕 터진 주둥이,
내 갈가리 찢어 주랴?

-오호, 그럴 힘은 있고?

-내 주인이라면…… 너의 그 주둥이를 찢고도 남을 것이야.

-흥, 내 그러잖아도 주인이란 것들을 시험했지. 나는 아무나 주인
으로 섬기지 않는다.

-오호라, 혹시 네놈…….

궐의 입꼬리가 히죽 올라갈 때였다. 뒤에 숨어 있던 복이가 부들

부들하게 털이 난 꼬랑지를 빠르게 흔든다.

-주인이 왔구나.

의미심장한 궐의 말이 끝나기 무섭게, 백호는 꼬마 해치가 꼬리를 흔드는 입구로 시선을 옮겼다.

누군가 계단을 내려오는 소리가 난다. 기척이 가까워질수록, 앞을 막아선 검은 호랑이의 기운이 증폭되기 시작했다. 조금 전까지만 해도 저와 엇비슷하게 느껴졌던 놈의 힘이 삽시간에 태산처럼 치솟는다.

긴장한 백호는 저도 모르게 뒷걸음질 치며 계단 끝에 나타난 두 명의 그림자를 눈에 담았다.

-네놈의 이름은 무엇이냐.

궐은 안으로 들어서는 건을 보며 백호에게 물었다. 그러자 부들부들 떤 백호가 이를 갈더니 스르륵 연기로 화하며 대답했다.

-환이다.

-환? 환이라면…….

하지만 답을 듣기도 전, 놈은 완전히 사라졌고 건의 뒤로 유연이 따라 들어온다. 두 사람은 호랑이로 현신한 궐이를 보며 헛웃음을 지었다.

"너구나. 어쩐지……. 그런데 갑자기 왜 현신을 했어? 그것도 본체의 형태 그대로."

다가온 유연이 궐이의 털을 쓰다듬으며 물었다. 순식간에 크기를 줄인 궐이 유연의 다리께를 몸으로 훑으며 고롱거리는 소릴 낸다.

-이 안에서 이상한 기운이 느껴져서 왔다. 유연아, 3일 만이다.

"그래그래, 드라마에 푹 빠져서 나는 안중에도 없더라? 그렇게 재밌었어?"

-재미있었다.

퀼이의 털을 짓궂게 헤집은 유연은 말없이 이조문 앞에 서 있는 건을 보았다.

새벽에 잠에서 깬 이유는 예화에서 느껴진 거대한 파동 때문이었다. 가슴을 짓누르는 힘에 놀란 두 사람은 동시에 잠에서 깼고, 누가 먼저랄 것도 없이 예화로 향했다.

"거기에 뭐 있어요?"

유연의 질문에 얼굴에서 진지함을 없앤 그가 싱긋 웃으며 고개를 젓는다.

"아니."

"음…… 근데, 퀼이 너 혼자 있던 거 맞아?"

퀼은 꼬랑지를 꽉 잡아당기는 건을 흘겨보며 투레질하듯 고개를 저었다.

-나 혼자 있었다.

"그런데 왜 현신했어?"

-……잠이 덜 깨서?

"뭐?"

-내, 드라마에 너무 심취하였나 보다.

흠흠, 헛기침한 퀼은 뒤로 몇 걸음 물러난 뒤 다시 사람으로 변했다. 그러자 쫄래쫄래 달려온 복이가 안으라며 낑낑댄다. 그런 녀석을 한 손으로 안아 든 퀼이 두 사람을 번갈아 보더니 은근슬쩍 자리를 피하려 했다. 하지만 유연의 눈을 속일 수는 없었다. 두 남자의 이상한 낌새를 눈치챈 그녀가 기지개를 켜고는 겉옷을 여민다.

"난 그럼 일어난 김에 출근 준비해야겠어요. 새벽에 컨테이너 들어왔다고 하던데, 제가 직접 확인해야 해서요."

"그래? 그럼 먼저 돌아갈래? 난 이 안을 한번 봐야 해."

"그럴게요. 그런데…… 이상하네. 왜 꼭 비상금 숨긴 아빠처럼 구실까?"

불쑥 고개를 치켜든 유연을 내려다보는 그의 목울대가 크게 움직였다. 그녀의 빤한 눈을 보고 있으면 뭐든 술술 터트릴 것 같았다. 하지만 지금 머릿속에 든 생각을 유연에게 알리고 싶지 않았다.

"비상금이 어디 있어, 내가. 내 장부는 아주 깨끗하다고."

"믿어 줄게요."

"자, 그럼…… 3일간 쉰 만큼 일해야지? 김궐."

건은 어색한 웃음을 터트리며 홱 돌아섰다. 그러곤 궐이의 뒷덜미를 잡아채 이조문 앞에 세웠다.

"들어가. 긴히 할 이야기가 있지, 우리?"

어둠이 꽉 들어찬 공간에 탁, 하고 불이 켜졌다.

조금 전 이조문 앞에 둘러진 사신도에서 전과는 다른 기운을 느낀 그였다. 마치 제가 사인검을 소환했을 때 몸속으로 흘러 들어오던 것과도 같은 힘이 사신도 앞에 잔재했다.

"어떻게 된 거야. 혹시, 놈을 보았나?"

건의 질문에 귓구멍을 후비적후비적 판 궐이 고개를 끄덕인다.

"백호였다. 놈에게 아무런 타격도 입힐 수 없는 걸 보니, 그놈이다."

"그래, 이놈이군."

나직하게 뇌까린 그는 사인검을 소환했다. 손아귀 안에서 푸른빛을 내는 검광이 오늘따라 더욱 선명하게 느껴진다. 하지만 사인검이 두 자루일 리는 없었다. 그러므로 하나의 검이 두 개의 힘으로 갈라졌다는 것이 더욱 정확한 가설이었다.

건은 자유자재로 힘을 부리는 사인검을 회수한 뒤 심드렁한 표정으로 기다리는 퀼에게 말했다.

"하자."

"무엇을? 혹, 그 호랑이를 나더러 상대하라는 것인가?"

"정확히는 함께 상대하자는 것이지. 네가 드라마에 빠져 있던 사이 놈이 영루를 이용해 이매를 부렸다. 도발이지. 감히 영루에 글자까지 새겨서 흔적을 남겼어."

"혹, 그 글자가 환(換)이더냐?"

"네가 어떻게 알지? 혹시 영루를 보았나?"

"아니, 놈의 이름이 환이라고 하였다."

김퀼은 짜증스럽게 대꾸하며 끝도 없는 빛 너머를 응시했다.

이조문 안쪽은 이매들의 감옥이나 다름없었다. 하지만 영겁의 감옥은 아니었다. 이곳에서 악의와 살의를 상실한 이매들은 자연스럽게 밖으로 빠져나갈 수 있었다. 원리는 모르나, 이곳을 나간 이매들은 누군가의 조상신이 되기도. 무당에게 빌붙어 살아가는 잡귀가 되기도 했다.

그런 놈들이 평온하게 잠든 모습을 지켜보던 퀼의 미간이 마뜩잖게 구겨진다.

"놈이 이매를 부렸다니……. 주인을 시험한다는 것이 그런 뜻이었나?"

"대화까지 나누었군."

"마음에 안 드는 놈이다. 하지만 성격이 나쁜 것이지, 악의를 가진 건 아니었다."

"그렇다고 그냥 둘 수는 없지. 영루를 제멋대로 다루는 놈은 위험하니까."

"어찌할 것이냐."

건은 만족 어린 미소를 지었다. 김귈이 흥미를 느낀 이상, 계획은 성공할 것이었다.

놈이 유연과 자신을 시험한다는 걸 알게 되었을 때, 사인검의 힘이 두 개로 쪼개졌다는 걸 눈치챘다. 그러니, 하나로 되돌려야겠지.

"잡아먹는 건 어때."

태연한 대답을 늘어놓은 건을 보며 귈은 실소했다.

"놈을?"

"놈은, 검이다. 김귈, 힘이 두 개로 나뉘었다면 다시 하나로 만들어야 하지 않겠어?"

"하면……."

"네놈이 내게 흡수되려 했던 방법, 그걸 알려 줘."

"진심이냐."

"물론."

"놈의 힘은 호락호락하지 않을 것이다."

"그래 봤자 검이다. 놈의 정체를 알았으니 회수는 어렵지 않지. 밖에 있는 컨테이너 어딘가에 처박혀 있을 테니."

자신만만하게 미소 지은 건이 어깨를 으쓱 올렸다. 그 모습을 가만히 지켜보던 궐이 드물게 잔인한 표정으로 입맛을 다시며 뇌까린다.

"오랜만에 사냥이구나."

"탐내지 마라, 내 먹잇감이니."

"그 힘, 내 힘이기도 하다. 네 힘이 곧 나의 힘이니."

두 남자가 천천히 가까워지더니 서로의 귓가에 속삭이기 시작했다. 그러곤 같이 키득대며 웃음을 터트리다가, 이조문을 나설 땐 절친이라도 된 것처럼 어깨동무하고 있었다.

컨테이너를 내리기 위해 서 있던 박 팀장이 이조문에서 걸어 나오는 두 사람의 등장에 놀라 불쑥 허릴 숙였다.

"주상 전하!"

"출근이 빠르시네요."

"오늘 전시를 준비해야 해서요."

"아아, 그래요. 그 전에 제가 먼저 컨테이너 안을 확인해야겠습니다."

"직접이요?"

"그래요, 직접."

박 팀장은 직원들에게 눈짓해 컨테이너에서 물러나게 했다.

두 남자는 직원들이 물러난 컨테이너 안으로 들어갔다. 그러곤 손쉽게 검이 보관된 박스를 찾아냈다. 길이와 크기, 박스 봉인지에 적힌 사인검(四寅劍)이라는 친절한 표식에 두 남자의 입꼬리가 호선을 그렸다.

"여기 있구나, 나의 먹잇감이."

"싱싱하군."

마치 사냥감을 앞에 둔 포식자의 얼굴을 한 두 남자의 눈빛이 순간 서늘해진다.

"열어라, 호랑아."

뺨에 닿는 손끝이 차다. 치웅은 무의식적으로 몸을 웅크렸다. 차갑고 서늘한 건 여전히 익숙해지지 않는 감각이었다.

치웅은 잠결에 제 뺨을 어루만지는 우혁의 손등을 감쌌다. 체온이 높은 저와 달리 이놈은 왜 이리 손이 차가운 것인지. 손뿐이 아니라 몸 곳곳이 차가웠다. 그래도 사내라고 제법 몸이 크다. 제가 품에 폭 안겨 감춰질 만큼 어깨와 가슴팍이 넓었고 교차한 긴 다리는 발끝이 이불 밖으로 나올 만큼 차이가 컸다.

제법 단단한 가슴팍을 어루만지던 치웅은 살빛이 밀려드는 창호지 너머를 물끄러미 응시했다.

정체된 공기 중에 떠도는 온후한 기운 속에는 두 사람의 향이 가득 차 있었다. 눈에 보이지 않아도 손에 잡힐 듯 몽글몽글한 향기가.

"좋은 아침입니다, 치웅 님."

치웅은 잠이 묻은 우혁의 목소리에 고개를 돌리며 찡그리듯 웃었다.

"좋은 아침이긴 하다만, 너는 썩 좋아 보이지 않는구나."

"왜요, 저는 좋은데요?"

능청스럽게 대꾸한 그가 그녀의 둥근 이마에 입 맞추더니 잘록한 허리 뒤로 손을 넣어 꼭 끌어안았다. 콩닥콩닥 뛰어 대는 심장 박동 소리가 들린다. 누구의 심장 박동인지는 중요하지 않았다.

"이렇게 매일 아침 같이 눈 뜰 수 있으면 좋겠습니다. 푹 잔 것 같은 느낌도 들고, 몸이 데워지는 기분도 들고요."

"나를 난로로 쓰겠다, 이건가?"

"그래 주시겠습니까? 제가 추위를 좀 많이 탑니다. 한여름에도 긴 옷을 입고 다닐 정도로요. 치웅 님이 곁에 계셔 준다면 평범한 옷차림을 할 수 있을 것도 같은데."

"허, 수작질이 늘었구나. 나와 함께 있는 것 자체가 평범할 수 없는 일인 거, 모르는 거야?"

치웅은 웃으며 말했지만, 말의 의미는 무거웠다. 서로의 마음을 확인했음에도 선을 긋는 듯한 태도에 우혁이 한숨 섞인 목소리로 말했다.

"또 이러실 겁니까? 우린 남들처럼 평범할 필요 없다고 생각합니다. 난, 치웅 님과 우리의 방식대로 살 거거든요."

"우리의 방식?"

"일단, 서류상으로 혼인을 할 필요는 없지만 식은 올리고 싶습니다. 물론 아이도 원하지 않습니다. 전 아이를 좋아하지 않거든요. 서류상 혼인을 하지 않는 건, 치웅 님이 대한민국 시민권자가 아니기 때문이기도 하지만 제 얼굴이 질리면 놓아 드리겠다는 뜻이기도 합니다. 제가 노인이 되어 보기 흉하게 변해 버린다면, 가십시오. 그때는 절대 미련 갖지 않을 테니까."

손가락 끝에 전기가 오르는 것처럼 저릿저릿한 감각이 돈다. 치웅은 담담한 척 말을 이어 나가는 우혁을 가만히 바라보았다.

"하지만…… 지금은 놓치고 싶지 않습니다. 놓을 수 없습니다. 그러니 지금은 절 밀어내지 마십시오. 저, 겁쟁이입니다."

그녀는 뺨과 귓불에 입 맞춰 오는 우혁의 목덜미에 팔을 둘렀다. 뜨거운 물 속에 잠겨 드는 스펀지라도 된 것처럼 순식간에 몸이 무거워진다.

"내가 널 언제 밀어냈다고……. 너야말로 헛소리하지 마. 너무 진지해지지 말란 소리야. 모든 것엔 때가 있는 법이니까……. 나더러 오라 가라 하지 마."

한쪽으로 뻗친 머리카락을 다정하게 쓸어 넘겨 주는 치웅의 얼굴을 망연히 바라보던 우혁의 귀 끝이 빨개졌다.

우혁은 그녀의 어깨에 이마를 대고 한숨을 내쉬었다. 술기운이 남은 상태로 밤새 그녀를 괴롭혔다. 그런데도 아직, 모자란다는 마음에 들다니. 하지만 자꾸만 따뜻한 곳을 찾아가듯, 품을 파고들고 싶다. 진종일 이렇게 붙어 있게 해 준다면, 1년간의 연차를 한 번에 몰아 써도 괜찮을 것만 같다.

땀이 맺혀 축축해진 피부에 입 맞추며 바르작거리는 몸을 꼭 움켜쥘 때였다. 사이드 테이블에 올려 둔 우혁의 휴대 전화가 울리는가 싶더니, 치웅의 머릿속으로 김궐의 목소리가 흘러 들어왔다.

멍하니 서로를 보던 두 사람이 한숨을 내쉰다. 우혁은 휴대 전화를 집어 들었고, 치웅은 김궐의 말에 대답했다.

"지금 간다."

"네, 알겠습니다. 전하."

동시에 터져 버린 웃음. 둘은 이마를 맞대고 나직하게 읊조렸다.

"팔자려니 해라."

"이런 팔자라면 나쁘지 않습니다. 오히려 감사하고 있어요."

"그럼, 갈까?"

몸을 일으키려는 치웅의 눈가에 입 맞춘 그는 발끝으로 시트를 밀어내며 고개를 저었다.

"이왕 늦은 거, 10분만요. 10분만 지각하죠, 우리."

"이름은 환, 나이는 대략 400살로 추정되며 본적은 함경이라고?"

건의 질문에 오랏줄에 포박된 백호의 콧등이 씰룩거린다.

-비열한 인간 같으니! 놓아라, 내 너를 한입에 꿀꺽 삼켜……!

"그건 내가 할 말인데, 하얀 고양아. 감히 영루를 이용해 이매를 부려? 너 때문에 얼마나 많은 나의 백성이 피해를 보았는지 아느냐?"

건의 싸늘한 말에 환은 엉덩이를 들썩이며 분노했다. 환이 눈을 떴을 땐 이조문 안이었고, 감옥이라 불리는 공간이었다. 제아무리 수호부라 해도 이조문 안쪽은 귀멸자의 공간이었다.

귀멸자를 위해 신이 허락한 영역. 이곳에선 귀멸자가 허락한 존재만이 힘을 발현할 수 있거나, 귀멸자와 같은 힘을 가진 존재만이 살아남을 수 있었다. 그런 의미에서 환은 힘을 쓰지 못하는 지금. 황당함에 몸을 떨었다.

-네놈들은 자존심도 없느냐! 수호부라는 놈들이, 한낱 100년도 살지 못하는 인간에게 빌붙어 무얼 하는 것이냐! 때마다 주인은 바뀌는 법이거늘, 어찌 우리가 그들을 섬기느냐! 주객이 전도되지 않았느냐!

환은 자신을 에워싼 수호부들을 둘러보며 발악했다. 지난번에 보았던 검은 호랑이와 대지를 수호하는 치우. 그리고 인간계와 중간계를 이어주는 망량 하며 시공간의 주인인 청송까지. 누구와도 견줄 수 없는 힘을 가진 이들이 눈앞의 인간을 주인으로 모신다는 것을 환은 인정할 수 없었다.

"쯧, 이놈이 실성하였구나."

그때, 느긋하게 곰방대를 물고 있던 망량이 여유로운 건의 어깨에 턱을 대며 밉살맞게 속삭인다.

"400년 전에는 저런 성격이 아니었다. 저거 맛이 간 것 같은데 확 소멸시켜 버리는 것이 어떠하냐."

그 말에 건의 눈빛이 번뜩였다.

"그럴까? 하긴…… 방해만 될 바에는 그러는 편이 낫지."

"내 방법을 알려 주마. 우리 수호부들은 말이다, 본체가 망가지면 힘 또한 망가지는 법. 저놈의 본체는……."

망량은 말끝을 흐리며 사색이 된 환을 돌아보았다. 마치 배신이라도 당한 사람처럼 부들부들 떠는 환의 곁으로 치웅이 다가가 어깨동무를 한다.

─망량, 거 같은 수호부끼리 그러는 거 아니야. 이놈이 아무리 지랄 같아도 살 놈은 살아야지. 우리야 주인의 힘이 워낙에 특출나 본체가 망가져도 살길이 있다만. 이놈은…… 그냥 소멸하게 놔두기엔 아깝지 않으냐?

"하긴. 나도 내 본체가 어디에 있는지도 잊고 있었다."

궐은 어색하게 받아치며 고개를 끄덕였다. 그에 다들 기함한 표정으로 한숨을 내쉬었다.

김궐의 본체란, 경복궁 자체 아니던가? 하지만 워낙에 정신이 없어 그 사실을 알아차리지 못한 환에게는 실낱같은 희망이나 다름없는 기회였다. 자신을 오랏줄로 묶었다는 것은 귀멸자에게 수호부와 대적할 힘이 있다는 뜻이었다.

이런 힘을 갖고 있으면서, 어찌 자신이 부린 이매를 상대하는데 욕을 본 것인가!

환은 미치고 환장할 노릇이었다. 그는 그것이 중전과 개인적인 시간을 더 보내기 위한 귀멸자의 수였다는 걸 몰랐다. 어떤 정신 나간 귀멸자도 상급 이매를 앞에 두고 시간을 끈 적은 없었다.

-나를 소멸시키면, 귀멸자 너도 힘을 온전히 쓸 수 없다! 나를, 나, 나는 검이다! 너와 한 몸인데, 어찌 이렇게 함부로 나를 대하느냐!

"나와 한 몸인 녀석이 허락도 없이 날뛰니 주인으로서 손을 써야 하지 않겠어? 나라고 널 해치고 싶어서 해치는 게 아니란 말이지."

-그, 그럼 해치지 마라. 만약, 나를 해친다면 너희들의 주인도 온전하진 못할 것이야! 나를 소멸시킨다면, 내 원귀가 되어 너희들의 주인을……!

버럭버럭 고함치던 환은 자신이 실수했다는 걸 뒤늦게 눈치챘다. 주위의 온도가 바뀌고, 이들의 눈빛이 변하였다.

능글맞게 웃던 이들의 얼굴에서 미소가 사라진 순간, 환은 입을 꾹 다문 채 귀멸자를 올려다보았다. 북풍한설처럼 서늘한 미소를 띤 이건이 한 걸음씩 다가오더니 환과 시선을 맞춰 상체를 숙인다. 호랑이 모습을 한 환은 건의 손에 일렁거리는 푸른빛을 보며 마른침을 삼켰다.

주리를 틀어야 한다는 망량과 눈을 쪼아 버려야 한다는 청송, 저 놈의 가죽을 벗겨 멍석으로 써야 한다는 치웅까지. 나직하면서도 진지한 대화에 결국 환은 반항을 포기했다.

-내, 내가 말실수를 했다.

꼬리를 내린 환의 태도에 범으로 현신한 귈이 다가가 건의 옆에 섰다.

-내가 주인을 선택했다는 것이, 어떤 의미인지 모르는 모양이구나. 너는 내가 누구인지 아느냐?

-안다. 궐, 너를 모르는 이도 있더냐.

-그래, 네가 나를 안다니 다행이군. 하면, 내가 주인으로 택한 이의 능력을 의심하는 것은 이치에 맞는가?

-그, 그것이…… 그렇게 강한가?

-너 따위가 없다고 한들, 조금의 타격도 받지 않을 만큼.

환은 혼란에 빠졌다. 사방에서 몰아붙이는 통에 제가 어떤 이유로 이곳에 잡혀 왔는지도 명확하게 떠오르지 않았다. 게다가 주인이란 여인은 몸도 가늘고 여리여리한 외모를 가진 것이, 조금도 강해 보이지 않았다.

도대체 뭐가 뭔지! 정신없이 사위를 에워싼 수호부들을 올려다보던 환은 결국 납작 엎드렸다.

-내가 너의 검이 되겠다! 그, 그러니 소멸만은 말아다오!

건은 오들오들 떠는 환의 앞에 쪼그려 앉았다. 덩치만 컸지, 겁에 질린 녀석은 영락없는 흰 고양이나 다름없었다.

"정말로 나의 검이 될 것이냐."

-그, 그렇다! 나는 운검이었다. 혼은 나를 자신과 비슷한 이름인 환이라 불렀고, 목숨처럼 귀애하였다. 그 이후, 나는 주인의 운검이 되어 본 적이 없다.

"혼이라면……."

건은 말없이 앉아 있는 궐이의 머릴 쓰다듬으며 한숨을 내쉬었다.

"이놈도 너처럼 주인을 잊지 못하는 놈이었군."

-이 녀석도 시청각 교육을 60시간 이수하면 나아질 것이다.

"뭐?"

건은 웃음을 터트렸다. 그러자 호랑이의 얼굴로 씩 웃어 보인 궐이 어리둥절해하는 환을 내려다보며 말했다.

-네놈도 K드라마의 힘을 빌어, 전 주인을 가슴에 묻어라. 나 또한 그리하였고, 이곳에 있는 놈들 모두 그리하였으니.

-그, 그것이 무엇이냐?

-보면 안다.

궐이 고개를 끄덕이고, 건은 자신의 사인검을 소환했다. 그러곤 그 검을 환의 앞에 툭 내려놓았다.

묵직한 소릴 내며 떨어진 사인검을 내려다보는 환의 얼굴에 기세 등등한 미소가 번진다. 마치 우위에 선 포식자처럼 가슴을 펴곤 커다란 앞발로 사인검을 밟았다.

"오랏줄을 풀어라."

건의 지시를 받은 망량이 부채질하자, 환의 몸을 조이고 있던 오랏줄이 스르륵 풀려 사라진다.

그제야 자유로워진 환이 털을 곤두세우며 힘을 뿜어냈다. 부드러운 은빛 털이 살랑살랑 흔들리고, 이건을 응시하는 범의 눈동자는 점점 황금색으로 변하기 시작했다.

-종종 현신할 수 있도록 허락해 주겠냐? 주인아.

환은 눈앞의 사내를 주인으로 인정하기로 했다. 반쯤은 강압적인 절차였으나, 환은 궁금했었다. 어찌하여 수호부들의 왕이라 불리는 이들이 하나같이 고개를 숙이고 한 명의 주인을 섬기는 것인지. 물론 이들의 주인은 귀멸자의 아내인 귀안의 여인이었으나, 환에게는 두 사람이 한 사람처럼 느껴졌다.

"네가 원한다면 언제든. 네게도 거처를 내어 주지."

-정말이냐……? 언제든 밖을 활보하여도 된단 말이냐?

"그래. 나의 힘이 되어 준다면, 나는 자유와 풍족한 식사와 만족스러운 휴가를 보장한다."

-허허, 내 쓸데없는 고집을 부렸구나. 좋다. 내, 너의 힘이 되겠다.

순간, 흰빛이 이조문 안을 가득 채우고 눈앞의 범은 투명하게 변해 갔다. 마지막 순간에는 머리가 흰 사내의 모습이 되었고, 건은 역사서에서 본 운검의 모습과 같음을 깨달았다.

밝은 빛에 찌푸렸던 눈을 다시 떴을 땐 푸른 기운이 강하게 넘실대는 사인검이 바닥이 놓여 있었다. 상체를 숙인 그가 묵직해진 검을 집어 든다. 힘이 강해진 만큼 의무와 책임이 늘어난 기분마저 들었다.

"끝났군."

"놈의 방을 치워 놔야겠구나."

"난 더 자러 가도 되지? 쯧, 김귈. 넌 연기를 너무 못해. 협박을 하려면 제대로 하란 말이야. 당근과 채찍을 적절히 던져야지, 너처럼 연기했다가는 방송국 다 망해요."

"저는 그래서 한마디도 안 했어요, 치웅 누님!"

수호부들은 각자 할 말을 하며 심드렁하게 출구 앞에 섰다.

건은 머릿속에 흘러 들어오는 환의 상념을 읽었다. 과거로부터 이어졌던 주인을 향한 애정과 신뢰, 그리고 그리움이 통합된 애틋한 마음이.

그래, 너 또한 이래야만 했던 연유가 있었겠지.

나직하게 읊조린 건은 수호부들을 향해 돌아서며 태연하게 말했다.

"조반을 함께하지, 반찬은 갈비찜이다."

왕과 왕비의 식당으로 사용되는 홍영당에 들어선 유연은 익숙하면서도 낯선 광경에 잠시 할 말을 잃었다.

10인용 테이블 가득 차려진 30인분의 음식이나 바쁘게 음식을 퍼나르는 수호부들의 모습은 익숙한 광경이었다. 거기에 건은 직접 일어나 유연이 앉을 의자를 빼 주었고, 서 상궁은 중전의 몫을 준비했다. 여기까지도 거의 매일 접해 온 광경이다. 특별한 것 없는. 하지만 평소와 다른 한 가지는, 머리부터 발끝까지 눈처럼 하얀 사내 한 명이 밥상머리 끄트머리에 앉아 갈비를 뜯다 말고 유연과 눈을 맞춘 것.

궐이와 제법 닮은 듯한 남자는 은발의 외국인 같은 느낌이 강했지만, 본능적으로 사람이 아니란 것을 알 수 있었다. 유연은 환의 몸에서 피어나는 아지랑이 같은 기운이, 건이 부리는 사인검과 닮아 있음을 느꼈다.

"간밤에 사고 치셨어요?"

유연은 자리에 앉으며 뒤에 선 건에게 물었다. 그러자 의미심장하게 환을 바라보던 건이 칭찬이라도 바라는 사람처럼 유연의 어깨를 움켜쥐었다.

"사고를 친 게 아니라, 사고를 수습했지."

"수습이라뇨?"

"쟤 이름은 환. 400여 년 전, 광해군이 부리던 운검이지. 그때는 혼이라 불리셨던.”

소스라치게 놀랄 줄 알았건만, 유연은 담담히 고개를 끄덕였다. 그러곤 앞에 놓인 밥그릇의 뚜껑을 열며 말을 이었다.

“아…… 환이라면, 영루에 쓰여 있던 이름이네요?”

“응, 저놈이야. 영루로 이매를 부린 놈.”

고개를 주억인 그녀는 시큼한 동치미를 우아하게 들이켜는 환을 가만히 응시하다, 비스듬히 입꼬리를 휘어 올렸다.

“그렇구나……. 인천항을 엉망으로 만들고, 배 하나를 못 쓰게 한 것도 모자라 뻔뻔하게 주상의 옥체에 상처를 입혔던 분이구나. 아, 내 쪽으로 집어 들어 던지려 했던 게 뭐였죠?”

“테트라포드, 발이 세 개나 달린 거대한 돌덩이지. 그 무거운 걸 네게 던지려 해서, 내 눈이 뒤집힌 거고.”

“맞다, 그랬죠……. 정말로 큰일 날 뻔했어요. 아니, 죽을 뻔했죠.”

생긋 웃어 보인 유연은 담담히 숟가락을 들었다. 지난 새벽 굳이 자신을 침전으로 돌려보낼 때부터 이상함을 느꼈다. 두 사람의 속이 너무 훤히 보인달까? 건이 김궐을 부를 때의 어감이 다정해질수록 항상 일이 터졌다.

그럼 그렇지라며 한숨 쉬던 유연은 불현듯 청송과 함께 공부했던 수호부들에 관한 내용을 떠올렸다.

인조반정으로 폐주가 된 광해군이 부렸던 운검은 사인검이다. 그리고 제너럴 A에서 보내온 문화재 또한 1600년대의 물건들이었다.

그 말인즉슨…….

“혹시, 우리 컨테이너에 손댔어요?”

“어?”

"오늘 새벽에 들어온 컨테이너, 그거에 손대셨냐고요."

"아, 뭐…… 일단, 이놈의 본체를 찾아야 했거든."

"그럼 인증이나 절차도 없이, 400년 전의 유물에 함부로 손대셨다는 거네요?"

유연의 표정만으로는 도무지 감정을 읽을 수가 없었다. 화가 난 듯도, 태연한 듯도 한 태도에 머릿속이 어질어질하다. 유연은 환이란 수호부와 별반 다르지 않은 표정이 되어 버린 건을 가만히 노려보았다.

"대답해 주세요, 아니, 김궐. 치웅 언니, 망량 영감님. 청송, 너도 대답해. 설마, 환이란 저 하얀 고양이를 꺼내려고 내 컨테이너에 손댔니?"

"그, 그것이…… 본체를 저당 잡아야 꼬리를 내린다고. 귀멸자가 그랬다!"

휙 돌아앉은 궐은 모든 책임을 건에게 떠넘겼다. 그에 수호부들 모두 유연의 눈치를 보며 동조하듯 고개를 끄덕인다. 하물며 문제의 중심에 있던 환까지 슬그머니 건을 가리키며 억울한 표정을 지었다.

"이것들이 먹여 주고 입혀 놓았더니, 대놓고 내 뒤통수를 치는 건가."

"뒤통수 얘기는 그만하시고, 환의 본체는 어디에 있죠? 딱 보아하니 순순히 이 자리에 앉아 있을 것 같지는 않은데."

"아니 뭐, 그거야 그렇지만. 그렇다고 내가 무력을 써서 저놈을 문초하거나 그런 건 또 아니고."

"고문했구나……? 혹시 이조문에 감금했어요?"

"어? 중전, 감금했단 말은 좀……."

환은 어떤 장단에 맞춰야 할지, 이 두 사람의 대화가 정녕 주상과 중전의 대화가 분명한지도 혼란스러웠다. 게다가 이 궐에는 암투 또한 없었다. 아무리 세상이 변하였다지만, 두 사람의 모습은 도무지 상식으로 받아들이기 힘든 왕과 왕비의 모습이었다.

"어쨌든, 환 씨의 본체 어디 있나요."

"본체는 내가 아는 곳에 아주 잘 뒀어."

"그러니까 어디에 있는지 말해 주셔야죠! 전시가 코앞이에요. 게다가 광해군의 사인검은 이번 메인 전시 중 하나라서 꼭 제자리에 있어야 하고요."

망설이던 건은 유연의 귀에 대고 속삭였다. 건에게 환의 본체가 있는 곳을 듣게 된 유연이 어처구니없다는 듯 실소하며 말했다.

"굳이 그래야 했어요?"

"어쩔 수 없잖아. 아직 시청각 교육을 받지 못한 상태야. 100% 믿기는 이르다고."

"그래도 이왕 가족이 되기로 한 거, 인천항에서의 책임은 더 이상 묻지 않을게요. 단, 보름간 환 씨는 얌전히 전시관에 들어가 줘야겠어요."

유연의 시선이 환을 향해 움직였다. 신기한 표정으로 두 사람을 번갈아 보던 환은 마지못한 듯 되물었다.

"전시관이라니."

"보름간 당신이 살던 시대의 유물들이 전시될 겁니다. 사람들은 당신의 본체를 보기 위해 티켓을 끊을 테고, 이미 홍보 또한 끝냈어요. 그래서 보름간 환 씨는 평범한 문화재가 되어 주셔야 해요."

"아니 뭐, 내 본체에 몸을 숨기는 것은 어렵지 않으나……."

"다른 문제 있어요?"

"아니, 아니다. 혹시라도 내가 본체로 들어가 다시 나오려 하지 않는다면 어쩌려고 그러냐. 내가 귀멸자의 힘이 되어 주기로 한 약속을 어긴다면?"

환은 신기하다는 표정으로 유연의 대답을 기다렸다. 궁궐의 주인은 귀멸자다. 그가 왕이었고, 근본이라 불리는 자였다. 하지만 그 꼭대기엔 중전 조유연이 있었다. 그러나 그 옛날, 왕들을 손아귀에 움켜쥐고 쥐락펴락하던 여인들과는 근본이 다른 여인이었다. 대체 무엇이 다른 것일까. 어찌 귀안의 여인을 보는데 이렇게 가슴이 술렁거리는 것인가.

"그럼, 제가 더 힘이 되면 되죠. 강제하는 건 없어요. 물론 그대가 주상의 힘이 되어 준다면 더할 나위 없겠지만 싫으면 별수 있나요? 그저 몇 번 기절하고, 몇 번 코피 좀 쏟으면 되겠죠."

기대에 찬 환의 눈빛을 마주한 유연이 대수롭지 않다는 듯 웃었다. 반면 기절과 코피를 언급한 그녀로 인해 수호부들의 낯빛이 창백해졌다. 청송은 눈물이 그렁그렁해졌고, 김궐과 망량의 표정은 싸늘하게 굳었다. 치웅은 쯧, 하고 혀를 차며 들릴 듯 말듯 뇌까렸다.

"잘, 대답해라. 네 삼시 세끼가 걸린 일이니."

"그, 그것이⋯⋯."

"보름만 참으면 되는 것 아니더냐? 쯧, 나는 마늘과 쑥으로 100일을 버텼다."

"아니, 어려운 일은 아니지만⋯⋯."

"왜, 도망이라도 치려고? 물론 본체로 들어가면 널 찾는 일은 힘이 들겠지. 하지만 정말 그렇게 하고 싶으냐?"

치웅의 질문에 환은 세차게 고개를 저었다. 이미 갈비찜의 단맛을 맛본 이상, 무미하고 재미없는 영겁의 시간에 잠겨 들고 싶지 않았다.

환은 제일 커다란 갈비를 하얀 쌀밥 위에 올리곤 치웅을 보며 담담히 미소 지었다.

"내, 마지막으로 한 식사가 바로 이것이었다. 아주 맛있었는데……. 그때만큼은 아니지만, 제법 괜찮은 한 끼다. 나는 잠들고 싶지 않다, 주인아. 그러니 네 부탁을 들어주지."

홍영당을 나선 두 사람은 따뜻한 볕을 맞으며 후원으로 향했다. 손을 꼭 맞잡은 건과 유연의 모습에 마주친 궁인마다 웃음을 참으며 고개를 숙였다.

"그러니까, 계속 나쁜 짓을 할 것 같아서 흡수했다. 이거예요?"

지금까지의 일을 모두 전해 들은 유연은 헛웃음을 지으며 멀리 보이는 예화를 바라보았다. 건이 직접 꾀를 낸 것, 퀄이 방법을 제시하고 치웅과 망량, 청송이 바람잡이 역할을 했단 말에 그 상황을 떠올릴 수밖에 없었다.

"어쩔 수 없었어. 놈에게는 수호부의 힘이 통하지 않거든. 만약, 그 상태로 사고라도 치는 날엔 큰일이 날 뻔한 거야."

"그래도 협박은 너무 심했어요. 그렇게 나쁜 애는 아닌 것 같은데."

"나도 알아. 그래서 폭력도 쓰지 않았고."

유연은 가벼운 걸음을 내디디며 주위를 둘러보았다. 멀리 전광판에 보이는 건 예화에서 열릴 전시회에 관한 홍보 영상이었고, 광화문 주위로는 보라색 현수막이 흔들렸다.

건이 이번 문화재 환수 절차에 혼신의 힘을 기울였던 이유는, 어쩌면 본능적인 끌림 때문일지도 모른다. 서로 앙숙처럼 굴지만서도, 환은 건의 힘의 일부나 다름없었다. 그러니 오랜 시간 본인들도 모르는 사이, 서로를 향해 움직이고 있었던 것일지도.

건은 사랑에 빠진 소녀 같은 눈빛으로 궁궐을 둘러보는 유연의 뺨을 어루만지고 싶었다. 만일 이곳이 외부만 아니었더라면, 저 입술을 물고 빨며 가만두지 않았을 텐데.

새벽을 망친 환을 향해 속으로 이를 갈 때였다.

"중전마마!"

멀리서 태블릿과 서류를 한 아름 감싸 안은 정세경이 뛰어왔다. 유연은 반가운 얼굴로 세경을 맞았다.

"세경 씨, 출근이 이르네요?"

"으아, 참고해야 할 문헌이 너무 많아서요. 전시 때문에 그러는데, 혹시 곧장 브리핑 가능하실까요?"

정세경은 오늘도 반짝거리는 눈빛을 하고 있었다. 어지간히 지금의 업무가 마음에 드는지, 밤을 지새웠음에도 세경은 조금도 지쳐 보이지 않았다.

"저 이만 출근해야겠어요. 그럼 환이의 본체는 전시관으로 돌려주시고, 저녁에 만나요."

"벌써? 지금 아직 8시야. 출근은 9시까지라고."

불만 가득한 건의 말에 세경이 건넨 태블릿을 받아 든 유연이 얄밉게 눈을 흘겼다.

"지금은 특수 상황이잖아요. 어쨌든 밤에 만나요, 우리."

건은 한숨을 내쉬었지만, 이만 놓아주는 게 옳았다. 저 역시 편전 앞에 대기 중인 대신 관료들을 떠올리면 벌써부터 머리가 지끈거리며 아파 왔으니까.

건은 유연의 손등에 한번 입 맞춘 뒤 세경에게 눈인사를 했다. 건이 돌아서자 그림자처럼 뒤를 지키던 장은호가 유연과 세경에게 90도로 허릴 숙인다. 저 멀리 이우혁이 시간을 확인하며 재촉하는 사인을 보내고, 궁궐은 평소와 다름없는 하루가 시작되었다.

"중전마마, 혹시 여쭤보셨어요?"

세경은 이건과 함께 걸어가는 장은호를 흘끔대며 유연에게 물었다. 정치권 인사들의 초대 명단을 살피던 유연은 세경의 빨개진 뺨을 보며 물었다.

"우리 세경 씨, 일찍 출근한 이유가 있었네?"

"아뇨! 에이, 아니에요. 그런 건 아니고 궁금하잖아요. 완전 제 이상형이시란 말이에요."

"장은호 씨가 그렇게 좋아요?"

은호란 이름에 반응한 세경이 웃음을 꾹 참으며 고개를 끄덕인다.

"네, 너무 좋아요. 그래서 우혁 선배한테도 몇 번 소개해 달라고 했는데, 사내 연애 금지라면서 절대로 안 된다지 뭐예요. 그래 놓고 본인은 요즘 눈 맞았죠? 그것도 치웅 님이랑요."

유연은 손으로 입가를 가리고는 세경과 보폭을 맞춰 걸었다. 예화에 가까워질수록 확실히 출근하는 기분이 들었다. 같은 궁궐 내에 있으면서도 명확하게 선이 그어진 기분이랄까?

"제가 알기로 은호 씨는 애인 없어요. 그리고 세경 씨처럼 작고 아담한 여자를 좋아하고, 말수는 적지만 굉장히 다정하고 생각도 깊은 편이에요. 이번 전시 마무리되는 대로, 제가 자리 마련할게요. 단,

이번 전시 성공적으로 마무리해야 합니다. 아셨죠?”

외전 Ⅲ

다시, 망량주조

김궐을 따라 서가에 들어가게 된 환은 60시간 시청각 프로그램 이수라는 걸 시작했다. 그것은 오랜 시간 잠들었다가 도굴꾼의 손에 파헤쳐져 이곳저곳 방랑했던 환에는 신기한 경험이었다.

그 옛날 맡았던 책 향이 가득한 곳에서 시간마다 먹거리가 주어졌고, 커다란 화면 속에는 그리워했던 말투를 가진 이가 주인을 연기했다.

다행히 환은 강제로 깨어난 상태로 전 세계를 방랑했기에 21세기 문물에 익숙한 편이었다. 커피 향이 얼마나 좋은지도, 버터가 무엇인지도 알고 있었고 다양한 사람들이 세상에 존재하는지도 알고 있었다. 그런 환에게도 드라마라는 것은 신기한 것이었다.

반정을 통해 잊힌 왕이라 생각했다. 폭군이었고, 광인이었다. 사람들은 그리 말하였다. 과거엔 그러하였다. 하지만 사람들은 주인을 기억하고 있었다. 누군가는 희대의 폭군으로, 또 누군가는 안타깝게 져 버린 개혁가로.

어떠한 방식으로 기억하든 상관없이 환은 좋았다. 그리고 60시간의 드라마 시청을 끝낸 환은 어둠이 내려앉은 전시관을 찾았다.

"보름이 빠르게도 지났구나."

지난 보름간, 환은 본체가 전시된 곳을 찾은 이들의 목소릴 들었다. 아이와 여인, 사내와 노인 등 그리웠던 언어로 떠드는 소리를 마음껏 귀에 담았다.

자신의 본체를 부드럽게 감싼 빛을 가만히 응시하던 환은 발밑에 깔린 어둠을 보며 미소 지었다.

빛이 있는 곳에 그림자가 있고, 인간의 마음속에도 어둠과 밝음이 공평하게 존재한다. 주인 또한 그러하였다. 주인은 제게 그저 아픈 과거였고, 묻고 싶은 치욕이었으나, 이들에게는 역사가 되었다.

눈물이 날 것처럼 반갑고 고마웠다. 환은 자신의 본체 앞에 놓인 글귀를 읽으며 눈물이 나오려는 마음을 꾹 눌렀다. 진정한 집에 돌아온 기분이 들었다.

"그래…… 역사는 모두 빛이 아니지."

환의 혼잣말에 어디선가 종종거리는 발소리와 함께, 솜사탕 덩어리 같은 녀석이 불쑥 튀어나와 발밑에 앉았다.

ㅡ삐!

꼬랑지를 파닥거리며 흔들어 대는 꼴이 영락없이 해치다. 개의 모습을 한, 해치. 환은 황당한 표정으로 작은 해치를 내려다보며 몸을 기울였다.

"신기한 녀석이군. 너는…… 이매인가? 하, 이매가 수호부로 변하였다?"

ㅡ삐이이!

"어떻게 된 것이냐. 말을 할 줄 아느냐?"

-삐삐!

"너만 알아듣는 말 말고, 대화를 할 수 있겠느냐? 넌 대체 누가……."

자신을 안으라는 듯 껑충대며 제 무릎에 매달린 복이의 목덜미를 잡아 올리려 할 때였다.

"녀석을 그리 대하면 쓰나."

전시관 한쪽에서 걸어 나오는 검은 그림자에 환의 미간이 구겨졌다.

"이 녀석을 아는가?"

"왜 모르겠는가. 복을 주는 녀석을."

환을 보며 고개를 갸우뚱 기울였던 복이가 화들짝 놀라더니 궐에게 뛰어왔다.

눈이 빨간 복이는 어쩌면 색을 분별하지 못하는 것 같았다. 지금도 같은 호랑이의 기운을 풍기는 환을 자신으로 착각해 달려가 어리광을 부리는 걸 보아하니, 그럴 가능성이 컸다.

궐은 달려온 복이를 안아 들고 머릴 쓰다듬으며 타박하듯 말하였다.

"내 아무에게나 안아 달라 조르지 말라 했거늘."

-삐이!

"오냐오냐, 착각하였다 이거냐. 저 허여멀건 한 놈이 나와 어딜 닮았다고."

-삐이삐!

"그래, 이번 한 번만 용서해 주마."

환은 복이와 스스럼없이 대화를 나누는 궐의 모습에 황당한 표정으로 물었다.

"그놈은 이매의 힘을 가졌다. 그런데 어찌 말을 알아듣고, 형태를 가질 수 있는 거지?"

"곧 인간으로도 변할 거다. 요즘 식욕과 잠이 늘어난 것을 보니, 탈피할 때가 된 것 같더군."

"허, 그것이 정말인가? 어찌?"

"주인의 힘이지. 나의 주인."

뿌듯한 표정의 김퀼이 가슴을 편다.

환은 이들이 주인이라 말하는 여인을 떠올렸다. 야리야리한 외모로 귀멸자와 수호부들의 머리 꼭대기에 앉아 있던, 참으로 신기한 여인이었다.

"이곳의 주인도 바로 그 여인인가?"

"그래, 이곳으로 수호부들을 불러들이는 여인이 바로 우리의 주인이다."

환은 고개를 주억였다. 전시관을 채운 건 어둠이었지만, 그 내면에 든 건 따뜻함이었다. 수호부들이 이토록 주인을 애틋하게 여기는 것에 그만한 이유가 존재했다.

"그럼, 그 복이란 녀석은 어떤 일을 하지?"

제법 풀어진 표정으로 다가온 환은 김퀼의 품에 안긴 복이를 내려다보며 물었다. 그러자 앙칼지게 털을 세운 복이가 낑낑대며 축 늘어진다. 퀼이는 안쓰러운 표정으로 복이의 머릴 쓰다듬었다.

"녀석은 주인을 돕는다. 주인의 힘을 쓰지 않아도, 우리가 이토록 자유로이 활보할 수 있게 해 주는 녀석이지. 주인을 위해서라도, 아주 귀한 놈이야."

"놈? 흠, 사내놈이 아닌 것 같다만."

"너는 복이가 무엇이 될지 알겠느냐?"

"적어도 수놈은 아닐 것이다. 그리 보이는군."

궐의 품에 안긴 복이는 자신을 내려다보는 두 호랑이를 보며 커다란 눈을 데굴데굴 굴렸다. 그러다가 손을 내민 환의 손가락을 슬그머니 핥아 보았다. 말랑하고 까슬한 복이의 혀가 훑고 지나간 자리를 멍하니 바라보던 환의 귀 끝이 확 달아오른다.

마른침을 삼킨 환이 입술을 달싹이며 한 걸음 물러서자, 바뀐 눈빛을 읽은 김궐이 경고하듯 말했다.

"눈빛이 마음에 들지 않는다. 이놈은 네 먹잇감이 아니거늘."

"이매의 숨통을 끊어 놓는 것엔 관심 있다만, 한입에 삼킬 생각은 없다."

"뭣이? 하, 한입에? 너! 설마 복이를!"

"어이어이, 앞서가지 마. 농이다, 쓸데없이 진지한 놈 같으니."

두 호랑이는 지지 않고 대거리했다. 그 모습을 멀뚱멀뚱 지켜보던 복이의 눈빛이 확 바뀐다. 한입에 삼킨다는 말에 놀란 듯 궐이를 따라 삑삑거리며 난리를 떨었다.

"그만들 해라, 이놈들아. 똑같은 놈들끼리 똑같은 소릴 주고받으면 재미있더냐? 쯧."

그때였다. 귀를 후비적거리며 나타난 망량이 허공에 둥둥 떠서 세 마리의 짐승을 내려다본다. 그에 짐승 세 마리가 고개를 치켜들곤 동시에 말했다.

"같지 않다!"

"내 어딜 보아 이런 놈이랑!"

−삐이!

귀찮다는 듯 혀를 찬 망량이 부채질하며 놈들의 입을 틀어막았다.

"시끄럽다. 이제 사대문에 금줄이 쳐질 것이야. 그러니 허연 호랑이 너도 잘 봐 둬라. 그토록 의심하던 주인의 힘을 확인할 수 있을 터이니."

망량의 말에 퀼이 생각난 것이 있다는 듯 근엄한 표정으로 고개를 한번 끄덕인다.

"그렇구나. 때가 되었군."

봄이 끝나고, 이제 곧 여름. 망량주를 담글 시기가 도래하였다.

"저, 잘했죠."

세경의 말에 우혁이 얼음을 잔뜩 띄운 커피를 내어주며 싱긋 웃었다.

"잘했어. 중전마마께서도 네 덕분에 일이 줄었다고 하셨거든."

"꺅, 정말요? 하…… 다행이에요. 완전 긴장했었다고요. 한 달 좀 안 되는 시간 동안 피가 마르는 걸 느꼈어요. 중전마마가 비서실 출신이라고 하셨던 거 같은데, 와…… 정말, 어떻게 그 스케줄을 다 소화하시죠?"

세경은 커피를 물처럼 들이켜며, '캬!' 하는 소릴 냈다. 우혁은 이제 세경에게 한 약속을 지킬 때가 왔음을 깨달았다.

처음에 중전마마를 제대로 모시기만 한다면, 원하는 소원을 하나 들어주겠다는 거래를 제안했다. 그만큼 중전의 비서 일이란 보통 일이 아니었고, 어지간한 담력을 가진 사람이 아닌 이상 버티지 못할 것 같아서였다.

그런 점에서 세경의 악바리 같은 면이 우혁은 마음에 들었다. 게다가 기대 이상으로 일을 잘 해내고 있으니 세경이 원하던 소개팅 정도는······.

"저 그래서 말인데요, 선배. 부탁이 있어요."

빨대를 휘휘 저어 얼음을 녹이던 세경이 양 뺨을 발그레하게 붉히며 저 먼 곳을 흘끔댄다. 그곳엔 같은 층에 속해 있는 내금위장 장은호가 있었다. 부하 직원에게 보고를 받는지 무표정한 모습이 마치 우직한 곰 같기도 하다.

"말해 봐. 대체 누구랑 소개팅하고 싶다는 건데. 나는 이미 임자가 있으니, 나와 전하만 아니면 누구든 소개해 줄 수 있어."

"어머? 제가 미쳤다고 전하를 소개해 달라고 하겠어요? 됐고, 저 장은호 내금위장님 소개해 주세요. 중전마마가 자리 한번 마련하신다고 하셨는데, 우리 마마님은 너무 바빠서 식사하실 시간도 없으시단 말이에요."

우혁은 앙탈에 가까운 태도의 세경과 장은호를 번갈아 보며 헛웃음을 흘렸다. 마치 커다란 곰과 토끼라고 해야 할까? 190cm에 100kg이 넘는 장은호와 고등학생이라 해도 믿을 만큼 작은 정세경이 나란히 서 있는 모습은 쉽게 상상하기 힘들었다. 그런데도 묘하게 두 사람이 잘 어울리는 듯한 기분이 드는 건, 둘의 분위기가 너무 극과 극이어서일까?

"내금위장이 취향이었어?"

"하, 꿈에 나올 정도예요. 미쳤어, 저 피지컬에 외모에. 미쳤다니까요?"

"그래, 은호 씨야 당연히 괜찮은 남자긴 한데······."

"왜요. 설마, 아까우신 건 아니죠?"

"그건 또 무슨."

세경이 눈을 빛내며 궐내에 도는 이건과 이우혁, 장은호를 둘러싼 삼류 소설에 관해 설명하려 할 때였다. 세경과 우혁 사이에 서류 파일 하나가 공손하게 놓인다. 두툼하고 커다란 손의 주인은 장은호였다. 세경은 심장이 터질 듯한 마음에 고개를 푹 숙였다.

"말씀 중에 죄송합니다만, 중전마마의 망량주조가 내일입니다. 새벽, 사대문에 금줄을 두를 예정이니 일정 확인해 주시겠습니까?"

딱딱한 말투와 무심한 표정. 떡 벌어진 어깨와 어울리지 않게 풍기는 베이비 파우더 향에, 세경은 정신이 혼미할 지경이었다. 그런 세경과 장은호를 번갈아 보던 우혁이 흠흠, 헛기침하더니 은근하게 입매를 끌어 올렸다.

"이번 일, 내명부의 정세경 씨와 함께해 보는 게 어때요? 자정에 따로 만나서 금줄을 둘러야 하는데, 좀 힘들려나? 그래도 세경 씨, 일 잘하는 분이거든요."

우혁의 말에 놀란 세경이 입술을 벙긋거리자, 무심하게 내려다보던 은호가 고개를 끄덕인다.

"저야 내명부의 직원분이 함께해 주시면 더 좋습니다. 정세경 씨, 자정에 건춘문 앞에서 만날까요?"

건춘문. 봄이 드나드는 문이라고 하였다. 세경을 속이 꽉 막히는 걸 참아 내며 간신히 평소와 다름없는 미소를 지었다.

"저도 좋아요. 그럼, 우리 연락처 교환할까요?"

"예, 그러죠."

우혁은 두 사람이 대화를 나눌 수 있게 자리를 비켜 주었다. 서류를 들고 RSA의 사무실을 나서자, 푸른 잎이 무성한 살구나무 아래 치웅이 서 있었다. 얇게 퍼진 구름이 인상적인 하늘을 올려다보며 부드럽게 미소 지은 치웅이 우혁의 기척을 느끼곤 고개를 튼다.

우혁은 자연스럽게 다가가 치웅의 허릴 감싸고 뺨에 입을 맞췄다.

"왜 여기에 나와 계십니까? 오늘은 부산에 내려가 보신다면서요."

"내일이 망량주조라 좀 서둘렀지. 가례를 올리고 처음인가."

"예. 큰 행사라서 이번엔 국빈들을 제법 초대할 예정입니다."

"환이란 놈은."

"김궐 님이 잘 감시하는 중입니다. 그런데, 일 얘기만 하실 거예요?"

우혁은 꼬리 내린 강아지처럼 치웅의 어깨에 이마를 댔다. 그에 치웅이 손을 올려 우혁의 뒷머릴 쓰다듬는다.

"그게 아니라, 너도 내일이면 알게 될 거야. 내일 망량주조에 아주 재미난 일이 벌어질 거거든."

"설마, 사고 치시려는 건 아니시죠?"

"날 뭐로 보고."

치웅은 얄밉게 말하는 우혁의 귀를 당겼다. 그러자 더욱 강하게 그녀를 끌어안은 그가 싱긋 웃는다.

"요즘 중전마마의 식성이 바뀐 것 같다며 수라간이 난리입니다. 아무래도……."

"그래, 어쩌면."

"망량주조와 관련이 있습니까?"

"보면 안다. 가례 후 첫 주조 때는 항시 신기한 일이 벌어졌거든. 기대해."

사대문 곳곳에 왕실에서 나온 이들이 금줄을 치면 청송이 날아가 기운을 불어넣었다. 이어 궐과 치웅이 차례로 그곳에 인을 박아 넣자, 궁궐 주위를 배회하던 사귀들은 온데간데없이 모습을 감추었다. 북악산에서 시작된 정결한 기운이 얇은 막처럼 경복궁 전체를 에워싼다.

동쪽 하늘이 서서히 밝아 올 무렵, 평소와 다름없이 세상은 바쁘게 돌아갔지만, 오늘의 궁궐은 평소보다 유난히 고요한 아침을 맞았다.

파루가 울리고, 각 부처의 문이 열린다. 상왕과 함께 제주도로 내려간 차 내관의 자리에 오른 상선 이우혁은 긴장한 표정으로 강녕전 앞에 섰다. 이미 강녕전 앞에는 상온을 비롯해 사온서의 나인들이 긴장한 표정으로 중전을 기다리는 중이었다.

"전하, 사온서의 상온께서 마마를 모시러 오셨습니다."

우혁이 언질을 넣자, 얼마 지나지 않아 강녕전의 문이 열렸다.

"어서 오십시오. 오늘따라 중전의 잠이 길군요. 잠시 기다리시겠습니까?"

건은 난처한 표정으로 상온에게 양해를 구했다.

"물론이옵니다, 전하."

상온이 깊게 고개를 조아리며 나인들과 두어 걸음 물러선다. 얼마든지 기다리겠다는 뜻이었다.

"혹, 몸 상태가 안 좋으신 걸까요? 태의께 미리 알려 두는 편이 좋을 것 같습니다."

"그러는 게 낫겠군. 전시 때문에 스트레스를 많이 받은 것인지, 입도 짧아지고 잠이 늘었어. 그마저도 제대로 잠들지 못하고 뒤척이는 편이고."

"흠…… 이번에야말로 제대로 된 검진을 받아 보시는 편이 좋으실 것 같습니다."

"망량주조가 끝나면 한동안 쉴 수 있을 테니 데리고 제중원에라도 가 봐야지."

건의 목소리에 짙은 걱정이 묻어났다.

그는 평소에도 유연의 상태에 아주 민감하게 반응했다. 그것은 과거 귀안을 가진 여인들이 어떠한 이유로 죽음을 맞았는지, 어떠한 병에 걸렸는지를 배우고 난 뒤부터였다. 그나마 유연에게는 복이가 있어 다행이었지만, 그렇다고 해서 명쾌한 해결책이 되어 주는 것 또한 아니었다. 복이가 가까이 없을 때 일어나는 일들은 고스란히 유연의 힘으로 감당해야 한다. 그것은 그저 건강 상태를 기민하게 체크하는 것만으론 해결되지 않는 굴레였다.

고민에 빠진 건이 차가운 보리차로 목을 축여 잠을 밀어낼 때였다. 작은 뒤척임과 함께 기지개를 켠 유연이 일어났다.

그 소리에 물잔을 내려놓은 건이 뒤도 돌아보지 않고 유연에게 뛰어갔다. 발을 걷고, 침상 위에 나른하게 앉아 하품하는 그녀를 꼭 끌어안는다. 그러곤 등을 쓰다듬으며 잘 잤냐고 속삭이는 목소리가 영락없이 사랑에 빠진 사내의 표본이었다.

우혁은 물컵을 챙겨 일어나 강녕전을 나갔다. 평소보다 늦은 시각이었지만, 당장 저 부부를 떼어 놓는 건 무리라는 걸 안다.

"상온, 일단 주조 준비를 끝내 놓은 뒤 마마를 모시러 오는 것이 좋을 듯합니다. 몸 상태가 좋아 보이지 않으시네요."

"그러지요, 상선."

귀찮은 기색 없이 상온이 나인들을 물린다. 이어 강녕전 안에서 들려오던 작은 속삭임이 완전히 잦아들었다.

고개를 들자, 광화문 너머 거대한 빌딩 숲에 걸린 전광판마다 건과 유연의 얼굴이 보였다. 우혁은 몇 년 뒤 저 전광판을 차지할 또다른 얼굴들을 기대하며 강녕전을 돌아보았다.

사온서 앞마당에 우아한 형태의 그늘막이 곳곳에 드리운다. 누군가 혼례를 올린다고 하여도 이상하지 않을 만큼 단아하게 치장된 테이블마다 각국의 귀빈이 자리했다.

그들은 사온서 주조장에서 담근 술을 조금씩 맛보는 중이었다. 대왕대비가 승하하기 전까지는 매년 열리던 왕실의 중요한 행사 중 하나였다. 하지만 5년간 나타나지 않은 귀안의 여인으로 인해, 망량주조는 사라질지도 모르는 왕실 행사가 되어 버렸다.

하나 오늘. 구름을 걷는 맛이라 불리는 술들을 맛보는 각 나라 대표들의 얼굴에 화색이 돈다. 모두 이 맛이 그리웠다며 왕실 전통주에 대한 애정을 표현했다.

같은 시각, 주조장 내에는 짙은 긴장감이 감돌고 있었다. 오늘따라 창백한 낯빛으로 주조장을 찾은 중전 때문이었다.

하얀 신녀복을 입고 머리에 금관을 올린 유연이 섬섬옥수 같은 손을 내밀자, 상온이 그 위에 영루를 올린다.

"이제 천천히 섞어 주시면 됩니다."

"네."

유연은 영루를 술에 담그기 전, 상온의 눈을 가만히 바라보았다. 익숙한 애정이 묻어나는 저 눈은 망량의 것이었다.

유연은 천천히 영루를 녹이며 이곳에서 겪었던 일들을 생각했다. 설아가 영루를 숨겼고, 그것을 누군가 제게 뒤집어씌우려 하였다. 하지만 망량은 알아보았다. 그리고 세자 저하였던 건도 자신을 의심하지 않았다. 김귈이 처음으로 사람이 되었던 날이기도 했고, 술에 취해 동궁전을 엉망으로 만든 날이기도 했다.

유연은 이상하게 과거의 일들이 바로 어제 일처럼 선명하다 느꼈다. 너무 많은 기억이 쏟아져 들어온다.

가장 감격스러웠던 것은, 망량주를 먹고 잠들었던 엄마가 깨어났을 때였다. 다시는 볼 수 없을지도 모른다고 생각했던 엄마의 미소를 다시 보았을 때, 세상을 다 가진 듯 기뻐 눈물이 흘렀다.

툭.

저도 모르게 떨어트린 눈물이 망량주 안으로 스며든다. 놀란 그녀가 고개를 들자, 상온은 괜찮다며 고개를 끄덕였다.

몸에서 힘이 빠져나가는 느낌과 함께 완성된 망량주에서 은은한 빛이 뿜어져 나오기 시작했다. 본능적으로 망량주가 평소와 다르다는 느낌이 들었지만, 그녀로서는 정체를 알 수 없었다.

그에 다가온 상온이 손을 닦을 면포를 내밀고는 망량주를 들여다보며 난처한 표정을 지었다.

"마마님, 대체 무엇을 만드신 겁니까."

"네?"

"이것은 보통의 망량주가 아니잖습니까."

알아들을 수 없는 말에 유연은 주위를 둘러보았다. 사온서의 나인을 비롯해, 구석에 서서 지켜보던 궐이와 치웅, 청송과 환의 눈빛이 일렁이기 시작했다.

그때였다. 유연의 머릿속으로 망량 영감의 목소리가 다정하게 울린다.

－나의 주인은 염라의 술까지 빚을 줄 아는구나. 내 그럴 줄 알았지. 하나…… 이것은 귀안의 여인 둘이 하나 되어 빚어야 가능한 일. 축하한다, 주인아.

말이 끝나기 무섭게 상온이 유연의 앞에 큰절을 올렸다.

"회임을, 경하드리옵니다."

뒤이어 나인들을 비롯해 수호부들 모두가 상온을 따라 큰절을 올린다.

"경하드리옵니다."

사온서와 맞닿은 전각, 볕 좋은 곳에 주안상이 차려졌다. 마주 앉은 이숙과 건, 그리고 대비 윤 씨가 두견주를 기울인다.

오랜만에 만난 아버지는 어머니의 도움을 받아 염색하셨고, 얼굴엔 웃을 때 만들어지는 주름이 보기 좋게 늘었다.

"들었다. 송이의 위패를 모셔 온다고."

이숙의 말에 건은 멋쩍은 표정으로 고개를 끄덕였다.

"예, 그것이 도리인 것 같아서요."

"갑자기 왜."

"소헌군이 보내온 동화책입니다. 생전에 의언군께서 직접 그려 만든 작품이라고 합니다."

테이블 아래에서 꺼낸 것은 단순한 표지의 그림책이었다.

이숙은 건이 내어준 것을 천천히 넘겼다. 제목은 〈집〉, 내용은 호랑이 형제의 우애와 그들이 시기와 질투, 오해를 이겨 내고 화해하는 내용의 우화였다.

그림책을 한 장씩 넘기던 이숙의 눈동자가 떨리기 시작한다. 주인공인 두 호랑이가 마치 자신과 생전의 이송 같아서였다. 약과 하나를 나누어 먹고, 어머니께 혼날까 함께 광에 들어가 몸을 숨기던 일들이 너무도 생생하게 그려져 있었다. 사실과 다른 점은 호랑이 형제는 끝끝내 서로를 찾아내고, 서로를 용서했다는 것. 그러곤 함께 동굴로 돌아가 서로의 임종을 지켜보았다는 것이 달랐다.

마지막 장을 덮은 이숙은 지그시 눈을 감았다. 그러자 대비 윤 씨가 이숙의 어깨에 슬그머니 기대어 토닥토닥, 떨리는 등을 다독였다. 건은 다정한 부부를 보며 기분 좋은 표정으로 술맛을 보았다.

곧 귀빈들 앞에 서야 할 시간이 되었다. 주조장에서 나오는 중전을 맞이하고, 귀빈 앞에 술에 대한 설명을 마치면 오늘의 행사는 적정선에서 마무리될 것이다.

달착지근한 두견주의 진달래 향이 입안 가득 번지고, 축축하게 젖은 눈의 아버지가 부드럽게 미소 지을 때였다.

"전하! 주상 전하! 마마께서, 마마께서!"

정신없이 뛰어 들어온 나인이 발을 헛디뎌 쓰러질 뻔한 것을 장은호가 막아 냈다. 은호의 도움을 받은 나인이 사색이 된 얼굴로 건을 올려다보며 외쳤다.

"마마께서 쓰러지셨습니다!"

순간, 머릿속이 아득해진 건이 벌떡 일어났다.

"그게 무슨 소립니까!"

"주조를 마무리하시는데, 그것이……!"

창백하게 질린 그는 더 이상 나인의 말을 듣지 않고 전각을 뛰어 내려갔다. 전속력으로 뛰어가는 건을 따라잡은 건 장은호가 유일했다.

어깨에 걸쳐 둔 붉은 용포가 펄럭이다가 하늘로 휙 날아오른다. 그는 용포가 바닥에 떨어져 짓밟히는 것에도 아랑곳없이 사온서에 다다랐다.

"중전은!"

건은 시선이 쏠리는 것도 모른 채 주조장의 문을 벌컥 열었다. 막 도착한 태의가 수호부들에게 둘러싸인 유연의 맥을 짚는 것이 보인다. 건은 앞을 막는 자들을 밀어내곤 쓰러진 유연을 품에 안았다.

"어찌 된 일입니까! 내가 중전의 컨디션이 좋지 않다고 말했잖습니까! 그럼 더욱 신중하게 진행하셨어야죠!"

벼락같은 건의 호통에 당황한 상온이 고개를 조아렸다.

"소신의 불찰이옵니다. 마마께서 그리 놀라실 줄……."

"놀라? 왜 놀라. 무슨 일인데!"

건은 가까이에 있는 궐이와 환, 수호부들을 둘러보며 대답을 재촉했다.

"몰랐느냐?"

치웅의 질문에 건의 미간이 험악하게 구겨진다.

"무엇을."

"쯧, 지아비란 놈이 무심하긴."

"무심? 하, 대체 무슨 일이냐고!"

"소리치지 마라. 기절한 게 아니라, 놀라 쓰러진 거다."

건은 그제야 품에 안긴 그녀가 양쪽 귀를 막고 있는 것을 발견했다. 멀쩡한 그 모습에 순간, 온몸에 힘이 풀린다.

바닥에 주저앉은 건은 유연의 이마에 입 맞추며 몸을 떨었다.

"대체 무슨 일이야."

그러자 싱글벙글한 표정의 퀼이 불쑥 상체를 숙여 건의 귀에 속삭였다.

"축하한다. 네놈이 드디어 아비가 되었구나."

"그게 무슨……."

"공주다. 유연과 같은 힘을 가진, 공주님이시다."

시간이 멎은 듯, 머릿속에 아무런 생각도 들지 않았다. 뒤늦게 사태 파악을 끝낸 그의 입이 떡 벌어진다. 그러곤 멍하니 유연을 내려다보자, 양 뺨을 발그레하게 붉힌 그녀가 고개를 끄덕였다.

"공주님, 이래요. 우리 아이요."

그는 잠시 숨을 참았다. 코끝이 시큰하게 달아오르고, 어떠한 말을 해야 할지 모를 만큼 머릿속이 하얗게 변해 버렸다.

"우리, 아이……."

간신히 말을 내뱉은 입술이 바들바들 떨린다. 유연은 그런 건의 입술을 어루만지며 살며시 상체를 세웠다. 그러곤 그의 입술 끝에 입 맞추며 콧물을 훌쩍였다.

"네, 우리 아이요."

털썩 주저앉은 그가 천천히 팔에 힘을 주어 그녀를 끌어안았다. 빠져나갈 틈 없이 강하게 끌어안고, 노도에 휩쓸린 것 같은 감정을 소리 없이 토해 냈다. 그녀의 어깨에 얼굴을 묻고, 흐느끼듯 속삭였다.

"아이. 우리의 아이였군…… . 아이였어."

그러다가 불쑥 고개를 들어 주조장이 쩌렁쩌렁 울리게 소리친다.

"당장, 주조를 마무리하고 중전을 침전으로 옮겨라! 당장!"

그에 주조장이 뒤집히고 말았다. 건에게 안겨 주조장을 나서며, 유연은 기절한 척하는 편이 더 나을 거란 생각을 했다. 그래서 눈을 감고 사랑하는 그의 품에 고개를 묻었다. 익숙하면서도 제가 좋아하는 향기에 둘러싸인 그.

사랑하는 남편, 사랑하는 남자, 존경해 마지않는 주군.

"전하."

유연이 부르자, '응?' 하고 대답한 그가 고개를 내린다.

그녀는 가까워진 그의 귓가에 속삭였다.

"그렇게 좋아요?"

"무엇이. 네가?"

"네, 제가요."

그러자 웃음을 터트린 건이 부드럽게 미소 지으며 그녀의 이마에 입술을 눌렀다.

"그 고백, 침상에서 제대로 해 줄 테니 조금만 참아. 오늘은…… 머리부터 발끝까지 구석구석 눈에 담을 거야. 그러니 강녕전 밖으로는 한 걸음도 못 나갈 줄 알라고. 여보."

중전의 회임 소식에 궁궐이 발칵 뒤집혔다. 망량주조가 축제로 변해 버린 순간이기도 했다. 다들 중전의 회임을 축하하며 술잔을 기울였고, 강녕전 근처에는 붉은 줄이 잔뜩 드리웠다.

술병을 들고 낙선재를 찾은 궐은 푹신한 쿠션 위에 몸을 웅크린 복이를 쓰다듬으며 걱정스러운 표정을 지었다.

"놈이 오늘 밤을 넘기기 힘들 것 같다."

그 말에 환의 미간이 가볍게 구겨진다.

"내 생각도 그러하군."

하나둘 도착한 수호부들은 너나 할 것 없이 고열에 들끓는 복이를 걱정했다. 그러면서도 유연의 배 속에 같은 힘을 가진 작은 주인이 생겼단 것에 기뻐했다.

"내 생전에 주인 둘을 동시에 모실 줄이야."

"지금껏 이런 적은 없었지."

"그 힘 보았지? 내 분명, 아주 재미난 일이 벌어질 줄 알았다."

"쯧, 더 긴장해야 해. 작은 주인은 태어나면서부터 아주 강한 힘을 갖고 있을 거야. 그만큼 노리는 것들이 많을 것이다. 아직 약한 피부를 가졌을 테니까. 그러니 작은 주인의 몸에 상처 하나라도 나는 날엔, 네놈들 각오해야 할 것이야."

망량의 말에 다들 동의하듯 고개를 끄덕였다.

궐은 묘한 기분으로 끙끙 앓는 복이를 안아 들었다. 그러곤 웬일로 술병을 내려놓은 채 침소의 문을 열었다.

"네놈이 웬일로 먼저 자리를 뜨느냐? 오늘은 기쁜 날이니 마음껏 마시지 않고."

"복이가 걱정된다. 녀석의 열이 내리면 다시 마실 테니, 내 것을 남겨 둬."

"형님! 그럼, 대신해서 제가 마셔도 될까요? 헤헤."

입맛을 다신 청송이 궐이 내려놓은 술병을 품에 안는다. 궐은 마음대로 하라는 듯 뒤돌아 침소로 들어갔다. 그러자 뒤따라 들어온 환이 이불 위에 눕힌 복이의 머리맡에 털썩 주저앉는다.

"그리 걱정되느냐?"

"말했지. 귀한 복이라고."

"한낱 미물이다."

"우리 또한 마찬가지. 시비 걸 거면 나가라. 나는 복이와 한숨 잘 터이니."

궐이는 귀찮다는 듯 손사래 치며 복이의 옆에 누웠다. 그러자 비스듬히 벽에 기대앉은 환이 활짝 열린 창밖을 보며 한숨을 내쉰다.

"나도 좀 쉬련다. 저놈들은 너무 요란해."

"그럼 입 다물고 조용히 있든지."

"재수 없는 놈."

"그 말, 고스란히 돌려주마."

궐은 복이를 끌어안으며 보란 듯 눈을 감았다. 복아, 아프지 마라. 네가 아프면 내 가슴이 찢어진다. 그렇게 속삭이며 복이의 머릴 쓰다듬었다.

얼마나 지났을까. 시끌시끌하던 소리가 잦아들고, 칠흑 같은 어둠이 찾아들었다. 모두가 잠이라도 든 것인지 고요한 가운데, 궐이는 불현듯 눈을 떴다.

술 때문인지, 목이 타들어 가고 입이 마른다. 또한 품에 안겨 절절 끓던 복이가 보이지 않았다.

인상을 쓴 궐이 몸을 일으키는데, 환의 목소리가 들렸다.

"내 말이 맞지?"

여전히 벽에 기댄 환의 시선이 향한 곳은 달빛이 들이치는 창가였다. 환의 전에 없던 다정한 미소에, 의아해진 궐이 고개를 틀었다. 그곳엔 검고 긴 머리카락을 늘어트린 꼬맹이 한 명이 앉아 멍하니 하늘을 바라보고 있었다.

단풍잎같이 작고 도톰한 손, 통통한 뺨과 붉은 입술. 무엇보다 열화를 품은 듯 붉은 눈동자가 궐이를 향해 움직인다.

"복…… 이냐."

궐이의 말에 해사하게 웃어 버린 복이가 벌떡 일어나더니 후다닥 뛰어와 품 안으로 파고들었다.

"궐이다. 궐이 맞다. 내, 궐이다."

아이가 되어 버린 복이의 모습에, 궐은 황당한 표정으로 환을 보았다. 그러자 어깨를 으쓱 올린 환이 탁 트인 하늘을 보며 미소 짓는다.

"내, 이곳에 오길 아주 잘한 것 같다. 아주 재미난 일이 끊이지 않는 곳이구나. 이곳에서 아주 오래오래 살아야겠다. 안 그러냐, 호랑아."

여우비

늦은 밤, 갤러리를 찾은 이태는 마지막으로 한 번 더 동선을 확인
했다. 매끄러운 대리석 바닥에 뚜렷한 이목구비를 가진 그의 얼굴이
거울처럼 비친다.

이태는 정면에 걸린 아버지의 초상화를 보며 미소 지었다. 영국
런던의 소호. 에틸을 해체하고, 처음으로 열리는 개인전이었다. 운
이 좋았다고 해야 할까. 갤러리의 주인은 영국에서 백작이란 작위를
가진 자로 대한민국 왕실에 관심이 많았다.

이태는 판매를 위한 전시는 하지 않겠다고 못 박았다. 당연히 거절
할 줄 알았던 갤러리의 대표 로드너는 예상과 달리 흔쾌히 승낙했다.
그렇게 미국 작업실에 보관 중이던 작품을 영국으로 옮긴 게 바로
보름 전이었다.

이태는 컨테이너에서 작품을 내리기 전, 안에 든 화매들을 모조
리 회수했다. 과거엔 화매들을 그림에 잠신시켜 둔 채로, 힘을 끌어
모았지만, 이제는 그럴 필요가 없었다. 더 이상, 왕실은 적이 아니었
다. 그리고 자신 역시 더는 왕실이 싫지 않았다.

얇은 코트 주머니에 넣어둔 휴대 전화에서 희미한 벨 소리가 울린다. 한국에서 온 연락이었다. 당황한 이태는 서둘러 통화 버튼을 눌렀다.

"형님!"

어린애처럼 보이지 않으려 했지만, 목소리에 즐거움이 묻어나는 건 어쩔 수가 없었다.

[전시 준비는 잘 돼 가나?]

안부 전화를 걸어온 사람은 건이었다. 대한민국의 왕이자 기막히게 근사한, 형님.

'형님이라니…….'

이제는 아무렇지 않게 건을 형님이라 부를 수 있다는 걸 깨닫자, 이태는 쑥스러운 마음에 머릴 긁적였다.

"덕분에 수월하게 진행되고 있어요. 내일부터 시작입니다. 오늘은 전시에 도움 주신 분들과 가볍게 식사하기로 했고요."

[그렇군. 그날 이후로 첫 전시지? 조금…… 걱정이 돼서 전화한 거야. 부담스러워하지 말고, 잘해. 뭐, 여차하면 내 이름 팔아도 되고.]

"하하, 어떻게 전하의 이름을 팝니까. 말도 안 되죠. 잘해 보이겠습니다. 누 끼치지 않……."

2층 전시관과 연결된 나선형 계단을 오를 때, 이태는 발밑에서 느껴지는 싸늘한 기운에 걸음을 멈추었다. 반질반질한 대리석 타일 위에 깔린 초콜릿색의 카펫. 그리고 그 카펫 위에 점점이 떨어진 얼룩이 눈에 띈다.

[누를 끼치긴. 오히려 자랑스러워. 뭐, 국위 선양쯤 되려나?]

수화기 너머 태연하고 여유로운 건의 목소리가 들려왔지만, 이태는 대답할 수 없었다.

이태의 등 뒤로 익숙하면서, 절대 이곳에서 느껴져선 안 될 기운이 가까워진다. 바닥을 끄는 소름 끼치는 소리와 비릿한 물 냄새가 그의 신경을 긁었다.

[네 녀석은 왜 대답을 안 해?]

"형님……."

이태는 마른침을 꿀꺽 삼켰다. 갤러리 안을 환하게 밝히던 불빛이 하나둘 꺼지고, 사위가 어둠에 잠겼다.

이태는 주먹 쥔 손에 힘을 주며, 조심스레 화매를 불렀다. 이건 화매의 기운이다. 그것도 지독한 살기를 띤, 화매였다.

[무슨 일이야. 사고라도 생긴 거야?]

"제가…… 다시 연락드리죠."

[이태.]

"다시, 연락드리겠습니다."

전화를 끊은 이태가 휴대 전화를 주머니에 넣으며 천천히 돌아섰다. 어둠 속을 응시하는 그의 눈동자가 은은하게 빛난다. 어둠은 여전했지만, 화매의 기운은 파도처럼 일렁이며 그를 위협했다.

스르륵-.

완벽하게 형태를 갖춘 이태의 화매가 희고 거대한 몸으로 이태를 휘감는다. 주인을 보호하려는 백사의 눈이 붉게 변했다.

"누구냐."

화매를 부리는 건 종친, 혹은 왕가의 피가 섞인 존재들뿐이다. 결국 사람이라는 뜻. 만약 사람이 아니라면…….

"당장 모습을 드러내!"

이태의 고함이 갤러리 전체를 쩌렁쩌렁 울린다. 순간, 어딘가에서 딸랑, 하는 방울 소리가 들렸다.

바닥에 툭 떨어진 방울이 이태의 발치로 데구루루 굴러온다. 마치 시간이 느리게 흐르는 기분이었다. 등으로 식은땀이 흐르고, 동공이 흔들린다.

이태는 본능적으로 뒤로 물러나며, 양손을 교차해 얼굴을 가렸다. 운동화 앞코에 방울이 툭 닿는 순간, 찢어지는 비명이 공간을 휘갈긴다.

－키야악!

이태는 두 눈을 크게 떴다. 모든 순간을 똑똑히 기억하기 위해, 두려움을 무릅쓰고 어둠 속의 존재를 눈에 담았다.

"으악!"

날카롭고 뾰족한 세 개의 손톱이 이태의 화매를 반으로 가르고, 시야를 붉게 물들인다.

"이런."

끊어진 전화를 내려다보는 건의 미간이 구겨진다.

오전 7시. 건은 낙선재와 연결된 문을 넘었다. 그러자 막 조반상을 옮기던 궁인들이 건을 발견하곤 예를 갖춘다.

"주상 전하, 막 강녕전에도 조반을 들이려던 차였습니다."

"아, 오늘은 여기서 먹을까 하는데."

"예?"

"중전은 입덧이 심해서요. 음식 냄새 없이 푹 재우려 하니까, 깨우지 마십시오.”

“예, 전하.”

고개를 조아린 궁인들이 대청마루에 조반상을 차리는 동안, 건은 김궐의 방문 앞에서 헛기침했다. 댓돌 위에 놓인 신발이 세 켤레인 걸 보니, 오늘도 김궐과 환. 그리고 복이가 한방에서 잠든 모양이었다.

“흠!”

건은 다시 한번 헛기침을 했다. 그러자 쪽마루와 맞닿은 방문이 벌컥 열리더니, 토끼가 잔뜩 그려진 잠옷을 입은 복이가 까르르 웃으며 뛰어나왔다.

“건이다!”

서너 살이나 되었을까? 까맣고 긴 머리에 얼핏 붉은 눈동자를 가진 복이가, 양팔을 벌려 건에게 폭 안겼다. 건은 방싯대는 복이의 머릴 쓰다듬으며, 키를 낮추었다.

“이 녀석, 건이라니.”

“그롬, 귀폴자다!”

“이 녀석 글공부 제대로 하는 거 맞아? 차라리 삼촌이라고 부르라니까.”

“땀뜬?”

건은 복이의 동그랗고 통통한 뺨을 가볍게 꼬집으며 웃어 버렸다.

“그래, 삼촌.”

“땀뜬! 복이 배고파.”

복이의 혀 짧은 소리에 상을 차리던 궁인들이 서로의 눈치를 보며 웃음을 참는다. 그도 그럴 것이, 하루아침에 궁에 나타난 복이는 정말로 복덩이였다.

중전의 회임을 알게 된 날, 복이가 태어났다. 밤새도록 고열에 끙 끙 앓다가 알에서 깨어나듯 사람이 되어 버린 복이는 고작해야 서너 살 된 아이의 모습을 하고 있었다.

눈물범벅이 된 김귈이 갑자기 아이를 안고 나타나, 궁이 발칵 뒤 집혔고 치웅은 대체 언제 사고를 친 거냐며 놀렸다.

'복이다.'

유연의 앞에 조심스레 복이를 내려놓은 김귈은 뿌듯한 표정으로 자그마한 머리통을 쓰다듬었다.

'사람이 되었다는 건, 이제 자유자재로 힘을 쓸 수 있다는 것이다. 그리고 녀석이 많이 노력했다는 뜻이다. 사람이 되어서, 주인의 곁에 있고 싶었던 것이야.'

유연은 복이를 보고 놀란 마음을 감추지 못했다. 복이도 자신을 향해 쏠린 시선이 무서웠는지 쭈뼛대며 김귈의 바짓가랑이를 잡고 숨었다. 하지만 유연이 손을 내밀자, 언제 그랬냐는 듯 방싯방싯 웃으며 뛰어와 안겼다. 유연을 주인이라고 부르며, 고 작고 보드라운 손으로 꼭 끌어안았다.

그날 이후, 복이는 수호부들과 함께 낙선재에서 지내기 시작했다. 망량이 복이에게 글공부와 예를 가르쳤고, 김귈과 환은 아이의 놀이 상대였다. 치웅은 이따금 복이를 데리고 밖으로 나가 세상 구경을 시켜주었다.

유일하게 복이를 귀엽게만 보지 않는 사람은 청송이었다. 청송은 김귈이 복이를 안고 나타났을 때 한 번 오열했고, 치웅이 복이와 함께 영화관에 갔을 때도 사흘을 내리 토라져 식음을 전폐하였다. 지금은 제법 마음이 풀렸는지, 투덜거리면서도 막내아우를 챙기듯 간식을 챙겨 주거나 머리를 쥐어박으며 나름 잘 지내는 중이었다.

"이 녀석 식사부터 챙겨 주십시오."

건은 제게 안겨 떨어지려 하지 않는 복이를 안고 대청마루에 앉았다. 그러자 맵지 않은 음식들로만 차려진 작은 개다리소반이 복이 앞에 놓인다.

"지난번에 매운 깍두기를 먹고 호되게 고생해서, 백김치와 동치미를 준비했습니다."

"흠, 골고루 잘 먹어야 쑥쑥 클 텐데요."

"그래도 아이에겐 아직 맵습니다, 전하."

윤기가 좔좔 흐르는 밥을 본 복이의 눈이 반짝인다. 복이가 후다닥 내려간 사이, 건은 김궐이 잠든 방문을 벌컥 열었다. 그러자 대자로 뻗어 자고 있던 김궐이 하품을 하며 기지개를 켠다. 그제야 환도 정신을 차렸는지, 건을 발견하곤 벌떡 일어나 앉았다.

"뭐야, 너희. 웬일로 이렇게 늦잠을 자?"

"흠흠, 어제 술이 좀 과했더니."

환이 변명하자, 머릴 긁적인 궐이 일어나 벽에 걸린 저고리를 집어 든다.

"하얀 호랑이 놈이 세상 구경에 재미 들렸다, 귀멸자야."

김궐이 맨몸에 저고리를 툭 걸치곤, 대청으로 걸어 나와서는 씩씩하게 밥을 먹는 복이를 보며 씩 웃었다.

"그래서 어디 다녀왔는데."

건이 묻자, 심각한 표정의 환이 복이의 맞은편에 자리했다.

"클럽이란 곳에 다녀왔는데, 거참 희한한 곳이더군. 그곳은 굿당이었던 것 같다. 소리도 요란하고, 저 할 말만 하며 어찌나 신명 나게 몸을 흔들던지.”

“하, 클럽? 너희 둘이?”

“복이도.”

태연자약한 김궐의 대답에 건이 버럭 화를 냈다.

“애를 데리고 그런 곳을 가면 어쩌자는 거야! 거기가 어딘 줄 알고!”

불같은 노호에 된장찌개를 뚝배기째 들이켜던 김궐이 인상을 찌푸린다.

“애는 애인데, 100살 넘은 애다.”

“아, 아무리 그래도!”

“괜찮다, 귀멸자야. 술은 안 먹었으니까.”

건은 기가 막힌다는 표정으로 김궐과 환. 야무지게 밥을 뜨는 복이를 번갈아 보았다.

“하긴, 네놈들을 어찌 말려.”

“그런데 주인은?”

“입덧이 심해. 더 재울 테니까, 오늘 본궁 쪽으로는 발도 들이지 마.”

“쯧…… 지아비가 되어서는, 아내의 입덧을 가져가지 않고.”

“어이, 고양이. 선 넘지 마.”

“쯧쯧, 귀멸자 너도 시청각 시간을 가져야겠다. 드라마에선 다들 사랑하는 아내 대신 입덧하던데, 너는 밥이 잘도 넘어가는구나.”

“야!”

젓가락을 탁 내려놓은 건은 차가운 물을 벌컥벌컥 삼켰다. 말을 말아야지. 이태 이놈은 아침부터 사람을 불안하게 만들더니, 김궐은 속을 뒤집었다. 참을 인 세 번이면 살인을 막는다고 했던가.

복이의 물컵에 차가운 보리차를 따라준 건이 짐짓 진지한 표정으로 물었다.

"소헌군의 상태가 이상해. 혹시, 알 방법 없나? 전화도 안 받고."

"소헌군? 태군이라면 화매에게 물어보면 된다."

"화매에게?"

"망량에게 물으란 소리야."

건은 고개를 주억였다.

'그래, 망량이 있었지.'

식사를 마친 뒤, 김궐과 환은 좀 더 잠을 청해야겠다며 방으로 기어들어 갔다. 건은 이우혁에게 연락해 지난밤 저놈들이 쓴 술값이 얼마인지 알아 오라 지시했다. 말술인 놈들이다. 그런데 고작 클럽에 다녀왔다고 맥을 못 출 정도라니. 건은 청구될 카드값에 벌써부터 머리가 지끈거렸다.

"땀뜬, 할아부지한테 가."

낙선재를 나서려는 건에게 쪼르르 뛰어온 복이가 손가락을 꽉 움켜쥔다. 색동저고리에 무릎길이의 노란 치마를 입은 복이는 만화에서 툭 튀어나온 것처럼 귀여웠다.

"글공부할 시간인가?"

"웅!"

"그래, 가자."

건은 복이를 번쩍 들어 안았다. 그러자 까르르 웃은 아이가 건의 목덜미를 감싸 안는다. 만약, 딸을 낳는다면 이런 기분일까.

건이 다시금 동정문 앞에 나타나자 내금위를 비롯하여, 상선 이우혁이 창백하게 질려 뛰어왔다.

"전하! 자꾸 말도 없이 혼자 낙선재에 가실 겁니까?"

대뜸 잔소리부터 늘어놓은 우혁이, 생긋 웃으며 복이에게 손을 흔든다. 복이도 '안녕!'이라며 우혁에게 손을 흔들었다.

"이제 중전 입덧이 가라앉을 때까지는 낙선재에 가서 먹고 올 거야."

"안 됩니다. 본궁을 비우시면 제가 놀라잖습니까?"

"문 하나만 넘으면 되는걸."

"저희는 못 넘잖습니까."

"어쨌든 상선, 이태에게 무슨 일이 생긴 것 같아. 지금 망량 영감을 만나러 갈 테니, 영국에 연락해서 상황을 좀 알아봐."

"소헌군 마마께 일이 생겼다고요?"

건의 눈빛이 어둡게 가라앉는다. 아무렇지 않게 웃고 있었지만, 실은 이태와의 통화가 계속해서 마음에 걸렸다.

"예감이 안 좋아. 분명…… 뭔가 있었어."

사온서의 문이 열리고, 깊숙한 곳에 자리한 주조장의 문이 한 번 더 열렸다. 건의 품에서 뛰어내린 복이가 뛰어 들어가며, 망량을 부른다.

"할아부지!"

복이는 망량의 그림 앞에 서서 몸을 부르르 떨었다. 그러자 복이의 목에 걸려 있던 방울이 요란한 소릴 내며 흔들린다. 평범한 사람들의 귀에는 들리지 않는 소리였다.

딸랑, 딸랑.

방울 소리가 한바탕 울려 퍼진 뒤, 벽에 걸린 족자에서 흰 연기가 새어 나오더니 가볍게 뛰어내린 망량이 끌끌 혀를 찬다.

"염라의 술이 얼마나 익었나 확인하고 있었건만, 네 녀석은 어찌 이리 방정맞은 게냐."

"할아부지!"

복이는 망량의 도포 자락을 꽉 끌어안은 채 맑고 커다란 눈을 깜빡였다.

"땀뙨도 왔다!"

"뭐라?"

"땀뙨!"

"……귀멸자가 왔단 게야?"

"웅!"

복이는 열심히 고개를 끄덕였다. 망량이 부채질을 하며 닫힌 문을 열자, 사온서 안에서 전화를 받고 있던 건이 잠시 기다리라며 손을 든다. 그에 망량은 코웃음을 치며 탁, 하고 문을 닫았다.

"주상은 바쁘니, 이 할아비랑 놀자."

"웅!"

때마침 문을 열고 들어온 건은 스스로 할아비라 말하는 망량의 말투에 기함하며 가까이에 놓인 의자를 끌어당겼다.

"그 얼굴로 영감 소리 듣기 싫다더니, 할아비란 말은 잘도 하는군."

그러자 복이를 안아 무릎에 앉히곤, 책 한 권을 꺼내 든 망량이 태연자약하게 어깨를 으쓱 올렸다.

"네놈들에게나 영감 소릴 듣고 싶지 않은 게다. 우리 복이한테는 할아비가 맞지요."

어울리지 않게 싱글벙글 웃으며, 복이의 머릴 쓰다듬는 망량을 보며 건이 말했다.

"참 신기하단 말이야."

"무엇이."

복이의 손에 연필을 쥐여 준 망량이 그 작은 손을 감싸 쥐곤, 정성 들여 글자를 써 내려가기 시작한다. 기역부터 시작해 히읗까지. 공책을 가득 채운 글자는 모두, 망량과 함께 쓴 것이었다.

"우리 복이가 참 귀엽긴 한데…… 처음엔 이매라고 업신여기던 놈들이, 이제는 예뻐서 물고 빨고 지지고 볶는 게 신기하단 말이지."

"뗵! 우리 복이도 듣는 귀가 있다. 아무리 어려도, 다 알아듣는단 말이다. 귀멸자야."

"그러니까 하는 말이야. 어젯밤에 고양이 두 마리가 복이 데리고 시끄러운 술집에 갔다더라. 클럽이라고 알아? 내가 참으로 공사다 망하여 그놈들의 뒤치다꺼리까지 할 수 없으니. 영감, 그대가 나서야 하지 않겠어?"

건은 이때다 싶어 지난밤 김궐과 환이 저지른 만행에 대해 고자질했다. 애초에 고양이들은 제 말이라면 귓등으로도 듣지 않는 데다가, 유일하게 목줄을 쥔 중전이 입덧으로 골골대는 중이니 나설 사람은 망량뿐이었다. 우혁의 말을 빌리자면, 망량이야말로 수호부들의 군기 반장이라나?

건의 수는 정확히 먹혔다. 복이를 술집에 데려갔다는 말에 망량의 벽안이 이글이글 타오른다. 특유의 미려하면서도 싸늘한 입매도 일자로 굳었다.

"한여름에 숭늉에 코 박고 뒈질 놈들 같으니라고. 내 이놈들을 그냥……!"

"할아부지! 이거 틀렸다. 리을은 이렇게 쓴다."

"아이고, 그래그래. 할아비가 잘못했구나."

부들부들 떨던 망량이 언제 그랬냐는 듯 복이의 머릴 쓰다듬으며, 건을 향해 눈짓했다. 할 말 끝났으면 나가 보라는 뜻이었다. 그에 건은 자리에서 일어나 흑표범 두 마리가 그려진 족자 앞으로 다가갔다.

"혹시, 소헌군한테 무슨 일이 있는지 알아봐 줄 수 있나?"

뜻밖의 부탁에 망량의 눈매가 가늘어졌다.

"갑자기 종친은 왜."

"신경 쓰이는 게 있어서. 김궐에게 물어보니, 영감이라면 알 수 있다고 하던데. 아닌가?"

"뭐, 놈이 화매를 다루니 알아보는 것이야 어렵지 않다만……. 내가 알아보는 것보다, 그것으로 연락을 해 보는 것이 더 빠르지 않으냐?"

망량이 턱 끝으로 가리킨 건 휴대 전화였다. 건은 휴대 전화를 내려다보며 작게 실소했다.

"나중에 연락하겠다며 끊더군. 그래서 한 번은 해 봤는데 받지 않아서. 내가 계속해 연락하면, 채근하는 것처럼 느낄 것 같잖아?"

"흐음…… 호기심과 자존심의 대립 아니고?"

"뭐, 그럴 수도 있지만, 소헌군은 내게 죄책감을 갖고 있어. 오래도록 쌓여 있던 그 앙금이 아주 사라졌다고는 생각 안 해. 다만, 노력하고 있을 거야. 이렇게 조금씩 녀석을 이해해 가는 게 좋지 않나. 급발진은 피하고 싶어."

"하긴. 그놈 때문에 고생한 걸 생각하면. 쯧…… 알겠다. 네가 아우를 아끼는 마음, 잘 알았다."

"이봐, 그 정도는 아니라니까?"

"알았다, 알았어."

망량이 무릎에 앉아있던 복이를 의자에 내려놓으며 자리에서 일어났다. 부채를 탁, 펴곤 천천히 바람을 일으키자 검은 연기가 피어올라 흑표범의 형상으로 변한다. 망량은 녀석들에게 바람을 후, 불었다.

복이 주위를 어슬렁대며 배를 드러냈던 녀석들이 모래가 흩날리듯 사라진다. 찰나 간 망량의 눈동자 역시 밝게 빛났다.

"곧 소식을 가져올 것이야. 그러니 걱정 말고 돌아가."

"내가 무슨 걱정을 한다고 그래?"

"알았다니까, 그러네."

망량은 의미심장하게 웃었고, 건은 합리화하는 걸 포기했다. 건은 복이의 머리를 다정하게 쓰다듬어 준 뒤, 주조장을 나섰다.

"전하, 30분 뒤 한국 대학교 고고학 교수들과 화상 회의가 있습니다."

내시부에 소속되어 이우혁의 백업을 맡은 공명철이 뛰어와 건에게 보고한다. 건을 찾아 궁궐을 헤매고 다녔는지, 더운 날씨에 옷이 푹 젖어 있었다.

"오늘부터 여름옷을 입어야겠습니다. 대대적으로 근무복에 손을 좀 보죠."

"그러게요. 갑자기 날씨가 엄청 더워졌습니다."

"이제 여름이니까요. 아, 그런데 중전은 기침했습니까?"

"아, 중전마마께서는 조금 전 기침하셔서 서 상궁 마마님이 들어가셨습니다."

"그래요? 알겠습니다. 그럼 먼저 가 있어요. 난 아내 얼굴을 보고 갈 테니."

"넵!"

건은 사온서와 연결된 미로 같은 골목을 지나 다섯 개의 문을 넘어서야 강녕전에 도착했다. 그러자 앞을 지키고 있던 장은호가 자연스럽게 합류한다.

"오전 시찰은 즐거우셨습니까?"

"시찰은 무슨. 밥 맛있게 먹고, 적당히 시간 때우다가 온 거지."

"전하께서 시간 주신 덕분에 궁인들도 느긋하게 준비를 마쳤습니다."

특유의 무뚝뚝한 웃음을 띤 장은호가 고개를 꾸벅 숙인다.

이건은 보위에 오른 뒤, 많은 것을 바꾸었다. 궁궐의 엄격한 법도는 유지하되, 그들을 압박하던 것들의 고삐를 풀었다.

제일 먼저 없앤 것이 파루였다. 이제 궁인들도 왕과 중전보다 일찍 움직일 필요가 없었다. 일거수일투족을 돕지 않아도 된다. 정해진 업무를 마치면 얼마든지 개인적인 시간을 보낼 수 있었고, 원한다면 이직도 가능했다. 물론, 비밀 유지 조항은 여전했지만, 건이 혼인한 이상 그 또한 무용했다. 비밀이라 봤자, 왕의 식성. 혹은 왕비의 출산과 관련된 소소한 정보들뿐이었다.

건이 침전의 문을 열자, 요거트와 시리얼로 아침 식사를 하던 유연이 방긋 웃으며 고개를 든다.

"미안해요, 전하. 제가 엄청 늦잠을 잤나 봐요."

"기다려."

"응?"

"씻고 올게."

건은 곧장 욕실로 들어가 양치질을 한 뒤, 손과 얼굴을 꼼꼼하게 닦았다. 그러곤 유연이 직접 골라 준 스킨로션을 바른 뒤 셔츠도 갈아입었다. 향기에 유난히 민감해 괴로워하는 그녀를 위해서였다. 대체 얼마나 까칠한 녀석이 태어나려고, 제 어미를 이리도 힘들게 하는 건지.

욕실을 나선 건은 곧장 유연에게 향했다. 그러곤 소파를 비집고 들어가 그녀 뒤에 앉아, 납작한 배를 꼭 끌어안았다.

"굿모닝."

"나 때문에 전하가 고생이 많으시네요."

"이렇게 해야, 나중에 녀석에게 생색이라도 내지. 내가 어떤 마음으로 널 키웠냐고, 큰소리칠 거야."

"그럴 자격 있어요."

건은 따끈따끈한 그녀의 목덜미와 뺨에 잘게 입 맞췄다. 그의 이런 애정 표현이 익숙해서인지, 그녀는 야무지게 시리얼을 먹으며 TV 화면에 시선을 고정했다.

그녀가 보고 있는 건 매일 일어나는 사건·사고를 다룬 뉴스였다. 지난번 전투 이후, 대한민국에 이매의 수는 눈에 띄게 줄었지만, 완전히 사라진 건 아니었다. 놈들은 여전히 사고를 일으켰고, 카메라에 잡히는 경우가 왕왕 있었다.

유연은 틈날 때마다 사고 영상을 들여다보며 그 안에서 이매를 찾아냈다. 이매로 인해 일어난 사고라면, 왕실에서 바로잡아 억울한 일을 당하는 국민이 없어야 한다고 말했다.

"근데 오늘은 블루베리네?"

건은 그녀의 입술 가장자리를 할짝댔다. 양 볼에 바람을 잔뜩 넣은 그녀가 블루베리를 통째로 시리얼에 넣으며 고개를 끄덕인다.

"너무 달콤한 과일보단 딱 맞을 정도가 좋아요."

"그래도 제대로 된 식사를 해야지."

"과일 다이어트한다고 생각하죠. 뭐. 다행히 요즘은 철이 아닌 과일도 구할 수 있어서, 엄마가 얼마나 좋아하던지 몰라요. 엄마도 저 가지셨을 때, 삼시 세끼 과일만 드셨대요."

"살찐 곳이 있어야 다이어트를 하지. 그런 무서운 소리 하지 마. 나는 너 삼시 세끼 과일만 먹는 거 못 봐. 병원에 다녀오자. 알아보니까 입덧 가라앉히는 약을 처방한다던데."

"아, 의사 선생님이 입덧이 심해지면 꼭 오라고 하시긴 했어요."

건은 그걸 왜 이제 말하냐며 유연의 어깨를 깨물었다.

둘의 시간은 빠르게 흘렀다. 그녀가 식사하는 내내 건은 곁을 지켰고, 애정을 숨기지 않고 드러냈다.

하루하루가 행복했다. 딱, 평생을 이렇게 살고 싶었다. 사랑하는 아내와 믿고 의지해 주는 동료와 친구, 가족들과 함께. 시끌시끌하고 유쾌하게 시작되는 하루가 너무도 소중했다.

"당했다."

짧은 통보였지만, 망량의 말투에 형형한 분노가 묻어난다.

"무슨 소리야."

막, 회의를 마치고 낙선재를 찾은 건은 심각한 표정으로 모여 있는 수호부들 사이로 들어갔다.

망량의 앞엔 옅은 주홍빛을 띠는 술이 놓여 있었다. 독특한 주향을 풍기는 그것은 염라의 술. 유연이 지난번 망량 주조 때 담근 것이었다.

"소헌군의 화매가 당했다. 소헌군은 다치지 않았지만, 강제로 화매가 찢겨 나갔으니 내상을 입었을 거야. 어둠이 느껴지더구나."

"태가…… 이태가 다쳤다는 것이야?"

"그래. 근데…… 소헌군이 당한 곳에서, 염라 꽃의 향기가 났다."

망량이 술잔을 건드리자, 주홍빛 꽃잎 한 장이 둥실 떠오른다. 망량이 만들어 낸 환각이었지만, 너무도 선명했다.

팔짱을 끼운 채 꽃잎을 내려다보던 김퀼이 따지듯 물었다.

"염라 꽃 향을 내는 이매는 없다, 영감."

"그럼, 이매가 아니라 화매인 거지. 잊었느냐? 염라 꽃에 홀린 인간이 그것으로 그림을 그리면, 화매가 탄생한다는 것을. 왕가의 피가 섞이지 않아도 가능한, 유일한 방도다."

"염라 꽃은 분명, 씨를 말렸잖은가!"

"아닐 수도 있지. 문제는 놈이 소헌군을 찾아와 해코지했다는 것이야. 왜 그랬을까, 왜."

망량은 연죽 끝에 불을 붙여 쭉 빨아들였다. 독한 연기가 망량의 입술 새로 홀홀 피어난다.

가만히 상황을 듣고 있던 치웅이 심각해진 건의 눈앞에서 손가락을 딱, 튕겼다. 그에 건의 초점이 돌아왔다.

"뭘 그리 고민해? 가 보면 되잖아. 가서 직접 확인하면 된다, 귀멸자야. 안 그러냐?"

"내가 외부로 움직이려면 일정 확인이 필요해. 그 일정은 이우혁이 관리하고."

건은 고개를 저었다. 현재로선 한국을 떠나기 힘들다. 아무리 이름만 남은 존재들이라 해도, 왕실은 해야 할 일들이 있었다. 더욱이 해외 출국이라니. 신혼여행 때처럼, 자유롭게 청송의 문을 사용해서 움직이는 것도 무리다. 그러기엔 이미 얼굴이 지나치게 알려졌다.

"그럼, 우리 주상 전하는 빠지시지? 날도 더운데, 우리끼리 다녀올게."

치웅이 해결책이랍시고 제시한 방법에 건은 기가 막혔다. 이놈들이 지금, 영국이 어딘 줄 알고 가겠다는 건가. 가서 또 무슨 사고를 치려고.

"안 돼. 너희 영어는 할 줄 알아? 거기에 가서 한국 음식 찾는 건 쉬운 줄 알고? 아무 데서나 쌈박질해도 되는, 그런 곳 아니야."

"그럼, 소헌군을 그냥 두자는 게야? 아마 깨어나기까진 시간이 좀 걸릴 게다. 화매가 온전해질 때까진, 저대로 정신을 차리지 못할 텐데?"

"일단 병원에 연락해 봐야지. 그래서, 이태가 어느 병원에 있지?"

"하, 귀멸자야. 소헌군은 병원에 있는 게 아니다."

툭툭 턴 망량의 연죽 끝에서 까만 재가 후드득 떨어졌다.

"그게 무슨 소리야."

"소헌군은 어둠 속에 있어. 어디인지 모른다는 거지. 한마디로…… 납치?"

"납치? 화매에게 납치를 당했다는 건가?"

"정확히는 화매를 부리는 인간에게."

말아 쥔 주먹이 떨리고, 눌러 문 턱에 힘이 들어갔다. 건은 실금이 그어지는 이마를 짚었다.

이태는 법적으로 미국 시민권을 가진 사람이었다. 대한민국이 나설 명분이라곤, 종친이라는 것 하나뿐인데……. 실종 신고를 할 수는 있지만, 미국과 영국 경찰의 공조를 얻어야 하는 데다가 절차가 복잡했다. 그럼 결국, 치웅의 말대로 하는 수밖에 없는 건가.

"청송은 어디 있지?"

"요즘 사춘기인지, 장기만 두러 다닌다."

"어디로."

"제주도."

"뭐?"

제주도라면 아버지가 계신 곳이다. 서울에 계실 땐 종종 함께 장기를 두긴 했지만, 아예 제주도로 가 버렸을 줄은 몰랐다. 복이에게 정신이 팔려 청송에게 신경 쓰지 못했다는 것이 그의 마음에 걸렸다.

"300살이 넘었으니, 이제 클 때도 됐지. 사춘기란 걸 겪어야 어른이 되는 거다, 귀멸자야. 따지고 보면 놈은 하얀 고양이와 거의 동년배 아니더냐?"

김궐이 건의 어깨를 짚으며 되지도 않는 위안을 건넸다.

"그럼…… 복이도 청송처럼 바뀐다는 거야."

"눈에 보이는 것만이 다는 아니다. 복이도 저 모습이 끝이 아니야."

"네놈들도 그랬나?"

"아니, 난 처음부터 이 모습이었다."

그게 뭐라도 되는 양, 김궐이 가슴을 쫙 편다. 건은 직접 제주도에 연락하기 위해 휴대 전화를 꺼내 들었다.

해가 움직일 때마다 그늘이 자리를 옮긴다. 다들 제법 심각한 표정으로 투덕거릴 때였다.

"다들 어디 갔나 했더니. 여기 모여 있었구나?"

대문이 열리더니 유연이 걸어 들어왔다. 김궐이 제일 먼저 기뻐하며 유연에게 뛰어갔고, 건이 뒤를 이었다.

"이 더운데 걸어온 것이냐, 주인아. 홑몸도 아니건만. 쉬어야지."

"양산은? 아직 병원 예약 시간 되려면 멀었을 텐데?"

유난스럽게 구는 두 남자를 뒤로한 유연은 망량과 치웅에게 다가가 다시 물었다.

"뭐예요, 이 술 냄새는?"

"역시, 주인은 향을 맡을 수 있구나."

"이 향기…… 맡아 본 적이 있는데…….”

고개를 갸우뚱 기울인 그녀는 조심스럽게 술잔 표면을 손끝으로 문질렀다. 희미한 파동이 일어나 향이 더 짙어진다. 유연이 말을 이었다.

"런던에 있는 개인 갤러리에서 사고가 났대요. 잠깐 해외토픽으로 방송됐는데, 그림자가 남아 있었어요. 혹시…… 소헌군인가요?"

그림자란 화매, 혹은 이매가 지나간 흔적 같은 거였다. 하지만 그것은 아무리 귀안을 가진 자라 해도, 영상만으로 확인할 수 없는 것이었다. 혹, 배 속의 아이 때문일까? 다들 유연의 말에 당황한 표정을 감추지 못했다.

"하루하루가 신기한 일이구나."

망량의 입가에 다정한 미소가 번진다.

"이태 씨에게 무슨 일이라도."

"아니다. 주인, 네가 끼어들 일이 아니야."

"그게 무슨 말이에요. 제가 끼어들 일이 아니라뇨?"

유연은 날카롭게 받아쳤지만, 망량은 태연했다. 아이를 가진 그녀를 끌어들이기엔, 너무나도 기괴하고 복잡한 사건이었다. 하지만 또 현실을 직시해 보자면, 수호부들이 영국으로 떠난다면 조유연 만한 보호자도 없었다. 소통에 문제가 없고 외국 문화에 익숙한데다가, 국빈으로서 타국의 공조도 얻을 수 있다.

다들 이런저런 고민에 빠져있을 때, 건이 끼어들었다.

"화매를 부리는 인간에게 소헌군이 납치됐어. 그 인간이 종친인지 염라 꽃을 이용할 줄 아는 사람인지는 확인해 봐야겠지만……. 안 돼."

기껏 다 설명해놓고, 건은 단호하게 거절의 의사를 표했다.

"저기요, 전하."

유연이 복잡한 표정으로 눈가를 찌푸린다. 머리카락을 쓸어 넘기는 손길에 답답함이 묻어났다.

"설마, 애네들만 영국으로 보내려는 거 아니죠?"

그녀가 두 눈을 똑바로 치켜뜨며 건에게 따졌다.

"청송이 제주도에 있어요. 지금 전화 거시려는 거 아니었나요?"

"중전, 신기 있어?"

"안 돼요. 아무리 환이와 청송이가 외국어를 알아듣는다고 해도, 그곳에 가면 검은 머리 외국인일 뿐이라고요."

"물론, 나도 그렇게 생각해. 하지만 나는 당장 움직이는 게 곤란해. 간단한 조사라면……."

"제가 동행할게요. 문화재 환수 건으로 공식 일정 잡아서 런던의 개인 갤러리들을 돌아보면 되잖아요."

건은 받아치고 싶었지만, 마땅한 변명을 찾을 수 없었다. 그가 할 수 있는 주장은 오직 하나.

"안 돼. 홑몸도 아닌데, 어딜 혼자 가!"

그녀의 건강을 빌미 삼는 것이었지만, 유연의 뒤로 슬그머니 다가서는 김궐과 환, 치웅의 모습에 말문이 막혔다. 게다가 막, 낮잠에서 깨어난 복이가 유연을 발견하곤 까르르 웃으며 뛰어와 안겼다.

"쭈인아!"

유연은 치마폭에 안긴 복이를 영차 들어 안았다. 의사가 보았으면 기겁할 일이었지만, 복이는 영물이어서인지 보통의 아이와는 무게가 달랐다.

"이 네 명만 있어도, 나라 하나 때려 부술 정도 아닌가요?"

"아직 이태가 어디에 있는지도 몰라."

"적어도 수호부들이 열심히 수색하는 동안, 제가 언론이나 사람들의 이목을 붙들고 있을 수는 있잖아요."

"내가 한국에 있는데, 정말로 가겠다는 거야?"

"찾아야죠. 소헌군은 우리 가족이잖아요. 가족이 행방불명됐는데, 어떻게 가만히 있죠?"

유연이 마음먹은 이상, 건은 더는 고집부릴 수 없다는 걸 깨달았다. 그렇다고 입덧이 심해 고생하는 그녀를 홀로 보낼 수도 없었다. 그러고 싶지 않았다.

"무서울 거예요. 게다가 소헌군은 전하께 죄책감을 느끼고 있어요. 섣불리 도움을 요청하지도 못할 테고, 혼자 감수하려 할 게 분명해요."

"알아."

건은 그녀의 말을 뚝 잘랐다. 그러고는 내전에 있을 우혁에게 전화를 걸었다.

회의를 마치고, 회의록을 정리하느라 한창 바쁠 시각. 이우혁이 바쁜 기색을 감추지 않고 전화를 받았다.

[예, 전하. 언제 오십니까? 지금 문경시에 연락해서 받아야 할 협력안이…….]

"영국 대사관에 연락해."

[……예? 영국에요? 갑자기 무슨…….]

"대사관에 연락해서, 비공식 방문 일정 잡아. 사유는 휴가. 극비는 아니고, 시의적절하게 언론에 노출되는 일정으로."

일이 생겼다는 걸 눈치챘는지, 우혁이 별다른 질문 없이 전화를 끊는다. 건은 유연의 뒤에 병풍처럼 둘러선 이들을 천천히 훑다가 그녀의 손목을 확 잡아챘다. 그러곤 따라오지 말라는 엄포를 놓은 채, 낙선재의 문을 넘었다.

"화났어요?"

예화의 대표이사실. 세경이 놓고 나간 차가운 유자차를 홀짝인 유연이 흘끔 건의 눈치를 살폈다.

"그래 보여?"

건은 책상 앞에 앉아 서류를 들추고, 화면을 들여다보면서도 그녀에겐 눈길조차 주지 않았다.

이럴 거면 왜 그렇게 무섭게 끌고 왔담?

유연은 새콤달콤한 유자차를 내려놓고는 건에게 다가갔다.

"나 좀 봐요."

"스코틀랜드에서 고려청자로 추정되는 장물이 나왔어."

"정말요?"

"그래."

"그래서 나랑 말 안 하려고요? 저 나갈까요?"

"아니. 너랑 말 할거고, 여기서 못 나가게 할 거야."

펜을 내려놓은 건이 고개를 든다. 그제야 유연은 배시시 웃으며 그의 허벅지 위에 다소곳이 앉았다. 의자 등받이에 느슨하게 기대앉은 그가 한숨을 내쉬며 그녀의 허릴 감싼다.

"블라인드."

건의 말에 유연은 서랍에 들어 있던 리모컨을 꺼내 눌렀다. 그러자 찰칵 소리와 함께 우드 블라인드가 기울어지며, 쏟아지던 빛을 완전히 차단한다.

어둠이 찾아들자, 괜스레 가슴이 콩닥콩닥 뛰었다. 이어 벽과 천장. 테이블에 설치된 간접 조명이 불을 밝혔다.

"위로와 사과. 어디 한번 해 봐."

그의 손끝이 유연의 관자놀이와 귓바퀴를 어루만지듯 움직인다. 그녀는 건의 목덜미를 끌어안은 채, 고개를 갸우뚱 기울였다.

"위로는 해 줄 수 있지만, 사과는 왜요?"

"내 마음에 상처를 줬거든."

"제가요?"

"응. 내가 못 간다고 했는데, 한 번도 날 붙잡지 않았잖아. 서운했고 야속했어. 대체 왜 바로 수긍해 버리는 거야?"

서운해할 거란 건 예상했지만, 이건 의외였다. 수긍이라니. 유연은 건의 얼굴을 빤히 보다가, 입술과 가장자리에 쪽쪽 입 맞췄다.

"떼를 써서 얻는 거, 해 본 적 없거든요. 그리고 안 된다고 표현한다는 게 얼마나 힘든 일인지 알아요. 승낙보다 거절이 더 어려운 거잖아요."

"일반화는 위험해. 내가 거절보다 승낙이 더 어려운 사람이라면?"

"저기요, 주상 전하. 저도 상황 파악이란 걸 하거든요? 당신이 얼마나 바쁜지 아는데, 어떻게 그래요?"

"왕, 때려치울까."

건이 눈가를 늘어트리며 그녀의 입술을 깨문다. 아니 왜 또 화제가 이렇게 튀나. 유연은 그의 뺨을 감싸며 이마를 맞댔다.

"왕 때려치우면 백수인데, 같이 뭐 하고 먹고살죠?"

"진심으로 듣지 마. 평생 중전 소리 듣게 할 거니까."

"그럼 자꾸 떠보지 마요. 오래 걸리지 않을 거예요. 청송이 있잖아요. 밤마다 내가 있는 곳으로 오면 안 돼요?"

반쯤은 진담, 반은 농담이었건만 그의 표정은 사뭇 진지해졌다. 매끄러운 턱을 느리게 문지르던 그가, 의미심장한 미소를 짓는다.

"그거, 괜찮은데?"

하지만 건의 바람과 계획은 여지없이 틀어지고 말았다. 이유인즉슨, 고집쟁이 청송 때문이었다.

[싫다고 전해라. 귀멸자야, 나는 여기가 좋다. 복이 고 계집애가 있는 곳으론 안 간다.]

퉁명스럽게 대꾸하는 청송의 목소리 뒤로, 장기 말 놓는 소리가 들렸다.

"어이, 네 주인도 간다니까? 걱정되지 않아? 너 없이 유연이 혼자 보내려고?"

건은 강수를 던졌다. 제 주인의 일이라면 안절부절못하는 녀석이니, 유연이 나선다고 하면 당연히 반응을 보일 거라 생각했다. 하지만 오산이었다.

[…누이는 강하다! 그리고 형님들도 계시는데 뭐.]

"어이, 300살도 넘은 놈이 사춘기를 겪는 건 좀 그렇지 않아? 그러지 말고 돌아와. 너 좋아하는 삼계탕 끓여 줄게."

[삼계탕은 여기서도 많이 먹었다. 그러잖아도, 네 어미의 음식 솜씨가 몹시도 좋더구나. 내, 아주 호의호식하는 중이야.]

"그럼 갚아. 와서 문 다섯 번만 열어 줘. 그래야 내가 가지!"

[흥, 결국 문이 필요한 거면서.]

"청송!"

말이 통하지 않아 결국 버럭 소리치자, 혀를 찬 청송이 뚝 하고 전화를 끊는다. 이게 진짜……! 건은 혈압이 오르는 뒷머릴 감싼 채 눈을 감았다.

"하, 젠장……. 대체 왜 이러는 건데? 정말 질투라도 하는 건가?"

혼잣말 같은 탄식에 멀찍이 서서 지켜보던 우혁이 혀를 차며 다가왔다.

"가족들이 동생만 그리 예뻐하면, 저 같아도 삐질 겁니다. 그러잖아도, 치웅 님께서 자꾸 데이트할 때 복이를 데리고 나와요. 그래서 저도 서운한 티를 냈습니다."

"허, 이우혁. 미쳤어?"

"아뇨, 티를 안 내면 모르는 걸 어찌합니까? 전하도 그러시잖습니까. 중전마마께서 검은 호랑이 씨를 싸고돌면, 속된 말로 킹받는다고 하셨던 것 같은데……."

"나는 내 조상께서 만든 한글을 파괴한 적 없어. 모함하지 마."

건이 눈을 부릅뜨자, 결재 서류를 내려놓은 우혁이 능청스럽게 받아친다.

"예예, 어쨌든. 대사관에 연락했고, 전용기 준비 중입니다. 연료만 채우면 곧장 출국할 수 있으신데다가, 수호부들 여권도 갱신해 놓았고요. 그러니까 청송 님은 그냥 두시죠? 안쓰럽게 필요할 때만 찾지 마시고."

"내가 언제 필요할 때만 찾았다고 그래?"

"조금 전에도, 문 안 열어 준다고 윽박지르셨잖아요."

"하…… 이우혁, 상선……. 그대는 대체 누구 편이야?"

"정의의 편입니다."

포기다. 건은 양손으로 마른세수를 한 뒤, 의자 등받이에 몸을 기댔다.

"됐어. 됐고, 중전이랑 산부인과에 다녀올게. 입덧이 너무 심해서 안 되겠어. 조용히 움직일 테니까, 따라붙지 말고. 모자 쓰고 마스크 쓰면 되니까."

"그거 너무 모험인데……."

"말 흐리지 말랬지."

살살 긁던 우혁이 생긋 웃으며 예의 상냥한 미소를 띤다. 뻔뻔하고 태연자약한, 상선의 표본 그대로였다.

"예, 알겠습니다. 외출하신 동안 저는 한국 일정 마무리 짓겠습니다. 아, 그리고 런던 갤러리에서 작은 화재가 일어나긴 했지만, 부상자는 없었다고 합니다. 소헌군의 위치도 파악되지 않고요."

"진짜 납치인가."

"경찰에 공조 요청할까요?"

"일단 놈들을 믿어 보고."

건은 고개를 주억이며 고민에 빠졌다. 이태가 납치된 것이 확실해졌다면, 더는 지체할 수 없다. 게다가 청송이 비협조적으로 나오는이상, 밤마다 그녀를 찾아 가는 것도 불가능한 일.

어쩐다…….

그렇다고 건은 아내를 혼자 그곳에 보내고 싶지도 않았다. 이건의입장에서 수호부 100마리가 함께해도, 제가 동행하지 않는 이상 유연은 혼자나 마찬가지였으니까.

건은 재킷을 챙겨 일어났다.

"이 약은 주무시기 전에 복용하는 거예요. 오늘 2정을 드시고, 다음날 상태를 보세요. 약을 먹는다고 바로 증상이 사라지는 게 아니니까, 만약 내일도 입덧이 그대로라면, 내일은 밤에 3정을 드세요."

건은 유연보다 더 꼼꼼히 약 설명을 듣고 숙지했다. 아무래도 약이란 항시 부작용을 조심해야 하다 보니, 건의 입장에선 모든 것이다 걱정이고 염려였다.

"입덧은 언제쯤 가라앉죠?"

"음…… 사람마다 워낙 다르긴 한데, 20주 안에 끝나는 것이 보통이에요. 엄마가 잘 먹고 마음이 편해야, 아이도 건강하죠. 조금만 버티시면, 이제 또 입맛이 돌아서 걱정이라고 하실걸요?"

"차라리 그랬으면 좋겠네요."

유연은 몇 주 만에 체중이 4kg이나 빠졌다. 수라간에서는 중전이

먹을 수 있는 음식들을 찾아내느라 진을 뺐고, 결국 찾아낸 것이 과일과 시리얼, 요거트 정도였다.

함께 진료실을 나온 두 사람은 모자를 눌러쓴 뒤, 마스크를 좀 더 올렸다. 그러자 필수 경호 인력으로 따라온 장은호가 뒤로 다가선다. 최대한 시선이 쏠리지 않도록 자연스럽게 움직였지만, 몇몇은 그들을 알아보곤 신기한 표정을 짓기도 했다.

건은 유연의 핸드백을 대신 들어 주며 손깍지를 끼워 잡았다.

"선생님 말씀 들었지? 잘 먹어야 해. 그리고 편안해야 하고, 걱정 같은 것도 하면 안 돼."

"저도 잘 먹고 싶어요. 배고프단 생각만 하면 속이 갑자기, 읍……."

"괜찮아?"

창백해진 그녀가 명치를 쓸어내리며 고개를 끄덕였다. 건은 서둘러 병원을 벗어나 근처 카페에 들렀다. 그러곤 그녀가 가장 좋아하는 생과일주스와 커피 두 잔을 주문했다. 구석진 곳 창가에 앉아 상큼한 주스를 받아 드는 그녀의 표정이 대번에 밝아졌다.

건은 안도하며 유연의 어깨에 이마를 댔다. 모자의 캡이 들려 그의 얼굴이 드러났지만, 덩치 큰 장은호가 몸을 틀어 사람들의 시야를 가렸다.

"최대한 빨리 합류할게. 청송이 녀석은 한동안 제주도에 두는 게 좋을 것 같아."

"왜요? 청송이는 왜 제주도에 가 있는 건데요?"

"질투. 어린 동생이 생긴, 오빠의 스트레스랄까. 복이가 너무 어려서 손이 많이 가는 것뿐인데, 그게 영 서운했나 봐. 사춘기래."

"제가 연락해 볼까요?"

"그냥 부르면 대답도 안 해. 나도 아버지께 연락해서 통화한 거거든."

가뜩이나 좋지 않았던 유연의 안색이 더욱 흙빛이 됐다. 유연은 당장 휴대 전화를 꺼냈다. 건은 그런 유연의 손을 감싸 쥐며 고개를 저었다.

"그냥 둬. 차라리 일 마무리하고 나랑 제주도로 가자. 휴식도 취하고, 청송이 기분도 풀어줄 겸."

"너무 늦는 건 아닐까요? 제가 통화를 해 보는 편이……."

"필요할 때만 찾는다고 하더라. 단단히 토라졌어. 그러니까, 지금은 다른 생각하지 마."

경복궁으로 돌아온 유연을 기다리는 건, 이동 준비를 마친 수호부들이었다. 중전의 일거수일투족을 보좌하는 건 세경이었고 수호부들 모두 RSA의 정복에 배지를 착용했다. 그리고 복이는 잠시, 해치의 모습으로 돌아갔다.

"준비가 다 됐네요……?"

"밤에 가는 편이 푹 자고 좋을 것 같아서."

"전하가 지시했어요? 저는 내일 오전에 출발할 줄 알았어요."

"약 잘 먹고, 푹 자고 일어나면 런던일 거야."

그녀는 제게 뛰어온 복이를 번쩍 안아 들었다. 복이의 목에 달린 커다란 방울이 흔들리며 청아한 소리 낸다. 함께 떠나는 여행이라고 생각한 건지, 복이는 엉덩이와 꼬리를 씰룩대며 기쁨을 감추지 않았다.

유연은 그런 복이의 머릴 쓰다듬다가, 자신의 짐을 확인하는 건에게 다가갔다. 그러곤 그의 뺨에 가볍게 입 맞췄다. 갑작스러운 중전의 애정 표시에 다들 얼굴이 붉어져 돌아선다.

"무리하지 마세요. 고집부린 건 저인데, 막상 가려니까 기분이 이상해요."

멍하니 그녀를 내려다보던 그가, 복이의 목덜미를 잡아 바닥에 내려놓은 뒤 유연을 조심스레 끌어안았다.

특유의 달콤한 향에 마음이 편안해지는 게 아니라, 더욱 손에서 놓기 싫어졌다. 그의 한숨과 탄식이 깊어진다.

"나흘 안에 다시 만나. 아니…… 48시간. 무슨 일이 있어도 데리러 갈게."

딸랑, 방울 소리가 기내를 울린다.

발라당 몸을 뒤집은 복이는 조용한 전용기 안을 홱홱 둘러보다가 쪼르르 창가로 뛰어갔다. 끙끙대며 의자에 올라가 코끝으로 창문 가리개를 들자, 구름과 별로 가득한 까만 하늘이 나왔다.

'우와아.'

복이는 커다란 눈을 깜빡이며, 감탄했다. 이렇게 가까이서 하늘을 본 건 처음이었다. 반짝거리고, 까만데다가 너무너무 예뻤다.

유리창에 코를 박고 창밖 풍경에서 눈을 떼지 못하는 복이의 목덜미에 환의 손이 들어왔다.

기름하고 부드러운 손가락이 몽실몽실한 털을 간질이고, 귀 뒤를 쓸어내린다. 복이는 절로 기분이 좋아져, 그 자리에서 발라당 몸을 뒤집었다. 그러자 피식 웃은 환이 헤드셋을 빼 목에 걸며 복이의 겨드랑이에 손을 넣어 들었다.

"이 녀석, 푹 자라니까."

—삐이.

"심심해?"

—삐!

"음……. 사람으로 변해도 돼, 여기선."

—삐? 삐!

헥헥대며 몸을 바르르 턴 복이의 눈이 빨갛게 빛난다. 이어, 강아
지 크기였던 복이가 어린아이로 펑, 하고 변했다. 복이는 아직 조용
히 변신하는 법을 터득하지 못한 터라, 갑작스러운 소리에 잠을 청
하던 이들 모두 놀라 벌떡 일어났다.

"무슨 일이야!"

"뭐냐!"

"복이었냐?"

"하……."

복이는 배시시 웃으며 환의 목덜미에 매달렸다. 그러자 잠든 유연
의 귀를 조심스레 막아 주고 있던 김귈이 인상을 찌푸리며 고개를
저었다.

"조용히 해라. 주인은 푹 자야 한다."

그에 복이가 자그마한 손으로 자신의 입을 탁 틀어막는다. 그 귀
여운 행동에 다들 헛웃음을 흘리며 다시 자리했다.

"그런데, 쫑이 오빠는?"

"청송?"

"응, 쫑이 오빠 안 보인다."

"같이 안 가."

"왜?"

"모르지."

환은 의자를 좀 더 젖힌 채, 복이를 가슴 위에 엎어 눕혔다. 그러곤 아이를 재우듯 토닥이며 '옛날이야기를 해 줄까?'라며 물었다.

환이 복이를 돌보는 동안 치웅은 망량과 함께 유연이 보았다는 그림자의 흔적을 더듬었다. 애초에 궐 밖으로 나가는 걸 극도로 싫어하던 망량이었건만, 이번엔 달랐다.

"망량, 너는 왜 따라와? 주조장에 틀어박혀 사는 거 좋아하지 않았어?"

치웅의 질문에 화면을 내려다보는 망량의 입술이 묘하게 휜다.

"염라 꽃은 염라의 술을 담글 재료지. 이번엔 주인의 힘으로 담그긴 했다만, 언제 또 이런 기회가 올지 모르고. 게다가 나는…… 어쩐지 놈이 누군지 알 것 같아서 말이다. 내, 직접 눈으로 확인하는 것도 나쁘지 않다고 생각했지."

"너 그렇게 술 좋아하다가, 알코올 중독으로 단명할 거야."

"쯧, 악담하는구나. 술맛도 모르는 어린것들이."

"하, 내게 할 말은 아닐 텐데?"

"왜 아니냐. 요즘 인간이랑 정분나더니, 영…… 내가 알던 치웅으론 안보여서 말이다."

"뭐야, 질투해?"

치웅이 싱글벙글 웃으며 은근하게 망량의 옆구리를 찔렀다. 그러자 눈살을 찌푸린 망량이 갓끈을 풀더니, 팔걸이에 비스듬히 기대며 매끈한 턱을 문지른다.

"헛소리 마라. 그런 거 관심 없다."

"아, 왜. 인기 좋았잖아, 망량."

"쯧."

"술 좋아해서 하루도 빠짐없이 기루를 드나들던 이가 누구더라?"

"어허! 기억도 나지 않는 옛일을 자꾸 꺼내 들 거면, 나도 할 말이 있……."

"아아, 안 들려."

치웅이 귀를 팡팡 두드리며 일어난다. 그러곤 기지개를 켜며, 천장에 붙은 모니터를 올려다본다. 이제 몇 시간 뒤면 도착이다. 청송의 문을 이용하다 보니, 이런 오랜 여행은 익숙하지 않았다.

"어쨌든 나도 궁금하긴 하네. 간이 얼마나 부었으면, 우릴 이렇게 오가게 하는지. 얼굴 보면, 주먹부터 날릴 거야. 말리지 마."

정말로 푹 자고 일어났더니, 런던의 히드로 공항에 도착해 있었다. 11시간 동안 한 번을 안 깨고 비행할 수 있다니. 과거엔 상상도 할 수 없는 일이었다. 좌석이 너무 편해서일 수도 있고, 입덧 약의 수면 효과가 지나친 걸지도 모른다.

"주인아, 창백하다."

비행 내내 곁을 지킨 귈이 걱정스러운 표정으로 그녀를 부축했다.

"약발이 도나 봐. 나 이제 배고파졌어."

"과일을 준비하라고 하마."

"아니야. 밥, 먹을래."

"밥? 정말이냐?"

"응."

유연의 말에 놀란 건 수호부들만이 아니었다. 승무원들과 짐을 내리던 세경도 유연에게 뛰어왔다.

"마마, 괜찮으신 거예요? 두통이나 오한 같은 것도 없으시고요?"

다람쥐처럼 동그랗고 귀여운 세경의 눈이 더욱 커다래진다. 유연은 이마를 짚어 보며 고개를 저었다.

"열도 없고, 오한도 없어요. 입덧 약이 잘 드나 봐요. 저 때문에 기내식도 못 드신 거 같은데……. 다 같이 호텔가서 식사부터 할까요?"

"하, 어떡해. 너무 다행이에요, 마마."

눈물까지 그렁그렁한 얼굴로 기뻐하는 세경을 보자, 어쩐지 미안한 마음이 밀려들었다. 저 때문에 비행 내내 과일과 음료밖에 먹지 못했다는 걸 보지 않아도 안다. 수호부들의 퀭한 표정이 그렇게 말해 주었다.

유연은 세경에게 근처 한식당을 찾아보자고 한 뒤, 다 함께 비행기에서 내렸다. 미리 기다리고 있던 외교부 직원들이 들뜬 표정으로 일행을 맞았다. RSA의 배지를 단 이들을 보며 한번 놀라고, 도포를 걸친 망량의 모습에 얼떨떨한 표정을 지었다.

그도 그럴 것이 수호부들의 외양은 한마디로 정의할 수 없을 만큼 독특했다. 갓에 도포를 입은 망량의 눈동자는 파랬고, 김귈과 환의 눈동자는 은은한 황금빛이었다. 그뿐인가? 환의 머리카락은 은발에 가까웠는데, 그것은 동양인으로선 인위적으로 만들어낼 수 없는 색이었다. 유일하게 가장 평범해 보이는 사람은 치웅밖에 없었지만, 풍기는 기운이 유독 강해 눈 마주치는 족족 상대의 기를 죽였다.

사정이 그렇다 보니, 외교부 직원들은 국경 없는 왕실 고용 시스템을 칭찬하며 새삼 감탄했다.

"중전마마께서 오신다는 소식 듣고, 어찌나 기뻤는지 모릅니다. 영국에 오신 걸 환영합니다."

유연은 직원이 건네주는 꽃다발을 받으며, 환하게 웃었다.

"환대해 주셔서 감사합니다. 시차 적응이 되지 않아서 그런데, 조용히 이동할 수 있을까요?"

"그럼요, 물론입니다. 저희가 차를 준비해 뒀습니다. 곧장 호텔로 모시겠습니다."

"아, 호텔 말고 혹시 괜찮은 한식당이 있으면 식사부터 하고 싶어요."

"아, 그럼요! 제가 안내해 드리겠습니다."

외교부 직원들은 일행을 VIP 출입구로 안내했다. 덕분에 소란 없이 출입국 심사를 마칠 수 있었지만, 독특한 수호부들 때문인지 어딜 가나 눈에 띄었다. 직원이 안내한 식당에서도, 차에 오르는 순간부터 호텔 로비에 입성하는 내내 유연은 사람들의 시선에 시달렸다.

"망량, 옷 갈아입으셔야 할 것 같아요."

직원들이 미리 체크인해 둔 호텔 키를 받아 든 유연이 말했다.

"내 옷이 왜."

"너어무, 너무너무 눈에 띄어요. 그 차림으로 다니면, 화매가 먼저 놀라 도망가겠는걸요?"

유연의 말에 다들 한마디씩 살을 붙인다. 김궐과 환은 혀를 찼고, 치웅은 몰래 사람으로 변한 복이를 안은 채 깔깔대며 웃었다. 혀를 찬 망량이 부채를 탁 펴곤, 조금도 위축되지 않은 표정으로 부채질을 했다.

우혁이 직접 선택한 호텔은 사고가 난 갤러리에서 고작 300m 떨어진 곳에 있는, 평범한 곳이었다. 방에 짐을 푼 유연은 창문 앞에 서서 건에게 전화를 걸었다. 신호음이 몇 번 흐르기도 전, 그가 전화를 받는다.

[도착은 아까 해놓고, 연락이 너무 늦는 거 아니야?]

유연은 시간을 확인했다. 그녀의 손목시계의 시간은 아직 한국 시각에 맞춰진 상태였다. 한국은 오전 3시경. 어쩐지 목소리가 잠겨 있더라니.

"미안해요. 깨울까 봐 바로 안 했는데, 시간을 착각했어요. 지금 한국은 새벽인데, 자고 있던 거 아니에요?"

[TV 틀어 놓고 멍하니 누워 있었어. 중전이 언제쯤 연락할까 하고.]

"어떡해. 정말 미안해요. 저는 11시간 넘게 꼬박 자 버린 거 있죠. 어떻게 이럴 수가 있죠?"

[잘했어. 그럴 거라고 했잖아. 속은 어때?]

"놀라지 마세요. 저, 비행기에서 내리자마자, 한식당 찾아서 밥부터 먹었어요."

[정말? 정말, 밥을 먹었어?]

"그렇다니까요? 그것도 한 공기 반이나 먹었어요."

아이처럼 즐거워하는 그녀의 목소리에 건이 웃음을 터트렸다.

[늦게 연락한 거 이해할게. 밥 먹었으면 된 거야.]

나른하고 부드러운 건의 음성에 벌써부터 그리움이 차올랐다.

"이쪽 일 금방 해결하고 갈게요."

[내가 넘어갈게. 나 열일 중이거든.]

"안 돼요. 전하는 할 일이 많은 분이시잖아요. 저 없는 동안 예화를 잘 부탁할게요."

[뭐…… 예화는 요즘 지나치게 한가해서 말이지. 이매들의 수가 줄어드니, 이제야 살 거 같다며 다들 좋아하고 있어.]

"다행이다."

푹신한 침대를 찾아 풀썩 누워 버린 유연은 그 후로도 한참이나 건과 통화를 했다. 제 목소리 들은 뒤에야 안심이 되는지, 건의 목소리가 잦아든다. 점점 잠에 빠져드는 모습이 눈에 선했다.

그녀는 그의 숨소리가 고르게 번질 때까지 기다렸다.

"저…… 마마, 브리핑해도 될까요?"

조심스럽게 문을 열고 들어온 세경이 목소릴 낮춘다. 유연은 이만 전화를 끊고 일어났다.

"브리핑이요?"

"네, 저도 나름 조사를 했거든요."

유연은 씩씩한 세경과 함께 거실로 나갔다. 그러자 모여 있던 수호부들이 하나둘 편안한 자리를 찾아 앉는다.

"어라? 옷 갈아입었어요?"

유연은 몰라보게 바뀌어 버린 망량을 발견하곤, 헛웃음을 흘렸다. 저 모습은 또, 저 나름대로 너무 눈에 띄었다. 검푸른 머리카락을 곱게 늘어트리고, 하얀 와이셔츠에 정장 바지를 입은 망량은 다른 의미로 시선을 강탈했다.

"멋대가리 없는 이런 옷이 뭐가 좋다고."

"왜 도포만 고집하는지 알 것도 같네요."

룸에 비치된 위스키들을 하나씩 꺼낸 망량이 못마땅한 듯 한숨을 내쉰다.

"내 너무 곱다고 하여 미모를 숨긴 것이건만, 쯧. 도포를 벗었으니, 이제 잔소리하지 말거라. 주인아."

"멋져요."

"그 말, 귀멸자에게 전해 주지."

망량이 끌끌 혀를 차며 웃는다. 유연은 모인 수호부들을 차례로 살피며, 가장 가까이에 있는 복이의 옆에 앉았다. 그러자 소파 바닥에 앉아있던 궐이 일어나더니 그녀의 옆에 딱 붙어 앉는다. 조금도 떨어지지 않겠다는 집념이 엿보였다.

"자자, 마마님. 수호부 여러분, 들어주세요. 오늘부터 소헌군 마마님의 전시가 시작됩니다."

목소리를 가다듬은 세경이 브리핑을 시작했다.

"아직 경찰에 신고된 건 없지만, 갤러리 대표의 경우는 갑작스럽게 작가와 연락이 되지 않는다며 호텔 측에 알려 왔다고 합니다. 지금 이 호텔이, 소헌군 마마님께서 머무시는 호텔이고요."

"여기가요?"

"네. 저희 룸 바로 아래층입니다."

"확인은요? 혹시 룸 안은 확인하셨나요?"

"어, 그게……."

답이 준비되지 않았는지, 세경이 말끝을 흐리자 망량이 나섰다.

"내가 확인하마."

손가락을 튕기는 순간, 검은 구름이 망량의 주위로 휘몰아치기 시작한다. 세경은 익숙해지려야 익숙해지지 않는 광경을 보며 마른침을 꼴깍 삼켰다. 이어, 흑표범 두 마리가 어슬렁거리며 망량의 주위를 맴돈다.

"확인하고 오거라."

망량은 흑표범들에게 가볍게 바람을 불었다. 그러자 두 마리의 흑표범의 형체가 흐트러지더니, 삽시간에 연기가 되어 사라진다.

세경은 파랗게 빛나는 망량의 눈동자에 빨려 들어가는 듯한 착각을 느꼈다. 얼마쯤 시간이 지났을까. 고작해야 몇 초가 몇 분처럼 느껴질 만큼, 신기한 기운이 방 안 가득 넘실댄다.

"이 아래에는 아무도 없다는구나. 이제 어쩔 것이냐. 이럴 바엔 직접 찾아보는 것이 낫지 않겠느냐?"

꼭 비가 올 것 같은 날씨. 덥고 끈적한데, 대기질마저 좋지 않았다. 유연은 치웅과 함께 이태의 전시가 열리는 갤러리를 찾았다.

모두가 한 번에 움직이는 건, 필요치 않은 에너지 낭비였다. 두 사람이 갤러리를 둘러보는 사이, 다른 이들은 화매의 흔적을 찾아 움직일 셈이었다.

사람들로 가득한 갤러리에 들어선 유연은 전시된 작품들을 보며 감탄했다. 이러니저러니 해도, 이태는 세계적인 작가임은 틀림없었다. 경복궁의 모습을 섬세하게 그려낸 8첩 병풍을 비롯해 크고 작은 작품들에서 깊은 애정이 느껴졌다.

"저기구나."

다만, 치웅은 그림엔 관심조차 없다는 듯, 나선형으로 휘어진 계단으로 향했다. 사람들 틈을 비집고 치웅을 따라간 유연도 바닥에 남아 있는 화매의 그림자를 발견했다.

"이 흔적으로 어떤 종류의 화매인지도 알 수 있을까요?"

"대충은 알 수 있지."

치웅은 매끄러운 턱을 어루만지며 천천히 흔적 주위를 맴돌았다. 그러는 사이 유연은 갤러리 입구에 나타난 로드너를 발견했다. 비서 두 명을 대동한 채 나타난 남자는 탁한 색의 금발에 녹색 눈동자를 가진, 세련된 신사였다. 나이는 40대 중후반, 포멀한 정장 차림의 남자가 갤러리를 돌며 관람객들과 인사를 나눈다. 작가와 연락이 되지 않아 난처한 상황이라더니, 썩 곤란해 보이지 않는 얼굴이었다.

"노린내가 나는데. 여우 새끼 냄새가 나."

치웅이 말했다.

"여우요?"

"어. 하…… 망량이 왜 여기까지 행차하셨는지 이제 알겠네."

피식 웃은 치웅의 눈매에 서서히 웃음기가 가셨다.

"여우가 뭔데요, 언니?"

"우린…… 여기까지만 하자. 우릴 부른 게 아니라, 망량을 부른 것 같으니."

"네? 그럼 이태 씨는……."

치웅은 알 수 없는 표정으로 유연의 어깨를 확 끌어안았다. 그녀는 때마침 로드너와 눈이 마주쳤다. 다른 고객들과 인사를 나누던 로드너가 유연이 있는 곳을 빤히 쳐다보더니, 성큼성큼 다가왔다.

빠르게 눈치챈 치웅이 앞을 막아선다. 그러자 양손을 들어 다른 의도가 없음을 어필한 로드너가 치웅의 뒤에 선 유연에게 악수를 청했다.

"「로드너 가필드입니다. 혹시…… 한국에서 오셨습니까?」"

악수를 거절하는 것은 매너가 아니었지만, 유연의 앞을 재차 막아선 치웅이 대신 답했다.

"용건은 내게 말하시오."

하지만 문제가 있다면, 치웅은 영어를 쓰지 않는다는 것이었고 로드너는 한국어를 모른다는 점이었다. 로드너가 당황한 표정으로 뒤에 선 비서에게 고개를 까딱였지만, 비서들도 한국어는 알아듣지 못하는 눈치였다.

"언니, 제가 할게요."

유연이 웃음을 참으며 치웅의 팔을 잡았다. 그러자 인상을 찌푸린 치웅이 알아들을 수 없는 욕설을 중얼거리며 옆으로 비켜섰다.

"「실례했습니다. 조유연이라고 합니다. 한국에서 왔습니다.」"

유창한 영어 실력에 그제야 로드너의 얼굴이 밝아졌다. 그러더니 고개를 갸우뚱 기울인 로드너가 짙게 쌍꺼풀진 눈을 크게 뜬다.

"「혹시, 왕실에서 나오셨습니까?」"

"「네. 비공식 일정이라 가볍게 움직이는 중이에요.」"

"「맙소사, 영광입니다.」"

로드너는 허리를 90도로 숙이며 양손을 내밀었다. 어쩐지 한국 정치, 경제면에서 자주 본 듯한 장면이었다. 로드너와 인사를 나눈 유연은 흘긋대는 시선을 느끼며 생긋 미소 지었다.

"「괜찮으시다면, 잠시 대화를 나눌 수 있을까요?」"

"「물론입니다. 자릴 마련하겠습니다.」"

로드너는 빠르게 손가락을 몇 번 튕겼다. 그러자 곁을 지키던 비서들이 빠른 걸음으로 전시장을 가로지른다.

비서들과 경호원이 만든 길을 따라, 로드너가 먼저 걸음을 내디딘다. 치웅과 유연은 눈빛을 나눈 뒤, 그를 따라 걸었다. 하지만 둘은 부러 아무런 대화도 나누지 않았다. 아직 로드너 가필드에 대한 정보가 부족한데다가, 갤러리의 대표는 가장 유력한 용의자다. 정말로 한국어를 모르는지도 확인된 바 없었다.

"「들어오시죠. 더 좋은 자리에서 모셨어야 했는데, 다음번에 기회를 주시겠습니까?」"

"「이곳도 아주 멋진 곳인걸요?」"

로드너가 안내한 오피스룸은 갤러리의 첫인상과도 비슷한 분위기였다. 베이지 톤의 부드러운 색감에 현대 미술품들을 적재적소에 배치한, 업무구역이라기보다는 귀빈실이란 명칭이 더 잘 어울리는 곳이었다.

치웅이 먼저 안으로 들어가 예리한 눈빛으로 내부를 훑는다. 뒤이어 유연이 크림색 소파에 앉아 핸드백을 무릎 위에 올렸다.

"「왜 이곳까지 찾아오셨는지 압니다. 이 작가의 일로 오신 거죠?」"

로드너는 룸에 비치된 냉장고에서 손타지 않은 생수를 꺼내 두 사람의 앞에 내려놓았다. 경계하는 두 사람을 위한 배려였다.

"「맞습니다. 안부를 묻다가, 돌연 연락이 끊어졌어요. 혹시, 가필드 씨는 이태 씨와 연락이 되나요?」"

유연의 질문에 로드너가 안타깝다는 듯 고개를 젓는다.

"「죄송합니다. 실은 저도 갑자기 연락이 되지 않아서 난처한 상황입니다. 사실 오늘은 오프닝 행사라서 VIP 위주로 초대했거든요. 애프터 파티에는 이 작가가 참석해 줘야 하는데…….」"

"「그럼, 마지막으로 이태 씨를 보신 곳이 어디죠?」"

"「이곳입니다. 여기 갤러리. CCTV 화면을 보니, 바로 그 계단에서 쓰러지는 것까지 봤습니다. 그런데 화면에 오류가 생겼고, 이 작가가 사라졌습니다. 아, 그리고⋯⋯.」"

탄산음료를 꺼낸 로드너가 생각난 게 있는지, 그는 손가락을 빠르게 튕기며 금고로 향했다. 손가락을 부딪쳐 소릴 내는 습관을 가진 남자였다.

"「이 작가가 쓰러진 자리에 있던 겁니다.」"

보석, 혹은 시계를 올려두는 벨벳 트레이를 금고에서 꺼낸 로드너가 다가왔다. 그러곤 그것을 유연의 앞에 내려놓는다. 로드너가 가져온 물건을 본 치웅이 손을 뻗어 유연의 앞을 막았다.

-만지면 안 된다.

아주 오랜만에 머릿속으로 치웅의 목소리가 흘러들었다. 유연은 로드너의 얼굴을 지그시 응시했다. 벨벳 트레이에 올려진 건, 연주홍 색의 꽃 한 송이였다. 튤립처럼 꽃잎이 안으로 모인, 주홍색 꽃은 이곳으로 오기 전 망량의 술잔에서 보았던 바로 그것이었다.

염라의 꽃.

"「이 꽃이 이태 씨가 쓰러져 있던 자리에 놓여 있었다는 건가요?」"

"「네, 그래요. 그런데 신기하네요⋯⋯. 원래 꽃이란 줄기가 꺾이는 순간부터 시들기 시작하는데, 이 꽃은⋯⋯ 왜 이렇게 멀쩡하죠?」"

로드너의 눈동자에 진심 어린 의문이 가득했다. 어쩌면 로드너는 이태의 생사가 아닌, 자리에 남아 있던 이 꽃이 더 궁금했을지도 모른다. 역시, 평범한 사람은 아니었다.

-저건 진심이군.

치웅도 같은 생각인지 코웃음을 치며, 염라의 꽃으로 손을 뻗는다. 유연은 손도 대지 못하게 해놓고, 자연스럽게 꽃을 손등으로 덮는 치웅의 행동에 로드너의 눈빛이 흔들렸다.

"이건, 귀신 꽃이라고 부른다. 귀신 들린 꽃이라고도 하지. 혹시, 이 꽃을 만지고 나서 나쁜 꿈을 꾼다거나 하진 않았나? 아…… 아직 회수한 뒤, 밤을 맞지 않았군?"

"「무슨 말씀이신지. 통역해 주실 수 있으시겠습니까? 여왕.」"

"이상하네……. 귀신 꽃을 발견하는 건 쉬운 일이 아닌데. 굳이, 네 눈앞에 떨어져 있었다면 그것은 귀신 꽃의 주인이 네게 할 말이 있다는 뜻이다."

아랑곳없이 제 할 말만 한 치웅이 손을 떼자, 조금 전까지 생생했던 꽃송이가 시커멓게 죽어 가루로 변했다. 놀란 로드너가 입술을 벙긋거리며 어쩔 줄을 몰라 한다. 그에 치웅은 재킷 단추를 풀며 몸을 일으켰다.

"너, 한국어 배워서 다시 찾아와. 난 꼬부랑말로는 상대 안 한다. 가자, 주인아."

"어, 언니! 설명을…….."

"나가서."

치웅은 로드너에게 사정 설명하려는 유연의 입까지 틀어막은 채, 귀빈실에서 끌어냈다.

-염라의 꽃을 왜 아무나 만질 수 없는지 알아?

성큼성큼 갤러리를 가로지르던 치웅이 말했다.

'아무나 만지면 안 돼요?'

-저건 독초야. 그놈 손을 못 잡게 한 이유가 바로 저거였다. 손이 아주 노랬거든. 뭐, 네 눈에는 안 보였겠지만.

'나…… 악수했는데?'

-안 닿았어. 내가 봤어.

창백해진 유연을 데리고 밖으로 나온 치웅이 짜증스러운 표정으로 갤러리를 돌아본다. 무섭게 쏘아보며 이를 갈았다.

-주인아, 저놈. 뭐 찔리는 게 있는 것 같다. 여우의 물건을······ 훔친 것 같군.

쨍한 햇살과 바람, 까만 돌과 푸른 바다가 넘실대는 제주도. 그늘에 앉아 숭덩숭덩 자른 수박을 한입 깨문 청송이 장기 말을 든다.

장기판을 내려다보고 있던 이숙이 묘한 표정으로 고개를 들었다. 그러자 멍한 표정의 청송이 수박씨를 톡톡 뱉으며 입가를 훔쳤다.

"왜 그런 눈으로 보는 것이야."

"청송아, 건이의 연락이 신경 쓰이는 모양이구나."

이숙이 온화한 미소를 띤 채 물었다. 그러곤 조금 전 청송이 실수한 자리에 장기 말을 내려놓는다.

한 번의 실수로 완벽하게 이숙이 이겼다. 청송은 하얀 속살만 남은 수박 껍질을 내려놓으며 장기를 흩트렸다.

"무효다. 이번 판은 수박이 너무 달아서 망친 것이야."

"허허, 그렇다고 한들 우리 약속하지 않았느냐. 내가 네게 열 번을 이기면, 경복궁으로 돌아가기로."

"뭐야······. 숙이, 날 쫓아내는 것이야? 내가 불청객이었어?"

"어허. 어찌 너를 불청객이라 여기겠느냐. 오히려 과도하게 행복했다. 내, 어린 건이를 키우던 때 생각도 나고······. 쑥쑥 자라 주는 걸 보니, 어찌나 뿌듯하던지. 청송아, 너는 우리에게 또 다른 기쁨이란다."

처음 이숙은 청송을 어려워했다. 전설로만 내려오는 수호부들 아니던가? 모든 것이 조심스러웠고, 예를 갖추었다. 하지만 청송과 지내며 많은 것이 변했다. 이젠 정말로 늦둥이 아들을 본 것처럼, 청송이 어여뻤다.

"그러니 이제 돌아가려무나. 건이가 애끓는 건 둘째치고, 네 표정이 다 말해 주고 있잖느냐. 돌아가고 싶다고."

이숙은 청송의 머릴 쓰다듬었다. 아이를 대하는 듯한 다정한 손길에 청송의 입술이 삐죽인다. 청송은 조금 전 이숙이 쓰다듬은 머리카락을 헤집었다. 길고 단정한 손가락 마디마디에 뼈마디가 도드라진다. 반듯한 이마와 곧은 눈썹 아래 자리 잡은 이목구비가 확실히 예전과는 달랐다.

머쓱한 표정의 청송이 한숨을 내쉬며 평상 위에 털썩 눕는다. 긴 다리가 평상 밖으로 빠져나와 바닥에 닿았다.

"내가 가고 싶을 때 갈 거다. 그러니 쫓아내지 마라. 야속하고 속상하니까. 게다가…… 난 아무도 반겨 주지 않을 거야."

"어허, 어찌 그런 소릴. 복이란 아이는 너에 비해 지나치게 작고 어린아이 아니더냐. 얼굴은 네 손바닥만 하고, 까치발을 들어 봤자 허리에도 닿지 않는. 그런 아이를 어여뻐하지 않을 이가 어디 있겠는가. 아이 하나를 키우기 위해 마을 전체가 나서야 한다고 하였다. 지금, 네 가족은 힘을 모아 아이를 키우는 것이야. 그뿐이란다."

이숙이 제일 크고 탐스러운 색을 띤 수박을 골라 청송에게 쥐여준다. 비스듬히 일어난 청송이 달콤하고 시원한 과육을 아삭 깨물었다. 그 모습을 보며 뿌듯하게 웃는 이숙을 보자, 비슷한 미소로 자신을 보던 누이가 생각났다. 그래, 사실 너무 보고 싶었다.

청송은 끈적끈적한 손을 몇 번 쥐었다가 폈다.

"……쪼글쪼글해지지 말고, 내가 가져온 산삼을 잘 달여서 챙겨 먹거라. 너도, 네 아내도. 내 다시 찾아왔을 때, 더 작아져 있으면 내 가만있지 않을 것이야."

다른 이들이 본다면 기함할 소리였지만, 숙은 껄껄 웃으며 그리하 겠다 고개를 끄덕였다.

청송은 수박을 말끔하게 해치운 뒤, 일어났다. 그러자 긴 그림자 가 늘어져 장기판 위에 드리운다. 망설이던 청송은 숨을 크게 들이 켠 뒤, 경복궁과 연결된 문을 만들었다.

파도가 부서지는 바다 위에 만들어진 문 너머, 정결하고 고요한 낙선재의 전경이 펼쳐진다.

"다녀오마."

걸음을 내딛는 청송의 뒤로 이숙이 큰절을 올린다. 이어, 문이 닫 히고 지켜보던 윤 씨가 다가와 산삼을 잘게 저며 꿀에 절여 만든 차 를 두 잔 가져왔다.

"정말 많이 컸죠?"

쌉싸름한 차향을 음미한 이숙이 껄껄 웃는다.

"그러게, 말이오. 덕분에 이렇게 귀한 삼을 다 먹어 보고."

"돈 주고도 못 구하는 거라니까, 남기지 말고 드세요. 건강하셔야 저 아이와 오래도록 장기를 두시죠."

"그래야지."

든 사람은 몰라도, 난 사람 자리는 티가 난다고 했던가. 숙은 청송 이 없는 맞은편을 보며 씁쓸하게 웃었다.

복이는 환의 품에 안겨 세상 구경을 하느라 정신이 하나도 없었다. 지금껏 보아 왔던 세상과는 너무도 달랐다. 사람들의 외양도 달랐고, 말이나 냄새까지 모든 것이 새로웠다.

동그란 눈을 반짝이며 연신 주위를 둘러보는 복이의 북슬북슬한 머리 위로 환의 손이 올라왔다.

"그리 신기한 것이냐?"

피식 웃으며 환이 묻자, 복이가 잔뜩 상기된 표정으로 고개를 끄덕였다.

─삐!

"녀석."

환은 다시 한번 복이의 머릴 쓰다듬어 준 뒤, 말없이 걷는 김귈을 불렀다.

"이 근처였던 것 같은데."

"맞다. 근처다."

"그런데…… 이상하지 않아?"

"무엇이 말이냐."

"소헌군 말이다. 아무리 화매에게 당했다고 한들, 그는 종친이다. 우리가 종친의 위치를 찾지도 못하고, 향도 맡지 못한다는 것이 아무리 생각해도 이상하단 말이지……."

"흠."

그건 귈도 동의하는 바었다. 항상 붙어 있지 않는 이상 사고를 막을 수는 없겠지만, 납치당한 종친의 흔적까지 찾지 못하는 건 이상한 일이었다. 수호부들이 들어갈 수 없는 곳. 봉인되어 있거나, 결계가 쳐져 있거나······ 홀리거나.

"그런데 망량은 어딜 간 것이냐."

"확인할 게 있다더라. 늦기 전에 돌아오겠지."

유난히 많은 사람이 몰려나오는 쇼핑몰 앞을 지날 때였다. 우르르 빠져나온 사람들 틈에서, 환에게 안겨있던 복이의 눈이 빨갛게 변했다.

-삐이······?

고개를 갸우뚱거리며 쏟아져 나온 사람들을 바라보던 복이가, 갑자기 환의 품에서 폴짝 뛰어내렸다.

"복아!"

놀란 환이 소리쳤다. 하지만 복이는 아무것도 들리지 않는지, 사람들 틈바구니로 쏜살같이 달려가 사라졌다.

두 남자는 멍한 표정으로 복이가 뛰어간 방향을 돌아보았다.

"복이가 사라진 게냐?"

어처구니없다는 듯 궐이 물었다. 그러자 역시나 기가 막힌 표정으로 환이 고갤 끄덕인다.

"갈비 냄새라도 맡은 것 같은데?"

"하, 갈비 냄새였다면 내가 제일 먼저 맡았겠지."

"그럼, 다른 냄새를 맡은 건가 보군."

두 남자는 동시에 서로를 바라보았다. 그러곤 짠 듯이 한숨을 푹 내쉰다. 복이가 어디에 있는지, 어디로 갔는지는 사실 걱정할 건 아니었다. 어디에 있든 알아낼 수 있었고, 복이는 평범한 짐승이 아니었으니 사고를 당할 일도 없었다.

"찾으러 가야 하나."

그런데도 궐은 물가에 아이를 내놓은 듯 불안해졌다.

"그래야 할 것 같은데."

환도 마찬가지였다. 두 사람의 등 뒤로, 유연의 향기가 가까워진다. 그녀를 향해 돌아선 순간, 입을 막은 채 치웅의 부축을 받는 유연이 보였다.

"주인아!"

'망량!'

분명 망량 냄새가 났다. 달콤하고 고소한, 약과 냄새였다. 그래서 망량을 잡으러 뛰었는데, 망량은 온데간데없었고 복이는 홀로 남겨졌다.

─삐이……?

귀를 축 늘어트린 복이가 천천히 뒷걸음질 치자, 꼬랑지 뒤로 단단한 건물 벽이 닿는다. 흠칫, 복이는 지나가는 사람들에게서 눈을 떼지 못했다.

이곳이 경복궁이었다면 주인의 냄새를 찾아 뛰면 되건만, 코가 막힌 것처럼 아무런 향기도 맡을 수 없었다. 킁킁, 두툼한 코를 씰룩이고 방울을 흔들어 보던 복이는 아무런 소리도 들리지 않는 것에 충격을 받았다.

'복아, 절대 사람들 많은 데서 변신하면 안 돼. 알았지?'

얼굴도 모르는 사람들이 우르르 움직여 복이의 앞을 스쳐 지나간다. 일부는 떠돌이 개로 알았는지 복이를 보며 안쓰러운 눈빛을 보내기도 했다. 복이의 가슴이 쿵쾅쿵쾅 뛰어 댄다.

–삐!

목이 터지라고 가족들을 부르던 복이는 인상을 쓰며 노려보는 노인과 눈이 마주쳤다. 녹색 눈동자에 하얀 머리카락. 주름진 얼굴과 구부정한 몸을 보자, 더럭 겁이 났다.

–삐이!

복이는 저도 모르게 뒤도 안 돌아보고 뛰기 시작했다. 냄새를 맡을 수는 없었지만, 달려온 길을 돌아가면 다시 만날 수 있을 것 같았다.

눈물이 그렁그렁 차오른다. 항상 자신을 예뻐라 하며 불러주고, 쓰다듬어주던 가족들의 손길이 너무나 필요했다.

'무서워! 무서워! 무서워!'

구슬 같은 눈물이 후드득 떨어지고, 뛰어다니는 복이를 보며 놀라 소리치는 사람들의 목소리가 고함처럼 울렸다.

누군가는 복이를 손가락으로 가리키며 어딘가로 전화를 걸었다. 복이는 물 냄새가 나는 방향으로 냅다 내달렸다. 도로에 뛰어든 복이로 인해 달려오던 차들이 요란한 경적을 울린다.

빠앙–!

귀가 뻥 뚫릴 정도로 큰 소리에 놀란 복이의 털이 바짝 곤두서고, 순간 거대한 힘이 해일처럼 솟아올랐다.

"야!"

그때였다. 누군가 복이의 목덜미를 확 잡더니 들어 올린다. 언제 그랬냐는 듯 넘실대던 힘이 연기처럼 흩어지더니, 이어 청량하고 시원한 힘이 머리 위로 쏟아졌다.

목덜미를 잡혀 대롱대롱 매달리게 된 복이는 자신을 구해준 사람을 멍하니 바라보았다.

"이게 어디서 함부로 힘을 쓰려고. 너 왜 혼자 있어."

－삐……?

"대체 누이와 형님들은 어디에 두고 혼자 있냐고."

콧물을 훌쩍이던 복이가 순간 펑, 하고 아이로 변했다. 그러곤 자신을 구해준 사람의 목덜미를 꽉 끌어안은 채 엉엉 울었다.

"쫑이 오빠!"

갑작스러운 폭발음에 놀란 사람들의 시선이 쏠린다. 청송은 난처한 표정으로 복이의 뒷머릴 눌러 얼굴을 가린 뒤 길을 따라 성큼성큼 걷기 시작했다.

"하, 진짜 쪼그만 게…… 사람 곤란하게."

펑펑 울다 말고, 복이가 배시시 웃었다. 그러곤 몰라보게 바뀌어버린 청송의 뺨을 콕 찔렀다.

"쫑이 오빠 반짝반짝."

"뭐?"

"예뻐."

그러자 인상을 쓴 청송이 시큰둥한 말투로 대꾸했다.

"사내에겐 예쁘다고 하는 거 아니야. 그리고 어린애는 이렇게 혼자 돌아다니면 안 돼."

"응."

"근데 이상하네……. 아까 너 누구랑 있던 거야?"

"머얼라."

"몰라?"

"혼자 있었또."

"아닌데……. 분명 냄새가 났는데. 약간, 비 맞은 짐승의 노린내. 아, 여우 냄새."

혼잣말을 중얼거린 청송은 멀리, 안절부절못하며 서 있는 궐과 환을 발견했다. 그리고 그 곁에는 이건에게 꼭 안겨 있는 누이와 아이스크림을 할짝대는 치웅. 누군가와 통화하는 우혁이 있었다.

"찾았다!"

청송이 소리치자, 두리번거리던 김궐이 새빨개진 눈을 하곤 뛰어왔다.

"복이, 너! 어딜 뒤도 안 돌아보고 간 거야!"

타박부터 했지만, 궐이 세상 다정한 손길로 복이를 안아 든다. 복이는 할 줄 아는 단어들을 조합해 손짓, 발짓을 동원하며 겪은 일을 설명했다.

뒤늦게 청송을 발견한 유연이 놀란 표정으로 입을 떡 벌린다. 그러자 피식 웃은 건이 그녀의 허릴 감싸며 속삭였다.

"열일곱 정도 되어 보이지? 아버지와 어머니가 저렇게 키워 놓으셨어. 신기하지 않아?"

유연은 그저 열심히 고개를 끄덕였다. 잠깐 입덧 증상이 돌아와 놀라기도 잠시, 울렁증을 느낀 이유는 청송이 문을 여느라 힘을 끌어 썼기 때문이었다.

평소엔 복이가 있으니, 당연히 복이의 힘이 빠져나간다. 복이는 그런 존재였다. 그런데 유연의 힘이 빠져나갔다는 것은 복이에게 문제가 생겼다는 뜻. 게다가 수호부들은 복이의 냄새를 맡지 못했다. 그에 청송은 문이 열리자마자, 거리로 뛰어나가 복이를 찾아냈다.

"나, 저기서 여우 냄새 맡았어요. 누님."

멋쩍은 듯 머릴 긁적인 청송이 이제야 생각났다는 듯 치웅에게 말했다. 그러자 막, 우혁이 사 온 두 번째 아이스크림을 받아 든 치웅이 실소한다.

"여우비가 내리려나 보구나. 하, 요망한."

"여우비라니?"

건이 심각한 표정으로 물었다. 그러자 이번엔 우혁이 건네준 물티슈로 손을 닦은 치웅이 대꾸했다.

"나중에 설명하마. 근데 경복궁을 이렇게 비워도 되는 거야?"

"아아, 괜찮아. 연차 냈거든."

"왕이 그런 것도 있어?"

"있어."

건은 천천히 주위를 둘러보며 유연의 허릴 더욱 단단히 끌어안았다. 건의 시선이 닿은 끝에 보이는 건, 대영 박물관의 이정표였다.

"이제 망량 빼고 다 모였군."

"망량은 분명 먼저 가 있을 거다. 수호부인 우릴 홀릴 수 있는 건, 뭐 결국 여우밖에 없으니까."

"그 여우가 소헌군을 데려갔단 거지?"

"아마도."

"확실히 해."

"여우 냄새가 진동하는 걸 보면, 그렇다. 이유는 들어봐야 겠지만."

건은 모자를 더욱 깊게 눌러썼다. 세계적인 관광지답게 다양하고 많은 사람이 오가는 길목, 아이스크림 두 개를 몽땅 해치운 치웅이 손을 털며 우혁의 팔짱을 끼워 잡는다.

"자, 그럼 이제…… 여우 몰이를 하러 가볼까?"

긴 연죽 끝에서 하얀 연기가 피어오른다. 결 좋은 검푸른 머리카락이 허리께에 흔들리고, 대영 박물관을 응시하는 푸른 눈동자엔 예리한 빛이 어렸다.

물부리를 입에 문 망량의 입술 새로 파르스름한 연기가 새어 나온다. 망량은 가까이에 놓인 쓰레기통에 재를 털었다. 그러곤 빈 연죽으로 어깨를 툭툭 두드리며 걸음을 내디뎠다.

로마의 신전처럼 생긴 건물 앞, 잔디를 가로질러 입구에 다다른 그의 몸이 훅 사라진다. 눈 깜빡할 사이, 망량은 5m 앞에서 다시 모습을 드러냈다. 망량은 목적지가 정해진 사람처럼 느긋하면서도 거침없이 걸음을 내디뎠다.

"노린내가 진동하는군."

유럽과 이집트. 도무지 그의 관심을 끌지 못하는 소장품들을 지나, 망량이 향한 곳은 따로 관리되는 한국관이었다.

망량이 한국관에 들어서자, 곳곳에서 문화재들의 외침이 들려온다. 정확히는 그 안에 염원이 되어 살고 있는 수호부들의 외침이었다. 하지만 망량은 그들의 외침을 뒤로하고, 10첩 병풍 앞에 섰다. 사슴이 뛰어놀고, 하늘엔 붉은 달이 뜬. 소나무와 산세의 절경을 수놓은 지극히 한국적인 작품이었다.

팔짱을 낀 채 병풍 전체를 눈에 담았던 그가, 한 걸음 앞으로 나아간다. 그러곤 상체를 숙여 그림 속 어느 한 점을 빤히 응시했다. 거대한 소나무 뒤, 여우의 꼬리가 보인다. 살랑살랑 흔들리더니, 슬그

머니 고개를 내밀었다가 망량을 발견하곤 후다닥 사라졌다. 그리
고 그 뒤로 보이는 누군가의 두 다리. 절대로 그림 속에서 보여선 안
될, 운동화를 신은 채 누워 있는 남자의 다리였다.

"호래야, 너인 거 다 안다. 이제 나와라."

망량의 눈이 순간 하얗게 빛나고, 주위의 시간이 느리게 흘렀다.
망량의 주위로 검은 구름이 피어났지만, 누구도 눈치채지 못했다.

망량이 눈가를 찌푸리자, 흑표범 두 마리가 어느새 그림으로 들어
가 여우를 찾아 내달린다. 망량은 느긋하게 한 걸음 물러나 흑표범
에게 쫓기는 여우를 보며 피식 웃었다.

망량을 찾아 대영 박물관을 찾은 건과 유연은, 흑표범의 입에 물
려 깽깽대며 울고 있는 여우 한 마리를 발견했다.

연죽으로 습관처럼 어깨를 툭툭 두드린 망량이 고개를 튼다. 우르
르 몰려온 수호부들을 보며 인상을 찌푸렸다.

"왜 이리 늦었느냐? 이제 일없다. 끝났어."

"어떻게 된 거야. 저 여우는 뭐고, 이태는."

건이 다가가자, 망량이 매끄러운 턱을 문지르더니 그림 속 소나무
한그루를 가리킨다. 자수를 놓아 만든 병풍이었기 때문에, 마치 틀
린 그림 찾기를 하듯 이질적인 형태가 눈에 띄었다.

그건 정신을 잃은 남자의 두 다리와 운동화였다. 나무 아래 잠이
든 사람처럼 양손을 가슴에 올린 이태가 보인다. 이태를 발견한 건
이 주위를 한번 살핀 뒤, 사납게 뇌까렸다.

"하⋯⋯ 저기 보이는 게 이태라고? 왜 이 안에 있는 것이냐?"

"왜긴 왜야. 저 여우 때문이지. 청송이 왔느냐."

망량이 묻자 제일 뒤쪽에서 복이의 손을 잡고 걸어오던 청송이 까치발을 든다. 그러지 않아도 청송의 키는 성인 남성 평균을 한참 넘어선 지 오래였다.

"여기. 그런데 형님, 복이 좀 데려가시죠? 손에 땀 납니다."

"죵이 오빠 좋다!"

청송은 고개를 절레절레 저었고, 복이는 더 힘주어 청송의 바짓가랑이에 매달렸다.

"그래, 너 없는 동안 복이가 얼마나 찾았는지 아느냐? 너도 육아해 봐라."

궐의 너스레에 발끈한 청송이 복이를 질질 끌다시피 해 망량에게 다가왔다. 망량은 쯧쯧 혀를 차며 흑표범의 아가리에 매달려 축 늘어진 여우를 가리켰다.

"이거 데리고 가야겠다. 문을 열자마자 결계를 칠 수 있겠느냐?"

"어려울 건 없지. 쳇, 보고 싶다더니 오자마자 일만 시키는구나."

"이놈아, 너만 한 놈이 없는데 그럼 누굴 시키랴. 저 힘만 센 고양이들에게 맡기랴? 쯧⋯⋯ 복이 이리 온."

망량이 자세를 낮추며 양팔을 벌리자, 청송에게 매달려 있던 복이가 쪼르르 뛰어가 품에 안겼다. 그제야 청송이 쪼르르 유연에게 다가가 팔짱을 낀다. 몸은 컸지만, 아직 어린애였다.

"누이, 복이가 있으니 이제 어지럽지 않을 겁니다."

"나는 괜찮아, 청송아."

"사람이 많으니 병풍 뒤에 만들게요."

유연의 팔을 꼭 움켜쥔 청송의 눈동자가 일순 푸르게 변했다. 청매의 산뜻하고 청량한, 솔잎의 개운한 향이 사위를 휘감는다. 그리웠던 향기였다.

"어!"

망량의 품에 안겨 문을 넘은 복이가 호래를 가리키며 소리친다. 그러자 오랏줄에 묶인 호래가 흠칫하며 어깨를 떤다. 붉은 도포에 갓 없이 상투를 틀어 올린 호래는 노란 여우 가면으로 얼굴을 가린 상태였다.

이태를 침실에 눕힌 흑표범이 어슬렁거리며 방문을 통과한다. 망량은 녀석의 머릴 몇 번 쓰다듬은 뒤, 부채를 폈다. 그러자 연기가 된 망량의 화매들이 순식간에 사라진다.

"꼬리가 하나 사라졌군."

망량이 무릎 꿇은 호래의 주위를 천천히 맴돈다. 망량의 시선을 피하던 호래가 소파에 앉는 유연과 건을 흘깃거리며 말했다.

"나를…… 멸할 것이냐?"

호래의 목소리가 바들바들 떨린다. 다만, 의외였던 건 사내처럼 도포를 걸친 호래의 목소리가 지나치게 미성이란 점이었다.

"변명과 사유를 들어 보고 결정하지."

건의 대답에 호래의 몸이 가볍게 들썩였다. 망량은 호래의 앞에 가부좌를 튼 채 앉았다. 팔을 괸 그가 표정을 알 수 없는 가면을 응시하며 물었다.

"꼬리 하나는 어찌하였느냐. 설마, 남 주었느냐?"

"그럴 리가! 절대로 그런 일은 없어!"

"그럼 무어냐. 어째서 종친에게 해코지하였으며, 꼬리는 어디에 팔아먹었고, 염라의 꽃으로 날 불러들인 건지 말해 보거라."

가면을 쓰고 있었지만, 유연의 눈엔 어쩐지 호래가 무척이나 억울해하는 표정이란 느낌이 들었다.

오랏줄에 묶여 고개를 푹 숙인 호래의 가면 안쪽이 축축하게 젖는다. 호래는 울고 있었다. 안쓰러운 마음이 들었지만, 상대는 화매를 부리는 사람? 아니…… 요괴도 이매도 화매도 아닌, 그렇다고 수호부처럼 제힘을 끌어다 쓰지 않는 미상의 존재다.

아직은.

"뺏겼어. 하필 새로 빚은 술이 너무 달았어. 술맛이 좋아 홀짝홀짝 마시다 보니, 정신을 잃었는데…… 인간 하나가 내 구슬을 훔쳐 갔다."

"인간이?"

호래를 보는 망량의 입꼬리가 들썩인다. 화를 내는 건지, 웃음을 참는 건지 알 수 없었다.

"웃지 마라! 나도 안다, 한심해 보이는 거."

"안 웃으니 계속해."

"……그놈이 구슬 쓰는 법을 알더군. 어떻게 알게 되었는지는 모르나, 내 생각에…… 그놈이 네놈의 잃어버린 일기를 가진 것 같다. 거기서 보았겠지. 흥, 내 구슬에 대해 아는 놈은 너 외엔 없으니."

울먹이며 이어지는 호래의 말에 다들 멍하니 망량에게로 고개를 돌렸다.

"그만 좀 울어라."

수호부들의 시선을 한 몸에 받게 된 망량이 일어나더니 연죽으로 호래의 가면을 툭 쳤다. 턱과 뾰족한 코가 들리고, 가면이 서서히 머리 뒤로 넘어간다. 갸름한 턱과 불그스름한 입술, 버선처럼 호선을 그린 콧날이 차례차례 드러났다.

"놈이 구슬로 내 화매를 흡수했다. 그리고 저 인간의 화매도 흡수하려 했어. 화매를 빼앗기면 그걸로 끝이야. 그래서 내가 차라리 찢어 버렸다. 다친 화매는 회복하면 되니까…… 저 인간도 회복할 동안 해코지라도 당할까 봐 숨겨 놓은 것이고."

완전히 가면이 벗겨진 호래의 얼굴을 본 유연은 기가 막혀, 손으로 입을 막았다. 절세 미녀가 있다면 저런 느낌이겠지. 치웅이 멋지다는 이미지를 가진 여인이었다면, 호래는 정말로 아름답다는 수식어가 어울리는 여인이었다.

얼굴을 드러낸 호래의 뺨이 삽시간에 붉어진다. 오랏줄 때문에 손으로 얼굴을 가릴 수 없어서인지, 무릎을 모은 채 고개를 푹 숙였다.

"쯧, 호래는 기녀였다. 어찌나 얼굴이 어여뻤는지, 조선 사대부 집안이 발칵 뒤집혔지. 글공부를 해야 할 놈들이 허구한 날 기루만 드나드니 곱게 보일 리가 있나. 하여, 아주 독하게 죽었다. 그 혼을 망량이 화매로 만들었어. 다만, 말을 좀 안 들어서 염라의 영루를 사용했다. 그것이 쪼개지고 쪼개져서, 호래의 꼬리가 되고 여우로 만든 것이야. 다시 육신과 혼을 얻었지."

당시, 하나뿐인 염라의 영루가 사라지는 바람에, 김궐이 멍청한 짓을 했었다며 치웅이 속삭였다.

"게다가 망량이, 그 기루의 최고 단골이었거든. 호래가 말이다, 술

빚는 솜씨가 아주 예술이었어. 뭐, 둘이 그렇고 그런 사이란 소문이 돌기도 했었고."

치웅은 들으라는 듯 짓궂게 말하며 망량의 어깨를 짚었다. 그러자 인상을 찌푸린 망량이 치웅의 손을 연죽으로 쳐낸다.

"헛소리하지 마라. 쑥과 마늘만 먹더니 기억력이 어떻게 되었나 보군."

"너야말로!"

"흥."

치웅과 망량이 티격태격하며 언성을 높일 무렵, 이태를 뉘었던 방문이 열린다. 그곳엔 제법 안색이 좋아진 이태가 멋쩍게 웃으며 복이를 업고 서 있었다.

"호래 님의 말씀이 모두 사실입니다. 제게 약도 주셨고요. 좀, 쓰고 떫긴 했지만…… 어쨌든 괴팍한 방법이었으나, 저를 구해 주신 건 맞습니다."

"이태 씨, 괜찮으신 거예요?"

유연이 벌떡 일어나 이태에게 다가갔다. 이태의 목을 꼭 끌어안은 복이가 무릎 꿇은 호래를 이글이글 타는 눈으로 노려보았다. 해치와 여우의 사이가 좋지 않은 모양이었다.

망량이 부채로 호래를 묶은 오랏줄을 툭 건드리자, 뚝 끊어진 붉은 매듭이 바닥으로 떨어진다. 자유로워진 호래는 아픈 팔을 주무르며, 여전히 겁먹은 얼굴로 주위를 훑었다.

"그래서, 그 인간이 누구냐."

망량이 묻자, 복이를 챙기는 유연을 빤히 보던 호래가 입술을 삐죽거린다.

"곰은 알지 않느냐? 내가 놈의 손에 꽃물을 들여 놨으니, 바로 눈치챘을 거라고 생각했는데…… 내 생각보다 곰은 더 눈치가 없는 모양이다."

샤워를 마친 건이 욕실을 나섰을 땐, 제법 어두워진 시각이었다. 런던 시내가 내려다보이는 창가에 앉아 있던 유연이 손짓한다.

젖은 수건을 내려놓은 건은 그녀에게 다가가 조심스레 뒤에서 끌어안았다. 조금 전 함께 사용한 클렌저 향이 서로의 피부에 배어 있다.

"어떻게 된 거예요? 아깐 정신이 없어서 물어보지 못했는데, 청송이가 직접 왔어요?"

앞으로 교차해 안은 건의 팔에 입 맞춘 그녀가 가슴팍에 뒷머릴 기댄다. 건은 유연의 뺨에 잘게 입 맞췄다.

"응. 무리해서라도 이곳에 오려고 일정 조율을 하고 있었는데, 갑자기 내전에 나타났어. 제법 많이 컸지?"

"네, 깜짝 놀랐어요. 너무 많이 커서……. 그런데 무리하신 거 아니에요? 한국 돌아가면 할 일이 많을까 봐 걱정돼요."

"괜찮아. 입덧 휴가를 만들든지 해야지. 내 아내가 힘들 때 옆에 있어 줄 사람은 남편밖에 없지 않나? 도와줘야지. 무섭고 힘들 텐데, 안아 줘야 하지 않겠어?"

"뭐야, 그게."

퉁명스럽게 대꾸하는 유연의 귀 끝이 붉다. 건은 그녀의 귓불과 뺨, 가운 깃 사이로 드러난 목덜미에 차례로 입 맞췄다.

"유연아."

보들보들한 가운이 매끄러운 팔을 타고 흘러내린다. 우묵하게 팬 빗장뼈에 빛 우물이 고이고, 어루만지는 손길엔 애정이 듬뿍 묻어났다.

"먹고 싶은 거 없어? 나도, 새벽에 아내가 먹고 싶어 하는 거 찾으러 배회해 보고 싶은데."

"음…… 사실 입덧이 가라앉으니까 조금씩 식욕이 돌긴 해요. 아, 약 먹어야 하는데."

"뭐가 제일 생각나?"

그녀의 어깨를 오물거리다가 이로 잘근 깨문 그가 일어났다. 그러곤 응접실로 나가 생수 한 병과 그녀의 핸드백을 찾아서 돌아왔다.

생수병의 뚜껑을 연 그가 물을 한 모금 삼킨다. 그러곤 알약 두 개를 유연의 입에 넣어준 뒤, 키스했다. 왈칵 물이 넘어가고, 또다시 한 모금. 쓰고 떫다. 약이 녹아 혀끝에 감겼지만, 생수 한 병을 몽땅 먹어 치울 때까지 둘은 계속해 입 맞췄다.

"응? 말해 봐."

젖은 입술을 훔친 그녀가 나른하게 웃는 건의 어깨를 짚는다. 유연의 허릴 잡아 번쩍 안아 든 그가 침대로 자리를 옮겨 가운의 매듭을 풀며 속삭였다.

"다 줄게. 뭐가 제일 먹고 싶어, 여보?"

다음 날 아침, 호텔 근처 레스토랑에 식사하기 위해 다들 모였다. 달걀 프라이와 식빵. 소금 간을 해서 구워 낸 채소와 정체를 알 수 없는 수프 같은 것들이 하나둘 식탁에 올려졌다.

새파란 파라솔이 설치된 테라스에 모여 앉은 수호부들의 표정이 썩 좋지 않았다. 이유는 음식 때문이었다. 정확히는 고작 이틀 만에 버터 맛에 질려 버린 탓이다. 마치 입덧이라도 하는 사람처럼, 화이트소스가 올려진 에그 베네딕트를 들여다보는 김궐의 낯빛이 유난히 창백했다.

"입맛이 없다. 안 먹어도 될 것 같군."

김궐의 단식 선언에 다들 기함했지만, 사정은 크게 다르지 않았다. 그나마 청송과 환은 문화재의 몸으로 세계 곳곳을 돌아다닌 덕분에 버터가 든 음식에 익숙했다.

"형님, 주스라도 드셔 보세요. 맛있습니다."

느끼하지도 않은지 메인 요리 한 접시를 말끔하게 비운 청송이 오렌지 주스를 김궐 앞에 내민다. 하지만 궐은 이조차도 마음에 들지 않았다.

"밍밍하다. 뭐 이렇게 물을 많이 탄 거야."

"이 정도면 훌륭한 거야. 모든 음식이 한식 같진 않지. 그러니 먹어라. 굶어 죽지 말고."

환의 타박에 삐딱하게 기대앉은 궐이 머리에 얹어 놓았던 선글라스를 내려 쓴다. 그러곤 즐거워 보이는 유연과 치웅을 번갈아 보며 말했다.

"주인아, 이만 경복궁으로 돌아가고 싶구나. 그러니 내, 지금 미술관 주인이란 놈을 찾아가 결판을 지으랴?"

그에, 실소한 건이 긴 다리를 꼬며 레모네이드를 한 모금 삼켰다.

"웃기지 마. 청송이 결계 치기 전까지는 안 돼."

"그래. 나도 귀멸자의 말에 동의한다. 자칫했다가 여우 구슬이 깨지기라도 하면, 호래는 영영 화매를 돌려받지 못할 것이다."

환이 건의 말에 힘을 보탰다. 그러자 정장 대신, 다시 도포를 걸친 망량이 부채를 꺼내 살살 흔들며 혀를 찼다.

"멍청한 고양이 같으니라고. 그놈이 가진 것이 무엇인지 잊었느냐? 놈은 여우 구슬에 홀린 것이다. 만약 놈이 눈이라도 회까닥 돌아서 구슬을 삼키기라도 해 봐라. 나는 더 이상 인간이 이매가 되는 꼴을 보고 싶지 않다."

망량은 부채질을 하며 한자리에 모인 이들을 천천히 훑었다. 어쩌다 보니 다 함께 움직이긴 했다만, 일을 요란하게 벌여 좋은 것은 없었다. 게다가 망량 역시 슬슬, 경복궁으로 돌아가고 싶어졌다. 염라의 술이 얼마나 익었는지도 확인해야 했고, 어찌나 입이 깔깔하고 느끼한지 시원한 동치미 한 사발을 들이켜고 싶을 지경이었다.

이럴 때 호래가 빚은 술 한잔이면, 근심 걱정을 모두 잊을 수 있을 텐데. 입맛을 다신 망량은 대각선에 앉아 깨작거리는 호래를 불렀다.

"숨겨둔 술 없냐. 내, 구슬을 찾아줄 테니 오랜만에 네가 빚은 술 한잔하자."

"저, 정말이냐? 딱, 먹기 좋게 익은 술이 있긴 한데……."

꿔다 놓은 보릿자루처럼 앉아 말끝을 흐린 호래가 두 눈을 깜빡거린다. 술 이야기에 다들 눈빛이 변했다. 아는 맛이 무섭다고 했던가.

술을 딱히 좋아하지 않는 치웅마저도 '오호' 하며 흥미를 보였다.

"사실, 술맛만 본다면 망량은 호래에게 안되지."

"그 정도예요?"

유연이 되묻자, 건이 그녀의 귀를 양손으로 막으며 고개를 젓는다.

“나도, 중전도 금주야. 금주.”

“에이, 알아요. 그냥 궁금해서요.”

반만 익힌 달걀을 포크로 뚝 자르자, 진득한 노른자가 접시 위에 주룩 흐른다.

“그럼, 내 구슬을 찾아준다면 내가 술 항아리를 내어 주마. 내 비기가 담긴 책도 내어 줄게. 그러니⋯⋯ 술은, 내 구슬을 찾은 뒤에 맛보는 것이 어떠냐.”

용기를 낸 호래의 목소리가 달달 떨렸다. 사람들의 눈에 이들은 사람의 모습을 하고 있었지만, 호래의 눈에는 달랐다. 검고 하얀 호랑이와 거대한 청매. 무서운 해치와 흑곰까지. 정말이지 할 수만 있다면 굴로 돌아가 숨고 싶었다.

덜덜 떨리는 호래의 손을 빤히 보던 망량이 매끄러운 턱을 문지르더니, 자리에서 일어났다.

“그러지. 그럼 어쩔 수 없구나. 검은 호랑이의 방식에 따라야지. 식사는 이쯤하고, 도둑놈 잡으러 가자. 이왕이면 조용히.”

갤러리의 문이 열리고, 검은 정장 바지에 크림색 드레스 셔츠를 걸친 이태가 걸어 들어간다.

이태를 알아본 갤러리 직원들이 다급히 어딘가로 연락을 넣는 동안, 그는 자연스럽게 내부를 둘러보았다.

얼굴엔 미소를 듬뿍 머금고, 걸음은 느긋하게. 망량이 요구한 대로 따르고 있긴 하지만, 실은 속이 울렁거리고 등줄기론 식은땀이 흘렸다.

'놈은 여우 구슬에 홀려 있을 거야. 그러니 화매의 냄새를 맡으면 환장을 하겠지. 놈이 구슬을 어디에 숨겼는지 알아내야 한다. 할 수 있겠느냐?'

당연히 할 수 있다고 했다. 로드너 가필드는 귀족 작위를 가진 자였다. 게다가 유난한 수집가이기도 했고, 로드너의 비밀창고라는 책까지 집필한 작가였다.

로드너는 종종 수집품들에 대해 떠들었고, 귀하고 소중한 것일수록 가장 눈에 잘 띄는 곳에 둔다고 하였다. 망량의 말대로 로드너가 여우 구슬에 홀려 있는 상태라면, 아마도 가장 잘 보이는 손 닿는 곳에 두었겠지.

그게 맞다.

"「이 작가!」"

〈동궁전의 봄〉이라는 주제의 작품 앞에 서 있던 이태의 뒤로 로드너의 기쁜 음성이 들렸다.

이태는 이가 갈리는 걸 꾹 참으며 돌아섰다. 그러자 막, 갤러리 안으로 들어온 로드너가 양팔을 벌려 다가와 이태를 와락 끌어안았다.

"「무사해서 다행입니다. 연락이 닿질 않아서 얼마나 걱정했는지 아십니까?」"

"「미안합니다. 가벼운 사고를 당해서, 이동할 수 없었어요. 전시, 멋지네요. 가필드 씨.」"

"「덕분입니다. 그런데 사고라뇨. 몸은 괜찮은 겁니까? 경찰에 신고는 했고요? 어떻게 된 일이죠?」"

속사포처럼 쏟아진 질문에, 이태가 어색하게 웃으며 로드너를 진정시켰다. 그제야 주위의 시선이 쏠려 있다는 걸 눈치챈 로드너가 시원한 웃음을 터트리며 이태의 어깨를 짚는다.

"「그러지 말고, 당신의 부재로 취소했던 파티를 열죠. 한국에서 온 이 작가의 가족들과 친구들도 모두 초대해요. 셰프에게 한식 요리를 부탁할 테니, 찾아와 주었으면 좋겠습니다.」"

"「혹시…… 제 형님을 만나셨습니까?」"

"「형님이라고요? 형님이라면…… 혹시, 이건?」"

됐다. 로드너의 눈빛이 기대감에 반짝이는 걸 본 이태는 속으로 쾌재를 질렀다. 이태의 긴 눈매가 부드럽게 휜다.

"「예, 저희 형님께서도 이곳에 계십니다. 하지만 쉽게 움직이시는 분이 아니셔서……. 죄송합니다. 초대엔 응할 수 없을 것 같습니다. 형님은 타국에 흩어진 문화재를 확인하기 위해 오셨거든요.」"

"「문화재라면…… 한국의 것입니까?」"

"「글쎄요. 동양의 것이라면 무엇이든지요. 자다가도 벌떡 일어나실 만큼 좋아하시죠.」"

"「그럼 걱정 없어요. 영국에서 나보다 많은 문화재를 가진 곳은, 대영 박물관 외엔 없거든요. 나의 저택으로 초대하겠습니다. 부디, 수락해 주세요.」"

이태는 기뻐하며 그러겠다고 답했다.

"「그럼 형님을 설득해 찾아뵙겠습니다. 기대되네요. 가필드 가문의 저택이라니.」"

"「저야말로 영광이에요. 이런, 나는 행운을 얻은 사나이가 맞나 봅니다.」"

노린내가 난다. 이태는 점점 지독하게 풍기는 짐승의 썩은 내에 한 걸음 물러섰다. 주인이 아닌 자의 손에서 썩어가는 화매의 냄새였다.

말아 쥔 주먹 안에 식은땀이 고인다. 화를 누르는 입술이 파랗게 질려 갔다. 이만, 이태는 커피라도 한잔하자는 로드너의 제안을 거절하고 밖으로 나갔다.

"하아."

참았던 숨을 몰아쉬는 이태의 곁으로 누군가 다가왔다. 검정 반소매 셔츠에 베이지색 면바지를 입고, 선글라스를 낀 건이었다. 복이를 안은 건이 피식 웃으며 이태의 어깨를 툭툭 두드린다.

"잘 참았어."

"여긴 어떻게……."

놀라 묻자, 고개를 내저은 건이 멀리 호텔 방향을 돌아보며 복이를 목말 태웠다.

"네 걱정에 안절부절못하는 사람이 있거든. 너 만나면 셀카 한 장찍어서 보내라더라. 자, 찍도록 하지."

불시에 휴대 전화를 꺼내든 건이 얼떨떨한 표정의 이태와 사진을 찍었다. 그러곤 〈사랑하는 중전마마〉라고 저장된 유연에게 메시지를 보냈다.

"됐다."

"복아, 형님 어깨에서 내려와야지. 나한테 업힐래?"

"응."

여전히 어안이 벙벙한 이태가 복이에게 손을 뻗자, 기다렸다는 듯건의 어깨에서 내려온 복이가 이태의 등에 업힌다.

낮잠 잘 시간이 되었는지, 업히자마자 꾸벅꾸벅 졸기 시작했다. 복이를 업은 채 나란히 걷는 두 남자가 신기한지, 흘끔대며 돌아보는 사람들이 늘어났다.

"형님…… 고맙습니다. 저 때문에 이 먼 곳까지."

"더 멀리 있어도 찾아갔을 거야. 그러니 몸 좀 사려. 너는 종친이
잖아. 노리는 놈들이 한두 명이겠어?"

"이번엔 제가 너무 방심한 나머지……. 어쨌든 정신 똑바로 차리
겠습니다."

다짐하듯 말한 이태가 환하게 웃는다. 그에 건이 대견하다는 듯
태의 머릴 쓰다듬었다.

"아, 그리고 로드너가 한식을 준비한다네요. 망량 님께서 원하시
는 대로 되었어요. 한식이 그렇게 드시고 싶으셨나 봐요."

"그 속을 누가 알아. 사실 그냥 쳐들어가는 게 성격에 맞긴 한데……
신중한 걸 보니, 호래의 구슬을 무사히 찾아 주고 싶은가 보더군."

"아."

이해할 수 없었지만, 어쩐지 알 것 같은 기분이었다. 이태는 고개
를 열심히 끄덕이며, 흘러내리는 복이를 '영차' 하며 고쳐 업었다.

"크군."

복이를 목말 태운 퀼이 못마땅한 듯 말했다.

퀼이 크다고 한 것은, 로드너의 저택이었다. 작은 성이나 마찬가
지인 저택은 마치, 황금처럼 빛났다. 어찌나 밝고 화려한지, 복이는
눈이 부시다며 양손으로 눈을 가렸고, 환은 선글라스를 꼈다.

쉴 틈 없이 도착하는 고급 승용차에서 내린 사람들이 안내를 받아

실내로 들어간다.

"주인아, 우리도 들어가자."

뒤늦게 차에서 내린 유연에게 치웅이 말했다. 건의 팔짱을 끼워 잡은 채 내부를 노려보는 유연의 눈빛이 가라앉는다.

"화매 소굴이네요."

"그럴 줄 알았지."

"우린, 평범하게 파티를 즐기면 될까요? 정말로 영감님 혼자 움직이신댔어요?"

유연의 걱정스러운 눈빛에, 황금색이 되려는 눈을 지그시 감았다가 뜬 건이 상체를 숙여 그녀의 콧날에 입을 맞췄다.

"영감님이긴 하지만, 망량은 주신이야. 조금도 걱정할 필요 없어. 그러니까 기미는 김궐이 할 테니, 제대로 즐겨보자고."

복이가 양손으로 귀를 막는다. 요란하게 터져 나온 음악 소리에 놀란 모양이었다.

유연은 다정하게 복이를 안아 양손으로 귀를 감싸 주었다. 서화에서 일하며 세계 곳곳을 다녔던 그녀에겐 익숙한 파티장의 모습이었지만, 한국식 연회에 익숙한 수호부들에겐 별천지나 마찬가지였다.

"앉을 자리 하나 없이, 다들 잘도 서 있구나."

"촌스러운 검은 고양이 같으니."

"어이, 색 바랜 고양이가 할 말은 아니지 않나?"

궐이 퉁명스럽게 불평하며 가슴 앞으로 팔짱을 낀다. 화매 때문인지, 주위를 훑는 수호부들의 눈동자 색이 조금씩 변하고 있었다.

"외국은 스탠딩 문화가 발달해서 그래. 그런데…… 너희는 괜찮아? 나는 좀 힘든 것 같아."

간신히 대꾸한 유연은 손수건을 꺼내 가볍게 입가를 가렸다. 화매의 고약한 냄새가 그녀를 괴롭혔다. 화매들은 사실, 수호부들이 저택에 발 들이는 순간 기척을 감추며 그림 안으로 도망쳤다. 하지만 화매들이 몸을 숨겼다고 한들, 냄새와 기척까지 사라지진 않았다. 힘들어하는 유연의 어깨를 감싼 건이 청송에게 고갯짓을 했다.

"청송."

"공주님의 힘이 어미를 괴롭게 하는 겁니다. 조금만 참아요, 누이. 공주님이 태어나면, 이 또한 괜찮아질 겁니다."

묘하게 어른스러워진 청송이 유연의 손을 잡곤, 그대로 힘을 개방했다. 그러자 청매의 기운이 일행들의 주위를 삽시간에 휘감는다. 청량하고 산뜻한 숲의 향기가 화매의 기운을 밀어내고 범접할 수 없는 결계를 만들었다. 과거보다 더욱 견고하고 완벽하게, 한 치의 틈 없이 그녀를 보호했다.

건도 청송의 결계가 바뀌었다는 것을 눈치채곤, 대견하다는 표정으로 덥수룩한 머리카락을 쓰다듬는다.

"키만 큰 게 아니었네."

"하지 마라, 귀멸자야. 다 흐트러지잖느냐."

"대견해서 그래."

"쳇."

청송이 결계를 만든 뒤에야, 유연은 한층 편안해진 표정으로 주위를 둘러보았다. 곳곳에 가필드 가문의 문장이 새겨진 저택 내부는 사람이 사는 곳이라기보다는, 유적지의 느낌이 강했다. 그만큼 오랜 역사와 유서 깊은 가문의 권위가 고스란히 느껴진다.

"그런데 호래 말인데요. 술을 마시다가 취해서 구슬을 빼앗겼다고 했잖아요?"

"그랬지."

"인간의 모습으로 로드너와 술을 마신 걸까요? 호래가 먼저 취했고, 구슬에 홀린 로드너가 그걸 훔쳤다면…….'"

"그럴 가능성이 커. 계획적인 접근인지, 구슬에 홀린 건지는 좀 더 지켜봐야겠지만."

"음…… 여하튼, 이 집의 주인은 많이 바쁘거나…… 귀빈을 맞을 준비가 안 되어 있는 사람인 건 확실하네요. 일부러, 우릴 기다리게 하는 걸지도 모르고요."

행사장에 들어선 지 한참이나 지났건만, 로드너는 여전히 보이지 않았다. 만약, 서 상궁님이 자리에 계셨다면 주인에게 불호령이 떨어졌을 거라고 생각하자, 실없는 웃음이 났다.

뿔뿔이 흩어진 수호부들이 각종 음식으로 사심을 채워 가고 있을 때쯤이었다.

"「제가 늦었습니다! 이런, 이런.」"

계단 위에서 로드너의 쩌렁쩌렁한 목소리가 들렸다. 서양식 정장에 갓을 쓰고, 곰방대까지 문 로드너는 평소의 모습과 달리 유쾌한 괴짜의 모습을 하고 있었다.

로드너를 발견한 사람들이 손뼉을 치고 환호한다. 마치 스타를 맞이하듯, 요란하게 이름을 연호했다. 그들에게 손을 흔들며 뛰어 내려온 로드너가 건과 유연의 앞에 서더니, 중세 시대 귀족처럼 예를 갖춘다.

"「정말로 죄송합니다. 이런 차림은 처음이라, 너무 들떠서 촬영을 하다 보니.」"

"「괜찮습니다. 저희도 비공식 일정이니까요. 제 아내와 제가 로드너 씨와 만났다는 것을 아는 사람은…… 이곳에 있는 분들뿐이군요. 원래의 일정이라면, 지금쯤 크루즈에 몸담았을 텐데요.」"

한마디로 없는 시간을 내어, 당신을 찾아왔다는 걸 은연중 흘린 건이 생긋 웃으며 먼저 손을 내밀었다.

"「이건입니다.」"

"「로드너 가필드입니다. 사업을 하며 예술품을 모으는 수집가입니다. 영광입니다.」"

감격한 표정으로 손을 맞잡은 로드너가 의아한 듯 건의 눈을 빤히 바라본다. 동양인의 눈동자는 모두 검거나 짙은 갈색이라고 생각했던 로드너는 건의 금빛 눈동자를 보며 다소 당황했다.

악수는 짧았다. 로드너의 손을 놓은 건이 자연스럽게 테이블에 비치된 냅킨을 움켜쥐었다가 내려놓는다. 물 흐르듯 자연스러운 그 행동에, 로드너의 턱 근육이 짧게 경련했다.

"「예술품이라……. 그러잖아도, 제 아우에게 들었습니다. 제게 보여 주고 싶은 물건이 있으시다던데요.」"

도무지 생각을 읽을 수가 없는 건의 표정에, 로드너가 멋쩍게 말을 이었다.

"「……하하. 예. 실은 전하를 초대하기 위해 수작을 좀 부렸습니다. 그렇게 말을 해야 참석해 주실 것 같아서요.」"

"「아아, 하긴……. 그럴 것 같았습니다. 사실, 제 눈을 거치지 않은 예술품을 찾긴 힘드니 말입니다.」"

"「뭐, 다 그렇진 않을 겁니다.」"

"「그럴까요? 어지간한 물건이 아니고서야 저를 만족시킬 리 없을 텐데요. 어쨌든, 기대를 버려야겠군요.」"

지금껏 기 싸움에서 밀려 본 적 없는 로드너였지만, 오늘은 웬일인지 말이 잘 나오지 않았다. 마치 형체 없는 기에 짓눌린 것처럼, 계속해 자존심에 상처가 났다.

기대를 버린다니.

'이것들이 나를 무시해……?'

여유로운 이건과 제계는 관심조차 없는 유연을 가만히 응시하며 피식 웃은 로드너가 손가락을 빠르게 튕긴다.

"「그렇게 말씀하시니 생각났습니다. 어쩌면 경복궁에서 오신 두 분을 만족시킬 수도 있는, 물건이 제게 있습니다. 다만, 그것은 문화재가 아니라…… 동양의 보석인데, 구경해 보시겠습니까?」"

역대급이라 불리는 엄청난 미술품들이 즐비하게 걸린 복도. 파르스름한 연초의 연기가 흩어진다.

긴, 연죽의 물부리를 잘근 깨문 망량이 화매가 든 그림들을 훑으며 실소했다.

"수정전 지하 같구나."

다른 점이 있다면, 수정전의 지하엔 봉인된 이매들이 살고 있으나 이곳의 화매들은 고삐 풀린 망아지처럼 자유로이 활보한다는 것이었다. 다만, 지금은 망량의 기운에 겁을 먹고 숨어 버린 것뿐이었다.

연기를 흘리는 망량의 눈동자가 푸른색으로 빛난다.

"호래야, 솔직해져야지. 내 너를 돕지 않겠느냐?"

"무, 무엇을 말이냐."

"네가 인간보다 술이 약하다는 걸 나더러 믿으란 것이야? 술에 취해, 구슬을 잃었다고? 허, 거짓말을 하려면 제대로 해야지."

"진짜야! 진짜로 그 인간이 훔쳐 간 것이다!"

"간 빼먹으려고 접근했느냐?"

"뭐?"

"그놈 꾀어서 간 빼먹고, 구슬 하나 더 얻으려 한 거 아니냔 말이다."

"지금 시대가 어느 시댄데! 간 같은 거 빼먹었다가, 큰일 난다!"

"그럼…… 외로웠느냐?"

망량은 연죽 끝으로 호래의 턱을 들어 올리며 물었다. 그러자 정곡을 찔린 사람처럼 꾹 다문 입술을 뗀 호래가 얼굴을 붉히며, 고개를 홱 돌렸다.

"알 거 없다. 망량, 너는 내 구슬이나 찾아 주고…… 술이나 갖고 돌아가라."

그 순순한 태도에 확, 꼭지가 돌 뻔했다. 하긴…… 귀멸자와 주인이 나타나기 전까지는 저 역시 외로움에 허덕였으니까…….

죽지 못해 살아가는 존재들에게 외로움이란 쓸모없는 감정이었다. 하지만 필요악처럼 따라붙는 필연적인 감정이기도 하다. 누구도 알아봐 주지 않고, 눈앞에 있어도 알아보지 못하는. 영생을 살아간다고는 하지만, 주인의 힘이 다하는 날 수호부들은 또다시 깊은 잠이 들 것이다. 다시 외로운 세상을 살아가겠지. 하여 지금의 시간이 너무도 소중했다. 오장육부를 헤집는 그리움에 다시금 허덕이게 될지라도, 놓칠 수 없었다.

아마, 다들 같은 마음일 것이다. 하지만 누구도 티 내지 않았다. 아무리 봄이 짧게 왔다가 스러진다 한들, 그 찬란한 아름다움마저도 퇴색되는 것은 아니기에. 다시금 찾아올 봄을 기다렸다.

가만히 복도를 노려보던 망량이 화려한 몰딩으로 장식된 벽에 연죽을 턴다. 그럴 때마다 겁에 질린 화매들이 움찔대며 망량의 눈치를 본다. 이매였다면, 망량의 눈에는 보이지 않았겠지만, 이들은 모두 화매였다.

"호래가 술 말고 다른 것도 팔았나 보구나."

망량은 제일 가까이에 있는 그림 안으로 손을 쑥 집어넣었다. 그러곤 도롱뇽처럼 생긴 화매의 모가지를 움켜쥔 채 비틀었다.

—키야악!

발버둥 치던 화매가 단말마의 비명을 남긴 채, 연기가 되어 사라진다. 조금 전 화매의 목을 졸랐던 손에는 염라꽃의 연주홍색 꽃물이 짙게 묻어 있었다.

역시……

"「손님께서는 이곳에 계시면 안 됩니다.」"

막, 계단을 올라온 로드너의 가드들이 도포를 걸친 망량을 발견하곤, 어리둥절한 표정으로 다가왔다. 하지만 그들은 망량과 가까워질수록 묘한 두려움에 입술이 말랐다. 이대로 말을 걸면, 큰일이 날 것 같은 불안함에 일정 거리를 두고 멈춰 선 이들이 전기총을 꺼내 든다.

"「여기에 이상한 차림을 한 남자가 있습니다. 쫓아낼까요?」"

덩치 큰 가드가 귀에 건 무전기에 대고 말했다. 하지만 답이 들려오기는커녕, 지직거리는 전파가 확 꽂혀 든다.

인상을 쓴 가드의 시선이 잠시 흔들리는 순간, 망량이 들고 있던 연죽이 어느덧 사내의 턱 아래 닿아 있었다. 가드는 흠칫 놀라 방아 쇠를 당기려 했으나 실패했다. 마취라도 된 것처럼 몸이 굳고 아래 턱이 덜덜 떨렸다. 하얀 피부에 파란 눈. 갓 아래 드러난 날카로운 이목구비가 마치 서늘한 칼날 같았다.

"「가, 가드!」"

"시끄럽다. 아직도 정신을 못 차렸군."

망량의 눈동자가 푸르게 빛나더니, 흰 연기가 좌우에 피어난다. 흑표범의 형상을 갖춘 연기를 본 가드는, 거의 눈을 뒤집고 쓰러질 것 같았다.

"「귀, 귀신!」"

"어지간하면 좋게 좋게 넘기려 했으나, 네놈 주인이 한 짓거리가 워낙 음흉하여 그냥은 못 넘어가겠다."

망량의 말이 끝나기 무섭게 사방에서 뛰어온 가드들이 놀라 소리쳤 다. 하지만 순간 달려들던 이들의 몸이 허공으로 붕 뜬다. 망량의 연죽 이 허공을 긋는 순간, 붕 떠 있던 이들이 동시에 바닥으로 내리꽂혔다.

쾅!

"「으으…….」"

"「이게 뭐야!」"

앓는 소릴 내는 자들이 덜덜 떨며 꿈틀댔다. 망량은 공포에 질린 그들 사이로 담담히 걸음을 내디뎠다. 희게 안광을 빛내는 망량을 올려다보던 자들이 새파랗게 질려 주춤주춤 물러난다.

어느 화려한 문 앞에 선 망량이 뒤따르는 흑표범들에게 명령했다.

"가서 도둑놈을 잡아 오너라. 감히 화매를 훔쳤으니, 그 대가를······ 치러야지."

❀

자신 있게 건을 안내한 로드너는 수장고가 있는 2층과 가까워질수록 기이한 느낌을 받았다.

2층, 그것도 수장고와 연결된 복도는 보안 등급이 높아 경비를 제외하곤, 누구도 접근할 수 없는 곳이었다. 그런데 지금 들려오는 소리는 불특정 다수의 고통에 찬 앓는 소리였다. 마치 목이 졸린 사람처럼 쉬어버린 목소리로, 누군가 도움을 요청한다.

"「이상한 소리가 나는군요.」"

계단 중간에 멈춰선 건이 로드너를 보며 묻자, 당황한 그가 잠시 기다리라고 한 뒤 계단을 뛰어 올라갔다.

"「자, 자네들 뭔가!」"

로드너의 눈 앞에 펼쳐진 광경은 처참했다. 복도에 줄지어 쓰러진 가드들이 약에 취한 사람처럼 바닥을 기며, 괴로워하고 있었다.

정말, 단체로 마약이라도 한 것인가? 요즘, 문제가 심각하긴 하지만 로드너는 철저하게 혈액검사까지 완료하여 직원들을 고용했다. 그러니 이건 약에 취한 게 아니다. 그럼 생화학 무기? 대체 누가?

"「이봐!」"

로드너는 손수건을 꺼내 입과 코를 가린 뒤, 제일 가까이에 있는 가드를 흔들었다. 그러자 고개를 든 가드의 눈이 커다래지더니, 비명을 지르기 시작한다.

"「귀, 귀신이다! 귀신! 살려줘!」"

"「뭐? 자네 왜 이러나!」"

"「사, 살려……!」"

비명을 내지르던 가드가 거품을 물고 쓰러진 뒤에야, 로드너는 사태의 심각성을 깨달았다. 하지만 귀빈들이 참석한 지금 경찰과 의료진을 부를 수는 없었다.

욕설을 뇌까린 로드너가 급히 비서에게 전화를 걸 때였다.

"「홀렸군요.」"

바로 뒤에서 이건의 목소리가 들려왔다. 가슴 앞으로 팔짱을 낀 그가 계단을 올라와 담담한 표정으로 주위를 훑는다.

금빛으로 빛나는 이건의 눈동자를 본 로드너의 머리털이 쭈뼛 곤두섰다. 호사가들 사이에 암암리 전해지는 대한민국 왕가의 비밀. 어쩌면, 지금 저 눈빛이 그 비밀의 열쇠 아닐까? 로드너는 어떻게든 이 기회를 잡아야 했다.

"「홀리다니요?」"

로드너가 급격히 흥미를 보이는 모습에 건은 보란 듯 그림 앞으로 다가갔다. 그러곤 그림 안으로 쑥, 손을 넣자 헛바람을 들이켠 로드너의 다리에 힘이 풀렸다.

"「귀신 소굴이 되었군.」"

혼잣말이었지만, 말의 파급력은 대단했다.

"「귀, 귀신이요?」"

건은 대답 대신 손아귀에 잡히는 화매의 목을 움켜쥔 채 그림 밖으로 끌어당겼다.

-끼야악!

귀멸의 힘에 타들어 가는 화매의 박쥐 날개와 독수리의 얼굴이 괴이하게 뒤틀린다. 건은 부러 로드너의 눈앞에 화매를 내밀었지만, 로드너의 눈에는 보이지 않았다. 다만, 기분 나쁜 울림이 전신을 통해 전해질 뿐.

'구슬을 소지하고 있지 않나 보군.'

그렇다면, 지금 망량은 구슬이 보관된 곳에서 그를 기다리고 있을 것이다.

화매를 소멸시킨 건이 탁탁, 손을 털자 로드너의 눈앞에 옅은 불티가 휘날린다. 환각이 아니라면, 건이 손을 털 때마다 스파크 같은 것이 튀어 올랐다.

"「하……! 대, 대체…….」"

"「혹시, 요즘 들어 막 식은땀이 나거나 악몽을 꾸고. 별것 아닌 것에 화가 난다거나 이유 없이 기억이 사라지지 않습니까?」"

"「예?」"

"「그것도 모자라…… 특정한 누군가를 보면, 가슴이 미친 듯이 뛴다거나. 마치 사랑에 빠진 것처럼.」"

로드너의 양 뺨이 붉어지고 입술이 들썩거렸다. 로드너는 애써 웃으며 손을 저었다.

"「그럴 리…….」"

그러다가 무언가 생각났는지, 양손으로 입을 가리며 어깨를 움츠린다. 서양인 특유의 '나 지금, 소름 돋았어!'라고 표현하는 듯한 제스처였다.

"「그, 그게 다 뭐였습니까?」"

건은 가드들의 목을 조르고 있던 화매들의 머리통을 잡아 가볍게 소멸시켰다. 힘을 쓸 필요조차 없었다. 모두가 망량이 붙여 놓은 최하급 화매들이었고, 이들은 오로지 정해진 상대를 괴롭히는 것에만 힘을 썼으니까.

건의 손이 스칠 때마다 쿨럭대며 정신 차린 가드들이 가쁜 숨을 몰아쉬며 벽을 짚고 일어난다. 다들 악몽이라도 꾼 얼굴로 로드너를 보자마자 이곳에서 일할 수 없다며, 뒤도 돌아보지 않고 도망치기 시작했다.

"「이, 이봐!」"

"「이곳은 귀신이 나오는 성이라고요! 경찰에 신고하겠어요!」"

"「빌어먹을, 당장 그만둬! 당신 고소할 거야!」"

가드는 가운뎃손가락까지 올려 보인 뒤, 도망쳤다. 비서들에게 연락해 그들을 잡으라고 지시한 로드너가 수장고 문 앞에 선 건에서 다가왔다.

"「여기군요.」"

건이 심상한 표정으로 문에 손을 댄다. 로드너는 다급히 그를 막았다.

"「여긴 수장고입니다. 제 지문과 눈동자 인식이 되어야 열립니다.」"

그러며 문 한쪽에 있는 보안 장치를 해제하려 할 때였다. 끼익, 소리와 함께 수장고의 문이 열렸다. 그저 문을 툭 건드렸을 뿐인 그가 피식 웃으며 고개를 기울인다.

"「열렸네요.」"

로드너는 정말로 귀신에 홀린 기분이었다. 활짝 열린 문 너머로, 흰 연기가 자욱하게 깔려 있다. 화재라도 났나 싶어 다급히 뛰어 들어간 로드너의 눈에 보이는 건, 푸른빛을 내는 구슬을 손에 든 망량이었다.

"「당신 누구야!」"

그러자 구슬을 가만히 응시하던 망량이 싸늘한 표정으로 서서히 돌아선다. 이 더운 날, 시린 냉기가 로드너의 발을 휘감는다.

"잘 왔다. 어찌 생긴 놈인지 궁금했는데…… 참으로 별거 없구나."

순식간에 훅 다가온 망량의 얼굴이 로드너의 눈앞에 있다. 연죽으로 로드너의 턱을 지그시 들어 올린 망량의 뒤로, 이를 드러낸 흑표범들이 어슬렁거리며 위협한다.

경악한 로드너는 딸꾹질을 하며 건을 돌아보았다.

"「귀, 귀신입니까?」"

"「아…… 당신, 훔치지 말아야 할 것을 훔쳤나 보군요.」"

"「예?」"

"「한국에선 오래된 물건은 함부로 손대지 않습니다. 아무리 아름다워도, 원래의 주인이 누구인지를 생각하죠.」"

"「오래된…… 물건? 설마 저거, 저…… 저 구슬이.」"

"「도둑은 벌을 받아야겠죠? 그러니 즐거운 시간 보내요. 지금 눈에 보이는 '그거'…… 총각 귀신 맞습니다.」"

"「전하!」"

로드너가 목이 터져라 외쳤지만, 건은 생긋 웃으며 단호하게 문을 닫았다. 닫힌 문 너머로 로드너의 비명이 쉬지 않고 터져 나왔다.

오래전, 망량의 결계 안에서 초주검이 되어 도망쳤던 이마무라를 떠올리자, 자동으로 아득 이가 갈린다.

"내 할 일은 끝났군."

손을 주머니에 꽂아 넣은 그가 콧노래까지 흥얼거리며 계단을 내려갔다. 그러자 가까운 곳에 서서 오매불망 그를 기다리던 유연이 뛰어온다.

"위험하게, 왜 뛰고 그래."

"걱정했잖아요. 지금 막 망량의 결계가……."

"맞아. 이번 일은 망량이 해결한다더군. 근데, 식사는?"

"정신이 없어서 무슨 맛인지도 모르겠어요. 다들 돌아가고 싶어 해요."

"그래, 이만 망량에게 맡기고 돌아가는 편이 좋을 것 같은데. 곧, 경찰이 들이닥칠 수도 있거든."

유연이 동의하며 그의 팔짱을 끼워 잡았다. 조금 전 혼비백산한 가드들이 저택을 뛰쳐나갔다. 그들은 하나같이 귀신이 나타났다며 소리쳤고, 사람들은 일종의 이벤트로 받아들인 건지 더욱 환호했다.

"복아, 가자."

양 볼 가득 마카롱을 욱여넣은 복이를 번쩍 안아 든 퀼이 단내를 맡곤 인상을 쓴다. 이렇게 단 걸 먹었으니 꼭 이를 닦으라며 볼록한 볼을 콕콕 찔렀다.

흩어졌던 수호부들이 하나둘 모여든다. 치웅은 색이 신기한 음료를 홀짝였고, 환은 노래를 흥얼거렸다. 우혁은 치웅에게 줄 아이스크림을 두 개나 챙겨 따르면서 잔소리를 했다. 배탈이 날 거라며 오늘은 배를 따뜻하게 하라는 타박에 치웅은, '내 이불은 네가 책임져야지.'라고 대꾸했다.

"이만 나갈까?"

"그래, 주인아. 시끄럽고 요란하고 정신 하나도 없다."

"그래요, 누이. 여긴 기운도 별로예요."

행사장을 한번 둘러본 유연은 미련 없이 저택을 나섰다. 후덥지근한 밤공기가 폐부에 훅 파고든다. 매연에 미세먼지까지. 썩 공기가 좋은 편은 아니었지만, 내부보다는 나았다. 기지개를 켠 유연은 다시 한번 저택을 돌아보았다.

망량이 있는 2층 수장고. 다른 이들의 눈엔 보이지 않겠지만, 유연의 눈에는 선명하게 보였다. 온갖 화매와 이매들이 그곳으로 빨려 들어가는 모습이. 그것은 주인을 잃은 구슬에서 도망친 이매들이 다시 구슬 안으로 빨려 들어가는 모습이었다.

대체, 여우 구슬이 뭐기에. 환하게 불 밝힌 저택을 뒤로한 유연은 피식 웃으며 걸음을 내디뎠다.

"왜?"

"그냥요. 그냥…… 뭔가 하나 튀어나올 것 같은데."

유연의 말이 끝나기 무섭게 그녀의 눈동자가 붉게 빛나기 시작한다. 퀼에게 안겨 있던 복이의 방울이 요란한 소릴 내며 사방의 고요를 찢어발겼다.

-쿵!

저택에서 시작된 거대한 이매의 기운이 해일처럼 솟아오른다. 돌아선 그녀에게로 중세 기사의 갑주를 입고 창을 든, 50층 대형 아파트 높이의 이매가 달려들었다.

하얗게 눈을 빛내며 창을 꽂아 넣으려는 이매에게로 건이 손을 뻗는다. 그 뒤를 이어 김퀼과 환이 범으로 변해 뛰어올랐고, 치웅의 손에서 날렵한 검이 빠져나와 이매의 몸통을 세로로 그었다. 이미 유연의 전신으로는 청송의 결계가 부드럽게 드리운다.

-카아악!

범들의 아가리에 찢기고, 치웅의 검에 갑주가 갈라졌다. 그리고 건의 손짓에 이매의 몸이 종잇장처럼 구겨지더니 검은 연기를 터트리며 삽시간에 사라졌다. 순식간에 일어난 일이었다.

"쯧, 덩치만 커 갖고. 저런 게 참 실속이 없어요."

"한 입 거리도 안 되는 놈이, 감히 어딜."

"됐다. 가자."

아무 일도 없었던 것처럼 구는 수호부들의 태도에, 유연은 웃음을 터트렸다. 세상에서 이보다 더 든든한 내 편이 있을까? 유연이 웃자 너도나도 피식대며 웃음을 터트린다. 그녀는 복이의 뺨에 쪽, 뽀뽀하며 고마움을 전했다.

"쭈인아!"

입술을 삐죽 내민 복이가 눈물을 그렁그렁 매단 채 안겨 오려 할 때였다.

"아이고, 되다. 가자, 집으로."

대체 언제 나온 건지, 도포를 탁탁 턴 망량이 수호부들을 지나 성큼성큼 걸음을 내디딘다.

"어? 다 끝났어요?"

"그래, 아마 향후 며칠간은 악몽에 시달릴 게야."

"좀 심했나?"

"됐다. 홀린 놈들에게는 충격 요법이 좋아. 안 가냐? 김치말이 국수가 먹고 싶은데. 송아."

뒷짐 진 망량이 돌아보며 고개를 까딱인다. 그에 불퉁하게 입을 내민 청송이 가까이에 있는 나무를 짚었다.

"중전마마! 저도 데려가셔야죠!"

그제야 유연은 차에서 대기하던 세경을 떠올렸다. 차에서 실컷 장은호와 영상 통화를 하며 대기하라고 했던 세경이, 헐레벌떡 뛰어온다.

유연은 청송이 연 문 너머에 서 있는 장은호를 발견하곤, 손을 흔들었다. 놀란 장은호가 어쩔 줄을 몰라 하며, 자리를 맴돈다. 어서 넘어오라며 소리 질렀다.

"어차피 입국 절차 한 번 더 밟아야 하는데……. 그건, 우리 능력 좋은 상선께서 해 주시겠죠?"

유연의 말에 치웅의 손을 꼭 잡은 우혁이 그녀를 보며 웃었다.

"그럼, 저희 둘은 공항을 통해 정식으로 입출국 절차를 밟겠습니다. 이참에, 데이트도 하고요. 그렇죠, 치웅 님?"

"호래야."

깊은 잠이 들어 있던 호래가 부스스한 얼굴로 눈을 떴다. 앞에 선 사람은 망량이었다. 그의 손에 들린 구슬을 보는 순간, 호래는 기쁜 마음에 달려가 폭 안겼다.

"고맙다. 네가 나를 살렸어. 이번에도…… 네가 날 살렸다, 망량."

어둑한 여우굴에 구수한 누룩 냄새가 번진다. 두 사람 모두 가장 좋아하는 향기였다. 기뻐하는 호래의 머릴 쓰다듬은 망량이 물었다.

"그리 외로우면 같이 가련?"

망량의 다정한 어투에 호래가 피식 웃음을 흘린다. 호래는 뒷짐을 진 채 성큼 물러났다. 그러곤 벽장에 올려둔 호리병 두 개를 가져와 하나를 내밀었다.

"나는 이곳에 있을 것이야. 술을 빚어야지. 자유로이 이곳저곳 다니면서 살고 싶다."

"궁이 감옥 같으냐."

"내게는 그렇다. 그리고 나는 요괴 아니더냐. 수호부도 아닌 것이…… . 그럼 천벌 받는다. 그러니 이걸 가져가라."

빈 병을 받아든 망량이 인상을 찌푸리자, 짓궂은 표정으로 손가락을 흔든 호래가 커다란 술 항아리를 가져왔다. 그러곤 그것을 조심스레 호리병 안으로 따랐다.

진주 가루를 풀어놓은 것처럼 색이 고운 술이 호리병 안에 가득 차자, 신기하게도 망량이 든 호리병에 술이 차올랐다. 그것도 몹시, 달착지근한 향을 내는 것이 술 중의 술이라 불릴 만한 것이었다.

"술이 줄어들 때마다, 내가 채워주마. 항상 이 병의 술은 가득 차 있을 거야. 하지만 아주 만약에…… 술이 차오르지 않으면, 그때 한 번 더 나를 찾아주렴. 그땐 네 도움이 필요해서 내가 널 부르는 것이다."

망량은 헛웃음을 흘리며 고개를 주억였다. 망량이 내어준 구슬을 양손으로 꿀꺽 삼킨 호래의 몸이 붕 떠오른다. 이어 풍성하고 하얀 꼬리가 튀어나와 살랑살랑 흔들리고, 호래가 입고 있던 붉은 도포가 은색으로 변했다.

"하…… 이제 살 것 같다."

더욱 아름다워진 호래가 망량의 뺨을 어루만지며 생긋 웃는다.

"어찌 그리 아련한 표정을 지으실까. 소녀 마음 설레게."

"내가 아는 여인이 너 하나뿐이라."

"이런, 나 같은 늙은이가 무에 좋다고."

"글쎄…… 내 눈에는 아직도 여리고 어여쁜, 호래 아니더냐."

여우비　　　　　　　　　　　　　　　　　　　　　　　483

호래의 뺨이 확 달아오른다. 다급히 떼어지려는 호래의 손목을 잡은 망량이 고개를 숙였다. 갓이 기울어져 시야를 가리고, 둘의 얼굴엔 봄꽃 같은 미소가 번졌다.

"또 보자."

호래는 눈을 감은 채 고개를 끄덕였다. 한참이 흐른 뒤, 다시금 싸늘한 어둠이 찾아왔다. 눈을 떴을 땐, 이미 망량은 사라지고 없었다. 다만 향기는 남아, 여인의 마음을 뒤흔들었다.

찰랑거리던 술이 벌써 한잔 사라지는 걸 본 호래가 해사하게 웃으며 술병을 채워 주었다.

–하여간, 네놈은 술 덕분에 간을 지킨 줄 알아라. 나도 술고래의 간은 맛없어서 싫다.

새침하게 말하며 은색 꼬리를 살랑살랑 흔든다. 봄이 돌아온 기분이었다.

1년 뒤.

시간은 여지없이 흘렀고, 계절은 4번의 옷을 갈아입었다. 찬란했던 봄을 떠나보내고, 뜨거운 무더위가 찾아왔을 때. 경복궁에도 변화가 찾아왔다.

바로, 소중한 존재를 위해 낙선재 뒷마당에 설치한 비밀 풀장이었다.

"빠아!"

혀 짧은 소리에 침전에서 눈을 뜬 건은 여지없이 얼굴을 흠뻑 적신 침을 닦아 냈다.

"빠!"

꿈이 아니다. 지금까지의 모든 일이 현실이었지만, 아직 잠이 덜 깨서인지 얼떨떨했다. 그래서 건은 배 위에 올라온 아이의 엉덩이를 다독였다.

"우리 공주, 오늘도 아빠보다 일찍 일어났어?"

"빠아! 빠! 빠빠!"

아이가 아빠를 부를 때마다 건의 얼굴 위로 침이 뚝뚝 떨어졌지만, 그는 익숙한 듯 실없이 웃었다. 그러곤 앓는 소릴 내며 아이를 안고 일어났다. 통통하고 하얀 뺨, 까만 머리카락은 아직 딸인지 아들인지 구분되지 않았고, 평균의 아이보다 성장이 빨랐다. 아마, 한 달이나 일찍 태어나 더욱 심혈을 기울여 아이를 키워서일지도 모른다.

건은 이제 막 혼자 앉는 아이의 뺨에 쪽쪽 입 맞췄다. 아이 특유의 젖내가 진하게 풍겼다. 사람의 마음을 녹이는 다정한 향기였다.

"우리 공주, 엄마 주무시니까 나갈까?"

건은 세상모르고 잠든 유연의 얼굴을 쓰다듬은 뒤, 자리를 벗어났다. 요즘 밤낮 없는 수유 탓에 유연의 생활 리듬은 엉망이었다. 새벽에도 몇 번씩 아이는 젖을 찾았고, 유연은 불평 한번 없이 일어나 젖을 물렸다. 그러다가 한번은 앉은 자세 그대로 아침을 맞은 적도 있었다. 그런데도 유연은 해사하게 웃으며, 통통해진 아이의 배를 쓰다듬어 주었다. 그 노고를 알기에 건은 육아에 진심을 더했다.

건이 아이를 안고 침전을 나서자, 앞마당에서 체조하던 김귈과 청송이 꺅, 소릴 내며 뛰어온다.

"빠!"

"어구, 우리 공주님."

"공주님, 춥게 이러고 나온 것이냐?"

기가 막힌 표정으로 하늘을 가리킨 건이, 아이를 숨기듯 안으며 말했다.

"한여름이야. 우리 가연이 땀띠 올라오면, 너희가 책임질 거야?"

"책임진다."

"당연히 책임져야지, 귀멸자야."

하, 이런 심각한 팔불출 같으니. 하지만 상관없었다.

아이가 태어나고, 수호부들은 엉엉 울며 유연의 앞에 부복했다. 유연이 죽는 줄 알았다나 뭐라나. 물론, 저 또한 그날을 생각하면 눈앞이 아득해졌지만, 이제는 다 지난 일. 건은 자신과 유연을 반반 빼닮은 아이를 보며 세상에서 가장 행복한 미소를 지었다.

"우리 가연이 물에 발 담글까?"

"빠!"

엉덩이를 들썩이며 좋아하는 아이를 안고 동정문을 넘은 건은 곧장, 낙선재 뒷마당으로 향했다. 그곳엔 이미 간식과 시원한 식혜. 얼음 띄운 수정과와 탄산수가 놓여 있었다.

물을 보자마자 신이 나 바동대는 아이를 안고 쪽마루에 앉은 건은, 자그마한 발에 물을 튕겨 주며 간지럼을 태웠다.

"물이 그렇게 좋을까."

"나도 좋아하거든."

"주인도 좋아한다."

"알아, 인마."

자그마한 발로 물을 튕기고, 까르르 웃는다. 그 모습을 흐뭇하게 지켜보던 김궐과 청송, 건은 순간 흠칫 놀랐다. 바동대던 아이가 어느 한점을 빤히 쳐다보며 단풍잎 같은 손을 쪽쪽 빤다. 건은 아이의 눈동자가 서서히 붉어지는 것을 발견했다.

"빠?"

"하, 이런……."

가연이 바라보는 곳에는 누군가의 낙서가 붙어 있었다. 붉은색 테이프로 고정한 낙서가 바람에 흔들리더니, 붕 떠오른다. 그 안에 든 이매가 꿈틀대며 몸을 들썩이는 게 보였다. 건과 퀼, 청송의 눈빛이 변하고 한숨을 쉰 건은 아이의 눈을 가리며 읊조렸다.

"잡아, 김퀼."

순식간에 범으로 화한 퀼의 아가리에 찢겨 나간 이매가 연기로 화해 사라진다. 그러자 아무 일도 없었던 것처럼, 아이의 웃음이 낙선재를 가득 채웠다.

"공주님, 큰일 나겠네. 시집은 어찌 보내나."

건은 벌써부터 가슴이 아픈 듯, 심장을 눌렀다.

"벌써 시집보낼 걱정이냐."

"당연하지. 시간 빨리 간다, 너희는 내가 죽어도 우리 가연이 지켜."

"하, 당연한 소릴."

물속으로 풍덩 들어가 앉은 퀼이 손을 뻗자, 어디선가 복이가 뛰어왔다.

"꼰주!"

"다들 아침부터 어디 갔나 했더니. 또 가연이 데리고 여기 와 있는 거예요?"

그리고 하품을 하며 나타난 유연이 물에 앉은 퀼을 보며 혀를 찼고, 불쑥 지붕 위에서 나타난 망량은 연죽 대신 부채를 흔들며 수정과를 집어 들었다. 그리고 늦잠을 잔 건지 환과 치웅이 기지개를 켜며 쪽마루에 자리한다.

그들을 본 아이의 얼굴에 함박웃음이 피어났다.

"빠!"

할 줄 아는 말은 아직 없지만, 저마다 다들 말을 알아듣고 한마디씩 대꾸했다.

"우리 가연이도 수박 먹고 싶단다."

"오구, 우리 공주님. 할머니한테 올 거야?"

"아닙니다. 가연이는 빨리 물에 들여보내 달라고 한 거예요."

"쯧, 가연아 이리 온. 나한테 오고 싶다 않느냐."

"흠…… 내가 보기엔, 엄마를 보고 반가워하는 것 같은데."

환의 말에 동시다발적으로 고개를 틀어 유연을 본다. 편안한 차림의 그녀가 헛웃음을 흘리며 건에게 다가와 아이의 뺨에 쪽 입 맞췄다.

"우리 가연이, 엄마한테 올까?"

그러자 빤히 보던 아이가 고개를 홱 돌리더니, 궐에게 양팔을 뻗는다. 궐이 입술을 씰룩거리며 좋아했다. 유연이 기가 차 한탄했다.

"자식 키워봤자 소용없다더니."

"우리 아직 몇 달 안 키웠는데, 중전."

"몰라요. 서운해."

토라진 척하는 유연을 건이 달래고, 그 모습을 보던 아이가 쓱 손을 뻗는다. 톡톡 무릎을 두드리며 얼굴을 대는 어리광에 언제 그랬냐는 듯 마음이 풀어졌다.

"하…… 좋다."

유연은 건의 허벅지를 베고 누웠다. 그러자 망량의 부채를 **빼앗아**
든 그가 그녀의 땀을 식혀 준다.

"그러게. 행복이네, 이게."

"응. 행복 맞아요. 이대로, 하루하루가 오늘 같았으면 좋겠어요."

혼잣말처럼 중얼거리던 그녀의 목소리가 잦아든다. 얼마나 피곤
했는지, 다시금 잠들었다.

건은 느리게 부채질을 하며 유연의 **뺨**에 입 맞췄다. 평화로운 일
상이 너무나도 소중했다. 매일매일, 소중한 날들이 늘어나고 아픈
기억은 사라져 눌어붙은 자국처럼 남았다.

처음 만났던 그 날, 그해 여름도 이렇게 가슴이 뛰었었다. 그러니
평생 너는 내 심장을 뛰게 하겠지.

"사랑해, 중전."

그 간지러운 고백에 유연이 웃으며 입술을 달싹였다.

"나도요."

가슴속에 수만 마리의 나비가 날아오르는 것처럼 간질거린다. 매
일매일이, 잊을 수 없이 다정한 날들이었다.

퍽, 다정한 여름이 왔다.

Fine

Writer's Letter

진소예

소박한 관찰자
영원한 비염 환자
구제 불능 활자 중독자

안녕하세요, 진소예입니다.

네이버 웹소설에서 시작해, 웹툰을 지나 이렇게 지면으로 만나 뵙게 된 모든 독자님 너무너무 반갑습니다.

〈더 캐슬〉은 저의 첫 네이버 웹소설 작품이자, 10여 년 만에 집필한 현대 판타지 로맨스였습니다. 게다가 궁중물이라죠. 사실, 가상시대 궁중물을 제가 집필하게 될 거라곤 꿈에도 상상하지 못했습니다.

고속 도로를 달리다가 마주친, 호랑이 모양의 구름이 아니었다면 〈더 캐슬〉의 주인공들은 탄생하지 못했을지도요. 그래서인지 더 캐릭터 하나하나가 소중했던 작품입니다. :)

게다가 삽화를 맡아 주신 델타 작가님이 아니셨다면, 우리의 캐릭터들이 이토록 생동감 있게 살아 숨 쉬지 못했을 거예요.

이 자리를 빌려, 매 회차 삽화를 맡아 주신 델타 작가님께도 정말로 감사 인사드려요. 덕분에, 우리의 김궐과 이건. 망량과 청송의 케미가 훨훨 날아다닌 것 같습니다. :)

〈더 캐슬〉은 집필 전부터 저를 가장 애먹인 작품입니다.

일단 고증의 문제가 가장 컸고요, 하필이면 전체이용가라는 허들이 저를 주춤하게 했습니다. 고증의 문제로 정말로 많은 자료집을 탐독했고, 여러 나라의 왕실에 관해 공부했어요.

그래서 나온 결론은 '대한제국'을 고집할 필요가 없다는 것이었습니다. '왕'이라는 단어가 존재하나, 이는 정치와 무관한 일종의 '직업'으로 설정

했습니다.

물론, 이 때문에 몇몇 분들께 혼란을 드린 것 같습니다만(웃음) 대한제국은 과거의 명칭일 뿐, 현재의 대한민국에 '왕'이란 직업이 유지된다라고 이해해 주시면 어렵지 않으실 거라 생각됩니다.

아마, 향후 10년간은 또다시 현대 판타지를 집필하진 않을 것 같습니다. 물론, 좋은 소재가 떠오른다면 말을 바꿀지도 모르겠⋯⋯ 습니다.

〈더 캐슬〉의 소재를 위해 드라이브에 나서 준, 저희 남편과 수십 번의 원고 수정에도 묵묵히 기다려 주신 에이템포 미디어 편집부 가족들, 그리고 멋진 웹툰을 만들어 주신 아트리 식구들에게도 감사 인사드립니다.
〈더 캐슬〉은 이후에도 더욱 다양한 방법으로 독자님들과 만나 볼 예정입니다.
모든 분이 경복궁을 지나칠 때마다, 우리의 이건과 유연, 김결과 수호부들을 떠올리셨으면 하는 바람입니다. 그럼 저는 너무 행복해서 심장이 아플 것 같은데요?

지금은 23년도 4월입니다. 봄꽃이 만발하기 시작했고, 주인공들이 혼례를 올린 날이라고 생각하자 가슴이 두근거립니다.
저는 또 다른 지면으로 독자님들과 만날 날을 기다리겠습니다. 오래오래 기억되는 작가이길 바랍니다.

따뜻하고 행복한 나날, 되세요.

23년 4월, 작가 진소예 드림.

The Castle의 독자님들
행복하세요 v   23년 4월 '봄'에 담음 v

13년 전.
나는 대한민국에서 가장 유명한 남자에게 첫눈에 반했다.
정확히 말하자면, 대한민국 30대 왕이 된.
나의 남편, 이건에게.

"찾았다, 너."

더 캐슬

THE CASTLE

진소예 현대 로맨스 판타지 소설

Illustration. Title | DELTA

crescendo

a tempo.

본래 템포대로.

da capo.

처음부터 다시.

al fine.

끝까지.

더 캐슬 3

초판 발행 2023년 7월 26일

지은이 진소예
펴낸이 최재호
총괄 전지영
펴낸곳 주식회사 에이템포미디어

편집 디자인 이준규, 김현경 **표지 디자인** UDDC studio
교정 교열 에이템포미디어 출판부 **삽화** DELTA

출판등록 2019년 2월 27일 제 2019-000012호
주소 경기도 부천시 조마루로385번길 92 부천테크노밸리U1센터 726호
대표전화 070-4100-0600 **팩스** 070-4758-0640

전자우편 atempo_media@naver.com
블로그 atempomedia.com
인스타그램 @atempomedia_books
트위터 @atempomedia
카카오톡 @에이템포미디어 출판사

ISBN 979-11-6963-255-3
　　　979-11-6963-252-2(**SET**)